KB187630

혜능(惠能) 지음

국가지정문화재 보물(제2063호)

알기쉽도록 <육조단경>

에스페란토 –한글 풀이로 읽다

왕숭방(王崇芳) 에스페란토 옮김
장정렬(張禎烈) 에스페란토에서 옮김

알기쉽도록 <육조단경> 에스페란토 -한글풀이로 읽다

인 쇄 : 2021년 11월 3일 초판 1쇄

발 행 : 2021년 11월 10일 초판 1쇄

지은이 : 혜능(惠能)

에스페란토 옮김 : 왕숭방(王崇芳)

에스페란토에서 옮김 : 장정렬(張禎烈)

펴낸이 : 오태영(Mateno)

표지디자인 : 노혜지

출판사 : 진달래

신고 번호 : 제25100-2020-000085호

신고 일자 : 2020.10.29

주 소 : 서울시 구로구 부일로 985, 101호

전 화 : 02-2688-1561

팩 스 : 0504-200-1561

이메일 : 5morning@naver.com

인쇄소 : TECH D & P(마포구)

값 : 15,000원

ISBN : 979-11-91643-27-5(03220)

혜능(惠能) 지음

국가지정문화재 보물(제2063호)

알기쉽도록 <육조단경>

에스페란토 –한글 풀이로 읽다

왕숭방(王崇芳) 에스페란토 옮김
장정렬(張禎烈) 에스페란토에서 옮김

진달래 출판사

ESTRADO-SUTRO DE DARMO-TREZORO

[六祖壇經]

Huineng(惠能)

verkinto

Wang Chongfang(王崇芳**)**

tradukis el Ĉina originalo.

JANG Jeong-Ryeol(張禎烈)

tradukis el Esperanto en Korean lingvon.

ENHAVO(차례)

참고 문헌

1. 『**알기 쉬운 경전강좌 육조단경**』(정토회 정토법당): 이 텍스트를 중심으로 **에스페란토본-중국어본**을 살펴보았습니다.

2. 청소년 철학문고 26 『**육조단경-사람의 본성이 곧 부처라는 새로운 선언**』(정은주 풀어씀, 풀빛출판사, 2012년): 이 책에서의 불교 용어에 대한 풀이를 적절히 활용했습니다.

3. 『**육조단경강의**』(심재열 강의, 보연각, 1997): 이 책에서는 고려 지눌 선사의 <육조단경 발문>의 한글 번역을 인터넷 자료와 함께 비교해 그 문맥을 살펴서 입력했습니다.

ANTAŬPAROLO AL LA ESPERANTA TRADUKO

에스페란토본 서문

La ĉina budhismo atingis la kulminon de sia prospero dum la dinastio Tang. La skolo de djan-o aŭ la ĉina zeno estas la plej disvastigita kaj plej influa skolo en la budhismo. Ĝia efektiva fondinto estis Huineng (638—713). Li estis honore konsiderata kiel la Sesa Patriarko en Ĉinio. Liaj predikoj kaj vivhistorio estis registritaj de lia disĉiplo Fahai kaj poste formiĝis en libron Estrado-Sutro de Darmo-Trezoro de Huineng. Ĝi estis la sola verko, kiu portas la nomon de "sutro" en la budhisma historio escepte de la predikoj de la Sinjoro Budho Ŝakjamunio.

중국 불교는 당나라 시대에 번성의 정점에 다다랐습니다. 당시에 선종(禪宗)이 널리 전파되어 불교에서 가장 영향력 있는 종파가 되었습니다. 이 선종의 실질적 초석을 다진 분이 **혜능(惠能: 638 ~ 713) 선사**입니다. 혜능 선사는 나중에 중국 제6대조의 영예를 얻었습니다. 혜능 선사의 설법과 생애를 그의 제자 **법해(法海)**가 기록하고, 나중에 이를 정리하고 간행한 것이 이 『**단경(壇經)**』(수계(受戒)식을 하는 계단(戒壇)에 올라가 설법하신 법문)입니다. 이는 불교 역사상 석가모니의 설법을 제외

하고는 '경(經)" 이라는 이름을 얻은 유일한 저술이 되었습니다.

Tiu ĉi Estrado-Sutro de Huineng estas senlime valorega kiel por la Zenisma Skolo kaj, ĝenerale, por la budhismo, tiel ankaŭ por la ĉina kulturo kaj por la homoj, kiuj estas vivintaj kaj vivantaj. Kune kun la konfuceismaj Kvar Libroj (t.e. La Granda Lernado, La Doktrino de la Ĝusta Mezo, La Analektoj de Konfuceo kaj La Libro de Menzi) kaj la taŭismaj klasikaĵoj Laŭzio kaj Zhuangzio, ĝi brile lumigas la ĉinan kulturan historion. Tiuj ĉi klasikaĵoj donis grandan revelacion al la perfektiĝo kaj libera ekzistado de la ĉina popolo.

이『단경』은 선종에 있어서도, 또, 전반적으로 불교에 있어서도, 중국문화를 위해서도 또 그 이후의 옛사람들과 오늘날의 살아가는 사람들에게도 무한한 가치를 지니고 있습니다. 이 저술은 유교 4서(『논어』,『맹자』,『대학』,『중용』)는 물론이거니와, 도교의『노자』와『장자』등과 함께 중국문화사를 빛나게 조명하고 있습니다. 이 고전은 중국인의 완미와 자유적 존재에 대해 거대한 계시의 의의를 가진 불후의 명저입니다.

En la historio la Estrado-Sutro de Huineng havis multajn versiojn. Interalie la kompare pli influaj estas:

이『단경』은 역사상 다수의 판본이 있는데, 그중에서도 큰 영향력을 미친 것은 다음과 같습니다.

La Dunhuang-a Versio, kiu estas el unu volumo, kopio de ĉ. 780 p.K. Ĝi estis malkovrita inter la kolektaĵoj de Dunhuang-aj kulturaj restaĵoj konservataj en la Brita Muzeo en Londono en 1920-aj jaroj. Post reviziiĝo ĝi estis kolektita en La Budismajn Sanktajn skribojn de Tajŝjo.

'돈황본(頓煌本)'. 이는 한 권으로 되어있고, 대략 780년경의 필사본입니다. **『남종돈교최상대승마하반야바라밀경육조혜능대사어소주대범사시법단경(南宗頓教最上大乘摩訶般若波羅蜜經六祖惠能大師於韶州大梵寺施法壇經)』**이라는 제목의 이 책은 1920년대 런던 대영박물관에 소장되어 있는데, 이를 교정해 발간한 것이『대정장(大正藏)』에 포함되어 있습니다.

La Huixin-a versio, unuvoluma, kiu estis kompilita kaj reviziita de la zenisma majstro Huixin, kiu vivis en la malfrua periodo de la dinastio Tang kaj la frua periodo de Song. Ĝi estis publikigita libroforme en la kvina jaro de la regperiodo Qiande de la dinastio Song (967), titolita Sutro de la Sesa Patriarko. Poste ĝi estis disvastigita al Japanio kaj represita de la templo Kosei, kaj sekve ĝi estis nomata ankaŭ "La Versio de

Kosei-versio” .

‘혜흔본(惠昕本)’ . 이는 2권으로 구성되어, 당나라 후기와 송나라 초기를 사셨던 혜흔 선사가 송나라 건덕 5년(967년)에 책으로 편찬했습니다. 제목은 **『6조단경(六祖壇經)』** 입니다. 나중에 이것이 일본에 전파되어 고세이사(흥성사)에서 다시 간행되었기에 그곳의 발행을 이름하여 ‘고세이본(흥성사본)’ 이라고도 합니다.

La trivoluma Qisong-versio, kiu estis kompilita de la zenisma majstro Qisong de la dinastio Song. Ĝi estis publikigita en la tria jaro de la regperiodo Zhihe de tiu dinastio (1056). Sed la nun ekzistanta Qisong-versio estas nur unu volumo, kiu estis represita en la dinastio Ming. Sekve ĝi estis nomata ankaŭ “La Ming-dinastia Versio” .

‘설숭본(契嵩本)’ . 이 본의 제목은 **『육조대사법보단경조계원본(六祖大師法寶壇經曹溪原本)』** 입니다. 3권으로 되어있고, 송나라 설숭 선사가 편찬해, 송나라 지화 3년(1056년)에 간행되었습니다. 그러나 지금까지 전하는 설숭본은 1권만 전하는데, 이를 명나라 때 다시 간행했습니다. 따라서 이는 ‘명장본(明藏本)” 이라고도 부릅니다.

La Deyi-versio, kiu estis unuvoluma, sed laŭ-enhave dividita en dek partojn. Ĝi estis kompilita de la zenisma majstro De Yi de la dinastio Yuan kaj publikigita en la dudeksepa jaro de la regperiodo Zhiyuan (1290). En Japanio sin trovas ekzemplero de eldono presita en la regperiodo Yanyou de la dinastio Yuan, sekve ĝi estas nomata ankaŭ "La Yanyou-versio". Ĝi estis titolita Sutro de la Darmo-Trezoro, elparolita de la Sesa Patriarko sur la Estrado.

'덕이본(德異本)'. 이는 원나라 덕이 선사가 편찬한 것인데, 1책으로, 그 내용은 10개의 품(品)으로 구분되어 있습니다. 원나라 지원 27년(1290년)에 간행되었습니다. 일본에서 원나라의 연우 3년에 간행된 각본이 발견되어, 이를 '연우본' 이라고도 부릅니다. 이 본의 제목은 **『육조법보단경(六祖法寶壇經)』** 입니다.

La Zongbao-versio, kiu estis unuvoluma, sed ankaŭ dividita en dek partojn. Ĝi estis kompilita de la zenisma majstro Zong Bao de la dinastio Yuan kaj publikigita en la jaro Xin Mao de la dinastio Yuan (1291), sub la titolio Sutro de la Darmo-Trezoro, elparolita de la Majstro la Sesa Patriarko sur la Estrado.

'종보본(宗寶本)'. 이 본도 1책으로, 10개 품으로 나눠 있습니다. 이는 원나라 종보 선사가 편찬해, 원나라

신유년(1291년)에 『**육조대사법보경전(六祖大師法寶壇經**』으로 간행되었습니다.

Kvankam tiuj ĉi versioj pli aŭ malpli diferencas inter si en la teksto kaj longeco, tamen inter ili sin trovas apenaŭ rimarkinda diferenco en la enhavo. La bazaj pensoj de Huineng, kiuj estas reflektitaj en ili, estas komplete konsekvencaj kaj preskaŭ la sama. La plej popularaj eldonoj estas la Deyi-versio kaj la Zongbao-versio. Nia traduko estas farita surbaze de la versio Deyi kun referenco al la versio Zongbao.

이러한 여러 판본이 문장이나 길이에 있어 다소 차이가 있지만, 특별한 내용상 차이는 거의 없다고 봅니다. 여러 판본에 반영된 혜능 선사의 기본 사상은 완벽하게 일치한다고 보셔도 됩니다. 가장 널리 알려진 판본은 **'덕이본'**과 **'종보본'**입니다.
우리의 이 번역본은 '종보본'을 참고해 **'덕이본'**에 근거했음을 밝혀둡니다.

La Tradukinto Wang Chongfang
중국어 원문에서 에스페란토로 옮긴 이
왕숭방
2017-04-10

추천사

한국에스페란토협회
명예회장 이영구

33년 전에 출간한 『국제어 에스페란토 (Unua Libro 제일서)』를 재출간하기 위하여, 저는 지난 여름철부터 부산의 장정렬교수님과 크게는 책의 얼개에서부터 작게는 오자와 탈자까지 하나하나를 핸드폰과 메일로 주고받던 일련의 과정이 있었습니다.

그러던 어느 날 우연히 장 교수님은 중국의 왕숭방(王崇芳) 선생님께서 에스페란토로 번역한 『육조 단경(六祖壇經)』을 우리말로 이미 번역하여 에스페란토 – 중문 – 한글 순서로 편집했다며 감수와 추천의 글을 요청하여 응낙했지만, 8월 말까지 『제일서』 최종 원고를 마무리해야 했기에 차후에 읽어 보려고 잠시 미루어 두었다가 이제야 기쁜 마음으로 펜을 들었습니다.

왕숭방 선생님은 저명한 에스페란토 번역가요 『에스페란토–중국어 대사전(Granda Vortaro Esperanta–Ĉina』의 편찬자로 중국은 물론이고 세계에스페란토계에 널리 알려진 분이라, 어떻게 『육조 단경(六祖壇經)』을 에스페란토로 맛깔나게 번역하였는지 그리고 장 교수님이 이를 어떻게 구성했는지 매우 궁금하였습니다.

주지하다시피 왕숭방(1936~) 선생님은 1953년 에스페란토를 독학하고 1959년 하얼빈사범대학 중문과를 졸업한 후 교육계에서 교편을 잡다가, 외문출판사와 <중국보도(El Popola Ĉinio)>사 등에서 에스페란토 관련 일에 종사하며 『모택동시사』의 에스페란토번역 작업에도 공동 참여했고, 1991년 중국에스페란토협회 이사로 줄곧 활동하시는 중국에스페란토계의 원로이십니다.

앞서 언급한 『에스페란토-중국어 대사전』은 빈도수가 높은 단어에 대한 상세한 예문과 설명 부분은 사용자들에게 명료한 이해와 편리함을 제공해 주고, 수록된 단어 수만도 5만 단어의 1563페이지에 달하는 대형 공구서로 『에스페란토 대사전』(Plena Ilustrita Vortaro de Esperanto) 못지않은 중국 에스페란토 출판물의 대표적 거작이라 할 수 있으며, 그의 에스페란토에 대한 어문학적 깊은 조예와 혼신 노력에 깊은 경의를 표하고 싶습니다.

그뿐만 아니라 왕숭방 선생님은 노사(老舍)의 장편 소설 『낙타상자(駱駝祥子 Kamelo Ŝjangzi)』와 『노자(老子 La Libro de Laŭxzi)』등 중국 현대소설과 중국 사상의 대표적 작품들을 에스페란토로 번역하셨고, 특히, 고전 중 가장 이해하기 어려운 책인 노자의 『도덕경(道德經)』 즉, 도경 37장과 덕경

44장 총 81장을 에스페란토의 언어 구조와 동서양의 문화 차이를 뛰어넘어 이해하기 쉽게 번역해 내는 성과를 만들어 내셨습니다. 왕숭방 선생님은 세계 에스페란티스토들에게 위대한 지혜의 소유자인 노자의 깊고 오묘한 세계를 만날 수 있게 해 주었습니다.

『육조단경(六祖壇經)』은 육조 혜능(六祖惠能 638-713)의 이야기와 그의 설법을 엮어 만든 책으로 일명 『법보단경(法寶壇經)』이라고도 부르며, 이는 혜능의 사상적 자서전인 동시에 중국 선종(禪宗)의 새로운 장을 열었습니다.

그는 어려서 부친을 여의어 홀어머니를 모시며 땔나무를 팔아 생계를 유지하며 가난하게 살았는데, 비록 글은 쓸 줄 몰랐지만 깨달음이 남다르고 깊어 오조 홍인(五祖弘忍)선사가 그의 깨달음이 비범함을 알고 그의 의발(衣鉢)을 전하여 육조로 봉하여졌습니다.

고승의 어록에 '경(經)'을 붙인 것은 시공과 고금을 통하여 변하지 않는다는 의미로 혜능의 깨달음이 부처님의 깨달음이며 그의 어록이 부처님의 어록을 의미한다고 볼 수 있습니다.

혜능의 『육조단경(六祖壇經)』은 비단 중국뿐만 아니라 일본 그리고 우리 한국 불교와도 깊은 관련이 있는데 당나라에서 공부하고 돌아온 신라의 고승이 『법보단경』을 가지고 와, 고려와 조선 시대를 거쳐 광범하게 유포되었고, 그의 필사본과 목판 인쇄본, 언해본도 여러 차례 간행되었습니다. 또 하동 쌍계

사에 소재한 육조 정상 7층 석탑도 여전히 현대인들에게 사랑을 받고 있습니다.

끝으로 왕숭방 선생님과 장정렬 교수님 두 분의 지속적인 에스페란토번역서를 학수고대하면서, **"나는 그분들의 지혜는 중국인의 것이기도 하지만 동시에 전 인류에 속하기도 하며 또한 그들의 책들은 에스페란토로 마땅히 번역되어야 한다는 생각을 늘 지니고 있다."**

"Mi ĉiam havas la opinion, ke ilia saĝeco apartenas ne nur al la ĉinoj, sed ankaŭ al la tuta homaro, kaj iliaj libroj devus havi sian Esperantan tradukon."

라고 하신 왕 선생님의 평소 소견대로 이러한 일련의 에스페란토번역 작업이 전 세계 에스페란토계의 문화유산으로 승화되어 지구상에 사는 온 인류가 민족 종교 문화의 다름을 극복하고, 커다란 한 가족이 되는 그런 세상을 그려봅니다.

2021년 10월 10일

ĈAPITRO 1. ORIGINO KAJ TRAVIVAĴOJ

행유품(법을 깨닫고 법의를 받다)

§1-01

Foje, kiam la Patriarko revenis de ekstere en la templon Baolin, la prefekto Wei de Shaozhou kaj aliaj tieaj registaraj oficistoj iris tien por inviti lin al la urbo fari publikan predikon pri budhismo en la halo de la templo Dafan.

그때, 당나라 고종 때, 대사께서 보림에 이르시니, 소주의 위거 자사(刺史)가 관료들과 함께 산에 들어왔다. 그러고 대사께 대범사(大梵寺) 강당에 나오셔서 대중을 위해 마하반야바라밀법(摩訶般若波羅蜜法)을 설하여 주시기를 청하였다.

Tiam en la halo jam kolektiĝis por aŭskulti lin pli ol mil personoj, inkluzive de la prefekto Wei, ĉirkaŭ tridek registaraj oficistoj, ĉirkaŭ tridek konfuceismaj kleruloj, kaj multnombraj gebikŝuoj, taŭistaj pastroj kaj laikoj. Post kiam la Patriarko sidiĝis sur la alta seĝo, la tuta ĉeestantaro samtempe riverencis omaĝe al li kaj petis lin prediki pri la fundamentaj leĝoj de budhismo.

대사께서 법좌에 오르시니 자사와 그의 관료 30여 인과 유종학자 30여 인과, 비구, 비구니, 신도 1천여 인이 다 함께 일어나 절을 하며 법문 듣기를 원하니 대사께서 말씀하셨다.

§ 1-02

La Patriarko komencis sian paroladon:

"Miaj amikoj en la boneco, nia Vera Naturo (litere: memnaturo), kiu estas la semo aŭ la kerno de bodio (la mensa stato de perfekta mondkompreno sama kun tiu de la Budho), estas nature pura kaj klara, kaj nur per uzo de ĝi ni povas rekte atingi la budhecon. Nu, permesu al mi mallonge rakonti al vi pri mia propra vivo, kaj kiel mi venis al la posedo de la instruo pri la djan-o (sanskrite: Dhyana; zenismo).

"선지식아, 보리 자성(菩提自性)이 본래 청정하니 다만 이 마음을 쓰라. 그러면 곧 성불해 마치리라." 하시고는 다시 말씀하셨다. "선지식아, 들어보아라, 내가 먼저 짧게 이 혜능의 행적과 법을 얻은 내력을 말하리라."

"Mia patro, indiĝeno de Fanyang, estis eksigita el sia ŝtatoficista posteno kaj ekzilita kiel ordinara popolano al Xinzhou en la provinco Guangdong. Mi estis malfeliĉa en miaj fruaj jaroj. Kiam mi estis tre juna, mia patro mortis, postlasante mian patrinon en mizero. Ni translokiĝis al Nanhai, kie mi, en malfacilaj cirkonstancoj, estis devigita vendadi brullignon por vivteni la familion.

나의 아버지는 본관이 범양인데, 공직에서 물러나 영남(광동성 신주)으로 낙향하여 신주 사람이 되었다. 이 몸은 불행하게도 일찍 아버님을 여의고 늙으신 어머님과 함께 남아 뒤에 남해에 와서 나무를 장터에 내다 팔며 가난한 살림을 꾸려 나갔다.

§ 1-03

Iun tagon, unu el miaj klientoj ordonis, ke mi liveru kvanton da brulligno al lia loĝejo. Post kiam li ricevis la varon kaj pagis la monon, mi eliris el lia domo kaj trovis tie personon, kiu recitis sutron. Kiam mi aŭdis la tekston de la sutro, mia menso tuj lumiĝis. Mi demandis lin pri la nomo de la libro, kiun li recitis, kaj li respondis, ke ĝi estas la Sutro de Diamanto (sanskrite: Vajracchedika Prajnaparamita Sutra; sutro pri la plej alta saĝo ebliganta, ke oni atingu la alian bordon, nome la savon). Mi plu demandis, de kie li venis kaj kial li recitis la sutron. Li respondis, ke li venis de la templo Dongchan en Huangmei de Qizhou; ke la ĉefbonzo, kiu estras la templon, estis Hongren, la Kvina Patriarko; ke tie sin trovas pli ol mil disĉiploj sub li; kaj ke kiam li iris tien por fari omaĝon al la Patriarko, li ĉeestis liajn predikojn pri tiu ĉi sutro. Lia

Ĉefbonza Moŝto kutime instigis la bonzojn kaj ankaŭ la laikojn recitadi tiun ĉi sutron, ĉar per tio oni povas vidi sian Veran Naturon kaj atingi rekte la budhecon.

어느 날 한 손님이 자신이 사는 곳으로 혜능에게 나무를 가져오도록 하였다. 그 나무를 두고 돈을 받고 대문을 나서는데, 어떤 길손이 경 읽는 것을 보았는데, 경에 '마땅히 머문 바 없어 그 마음을 낼지니라' 함을 한 번 듣고는 곧 마음을 깨치고 드디어 물었다.
"손님이 외우는 경이 무슨 경입니까?"
길손이 대답하였다. "『금강경』이오."
다시 물었다. "그 경을 어디에서 얻으셨습니까?"
"나는 이 경을 기주 황매현 동선사에서 구하였소. 그 절에는 제5조 홍인(弘忍: 601~674) 대사가 계시면서 교화하시는데 문인이 일천여 명이 되오. 내가 그곳에 가서 참배하고 이 경을 설하심을 듣고 받아왔소이다. 대사는 항상 승려와 속인 간에 권하시기를『금강경』을 지니고 공부하기만 해도 곧 스스로 견성하고 성불한다 하셨습니다."

§ 1-04

"Aŭdinte tion, mi eksentis, ke mia bona karmo en miaj antaŭaj vivoj jam antaŭdestinis al mi tiun ĉi renkontiĝon. Cetere, mi estis sufiĉe feliĉa, ke mi ricevis de iu persono dek taelojn da arĝento kiel la vivtenon de mia patrino. Tiu persono konsilis min tuj iri al Huangmei por vidi la Kvinan Patriarkon. Post la aranĝoj mi faris vojaĝon de preskaŭ tridek tagoj kaj alvenis al la templo.

내가 이 말을 듣고 나니, 나와 길손은 숙세(전생)의 인연이 있는 듯했다. 그 길손은 내게 탁발한 은(銀) 열냥을 주니, 나는 노모의 옷과 양식에 충당하고, 곧 황매에 가서 오조께 예배하도록 권하였다. 그래서 나는 어머니를 편히 지내도록 하고 곧 하직하여 30여 일이 채 못 되어 황매에 다다랐다.

"Post kiam mi faris omaĝon al la Patriarko, li demandis: 'De kie vi venis? Kion do vi petas de mi?'

오조께 예배하니 오조가 나에게 묻기를 "너는 어느 곳 사람이며 무엇을 구하고자 하느냐?" 하신다.

"Mi respondis: 'Mi estas vulgarulo el Xinzhou de Guangdong. Mi faris longan vojaĝon por esprimi mian respekton al Via Ĉefbonza Moŝto kaj mi petas nenion krom budheco'.

내가 대답하였다. "제자는 영남 신주에 사는 백성이온데 멀리 와, 스님께 예배를 드리게 됨은 오직 부처되기를 구할 뿐 다른 것을 구하지 않습니다."

“Vi estas indiĝeno de Guangdong. Kiel do vi, barbaro, povus esperi fariĝi budho?’ demandis la Patriarko.

오조께서 “너는 영남(광동) 사람이요, 또한 오랑캐인데 어떻게 부처가 될 수 있겠는가?” 하신다.

“Mi respondis: ‘Kvankam sin trovas nordanoj kaj sudanoj, tamen en la budheco estas nenia distingo pri la nordo kaj la sudo. Mi barbaro povas esti iom diferenca korpe de Via Sankteco, sed en kio do ni estas diferencaj unu de la alia en la budhonaturo?’

내가 대답하기를 “사람에게는 비록 남북이 있다지만 불성(佛性)에는 본래 남북이 없사오며, 오랑캐의 몸과 화상의 몸이 같지 않지만 불성에는 무슨 차별이 있사옵니까?” 하였다.

§ 1-05

“Li volus plu paroli al mi, sed la ĉeesto de aliaj disĉploj malhelpis lin. Li do ordonis min aliĝi al ilia laboro.

이때, 오조께서 다시 말씀하시려다가 대중이 모두 좌우에 있음을 보시고 이내 대중을 따라 일이나 하라고 하시기에

“Tiam mi diris: ‘Permesu al mi diri al Via Sankteco, ke la praĝna-o (sanskrite: Prajna; saĝo) ofte leviĝas en mia menso. Kiam oni ne erarvagas for de sia Vera Naturo, oni povas esti benita per ‘kampo de meritoj’ (honora titolo donata al bonzoj, ĉar ili povas doni al aliaj la plej bonajn okazojn por semi la ‘semon’ de meritoj). Kian laboron do Via Sankteco volas ordoni min fari?’

내가 말씀드리기를 “혜능이 화상께 아뢰니다. 자기 마음이 항상 지혜를 내어 자성(自性)을 여의지 않음을 곧 복전(福田)이라 제자는 아는데, 화상께서는 다시 어떠한 일을 하라 하시옵니까?” 하였다.

“ ‘Tiu ĉi barbaro ja havas tro viglan menson!’ li rimarkis. ‘Iru al la stalo kaj ne plu parolu.’ Mi do retiris min al la postkorto, kie mi estis sendita de iu laiko-frato fendi brullignon kaj senŝeligi rizon.

오조 말씀하셨다. “저 오랑캐 근성이 날카롭구나! 너는 다시 더 말 말고 방앗간에 가 있거라!” 내가 오조 앞에서 물러 나와 후원에 이르니, 한 행자가 와서 나무를 쪼개며 방아를 찧는 일을 시키더라.

§ 1-06

“Pasis pli ol ok monatoj. Iun tagon la Patriarko venis

vidi min kaj diris: 'Mi pensas, ke viaj saĝo kaj akravideco povos veni al bona uzo; sed mi devas min deteni de parolo al vi timante ke malbonuloj povos fari al vi malutilon. Ĉu vi komprenas?' 'Jes, mi komprenas,' mi respondis. 'Por eviti altiri alies atenton, mi ne kuraĝas proksimiĝi al la halo.'

그로부터 여덟 달 남짓 지났더니, 하루는 오조께서 오셔서 하시는 말씀이, "내 너의 견해가 쓸만하다고 생각하나 다만 악한 사람들이 너를 해칠까 염려되어 마침내 너와 더불어 이야기하지 않고 있음을 네가 아느냐?" 하신다. 내가 말씀드렸다. "제자도 또한 스님의 뜻을 짐작하고 감히 당전에 가지 않았음으로써 사람들이 깨닫지 못하도록 하고 있사옵니다."

"Iun tagon la Patriarko kolektis ĉiujn siajn disĉiplojn kaj diris al ili: 'Tio, kio estas la plej grava por la homo, estas la naskiĝo kaj la morto. Vi, miaj disĉiploj, pasigas viajn tagojn farante oferadon nur por havigi al vi 'kampon de meritoj' (t.e. meritoj, kiuj kaŭzos bonan renaskiĝon), anstataŭ peni liberigi vin de tiu ĉi amara maro de vivo kaj morto. Kaj tamen, se via Vera Naturo estas tiel obskurigita, kiel do viaj meritoj povus vin savi? Vi do revenu ĉiu al via ĉelo kaj bone ekzamenu vin por serĉi vian praĝna-on en via menso kaj poste ĉiu skribu al mi unu gata-on (budhisma ĉanto aŭ himno) pri tio. Al tiu, kiu vere komprenas la esencon de la Darmo, mi transdonos la Robon (la insigno de la Patriarkeco) kaj la Darmon (t.e. la instruo de la Djan-a Skolo), kaj per tio li fariĝos la Sesa Patriarko. Foriru rapide! Ne prokrastu la skribon de via gata-o, ĉar longtempa pensado estas nenecesa kaj malutila. Tiu, kiu jam konas sian Veran Naturon, povos elparoli ĝin tuj kiam li ekaŭdas tiun ĉi sugeston. Li ne povos perdi la vidon de ĝi, eĉ kiam li estus kun sia svingata glavo en la batalkampo.

오조가 하루는 모든 문인을 다 모이게 하고 말씀하셨다. "내 너희들에게 말한다. 세간 사람은 생사 일이 가장 큰 것인데 너희들은 종일토록 복전만 구하고 생사 고해에서 벗어날 생각은 없구나! 만약 자성을 미혹하였다면 복을 가지고 어떻게 생사를 벗어날 수 있으랴. 너희들은 이제 가서 스스로의 지혜를 살펴서 자기 본심인 반야의 성품을 가지고 각자 게송(偈頌) 하나씩을 지어 나에게 가져오너라. 만약 큰 뜻을 깨친 사람이 있으면 법과 법의를 전하여 제6대조로 삼으리라. 머뭇거리지 말고 빨리 거행하라. 생각으로 헤아리면 곧 맞지 않느리라. 견성한 사람은 모름지기 말이 떨어진 그때 곧 보는 것이니 만약 이와 같은 자는 칼을 휘두르며 싸우는 데서도 또한 볼 수 있느리라."

§ 1-07

“Ricevinte tiun ĉi instrukcion, la disĉiploj retiriĝis kaj diris unu al la alia: ‘Estas senutile por ni koncentri nian menson por skribi la gata-on kaj prezenti ĝin al Lia Sankteco, ĉar la Patriarkeco certe estos gajnita de Shenxiu, nia instruanto. Se ni senzorge verkos gata-on nur por plenumi devon, tio estos pura malŝparo de nia energio. Aŭdinte tiujn ĉi vortojn, ili ĉiuj rezignis la skribon kaj diris: “De nun ni simple sekvu nian instruanton Shenxiu, kien ajn li iros, kaj rigardu lin kiel nian gvidanton. Kial do ni devos krei al ni ĝenaĵojn skribante gata-on? ’

대중이 처분을 받고 물러 나와 서로 말하기를, “우리 무리는 구태여 힘들여 마음을 맑히고 게송을 지을 것 없다. 설사 게송을 지어 화상께 바친들 무슨 이익이 있으랴. 신수(神秀) 상좌가 현재 교수사의 일을 하시니 필시 저분이 법을 얻을 것인데 우리가 게송을 짓는다 해도 부질없이 힘만 들이게 된다” 하였다. 그리하여 대중은 모두 생각을 쉬고 말하기를, “우리는 뒷날에 신수대사에 의지할 것이다. 어찌 번거롭게 게송을 지으랴” 하였다.

“Dume Shenxiu pensis en si: ‘Konsiderante min kiel sian instruanton, ili ne partoprenos en la konkurso, kaj tial mi nepre devos skribi gata-on kaj prezenti ĝin al Lia Sankteco. Se mi ne tion faros, kiel do la Patriarko povos scii la profundecon aŭ supraĵecon de mia komprenado. Se mia celo estas akiri la Darmon, mia motivo estas pura. Se mi celus akiri la patriarkecon, tio certe estus malbona. Tiuokaze mia menso estus tiu de la monda vulgarulo kaj mia ago egalus la rabon de la patriarkeco. Sed se mi ne prezentos gata-on, mi neniam havos la okazon akiri al mi la Darmon. Tio certe estos por mi granda malfeliĉo!'

신수는 생각하였다. '모든 대중이 게송을 짓지 않는 이유는 내가 저들의 교수사(教授師)인 까닭이니 내가 어차피 게송을 지어 화상께 바칠 수밖에 없다. 만일 내가 게송을 바치지 않는다면 화상께서 어떻게 나의 마음속 견해의 깊고 얇음을 아시랴. 내가 게송을 바치려는 뜻이 법을 구하는 것이라면 옳은 일이라 하겠거니와 조사의 자리를 구하는데 있다면 옳지 않은 일이다. 이것은 범부의 마음이 성인의 지위를 빼앗으려는 생각과 무엇이 다르랴. 그렇다고 또한 게송을 바치지 않는다면 마침내 법을 얻지 못할 것이니 참으로 어려운 일을 당하였구나' 하였다.

"Antaŭ la predikejo de la Patriarko sin trovis tri koridoroj, kies muroj estis destinitaj por esti pentritaj de la kortega pentristo nomata Lu Zhen pri la scenoj el la sutro Lankavatara kaj ankaŭ pri la scenoj montrantaj la genealogion de la kvin Patriarkoj, por la universala diskonigo kaj la kultado fare de la publiko kaj de la estontaj generacioj.

그즈음 홍인대사는 오조당 앞에 복도가 3칸이 있었는데 그때 공봉 노진에게 『능가경』 변상(부처님께서 『능가경』을 설법하는 장면을 그린 그림)과 오조혈맥도를 그리게 하여 후대에 길이 남기려고 하고 또 공양하도록 하려 하였다.

§ 1-08

"Post kiam Shenxiu finis sian gata-on, li plurfoje provis prezenti ĝin al la Patriarko, sed ĉiufoje kiam li proksimiĝis al la halo, lia menso tiel maltrankviliĝis, ke li tuj estis tutkorpe kovrita de forta ŝvito. Li ne povis streĉi la kuraĝon ĝin prezenti, kvankam dum kvar tagoj li faris entute dek tri provojn.

신수는 게송을 지어 화상께 바치려고 여러 차례 당 앞에까지 갔었으나 심중이 황홀하고 온몸에 땀이 흘러 바치지 못하고 되돌아 왔다. 이렇게 하기를 전후 4일간 13차례 오고 갔으나 마침내 그 게송을 바치지 못했다.

"Kaj li pensis en si: 'Estus preferinde por mi skribi ĝin sur la muron de la koridoro kaj lasi al la Partiarko mem ĝin vidi. Se li aprobos ĝin, mi eliros kaj lin salutos, kaj diros al li, ke ĝi estas skribita de mi. Se li ĝin malaprobos, tiam mi ekscios, ke mi ja malŝparis tiom da jaroj en tiu ĉi surmonta templo ricevante de aliaj la respekton, kiun mi tute ne meritis! Tiuokaze, kian utilon do estos mia daŭrigo de la budhismo-lernado ĉi tie?'

신수는 이윽고 생각하기를 '이럴 것이 아니고 복도 벽에 게송을 붙여 두면 화상께서 지나시다가 보시게 될 것이니 만약 화상께서 좋다고 허락하신다면 곧 나아가 예배드리고 내가 지었음을 말씀드리기로 하자. 만약 마땅하지 않다고 하신다면 나는 부질없이 수년을 산중에 처박혀서 남의 예배만 받고 다시 무슨 도를 닦았다 하랴.' 하였다.

"Kaj ĉe la mezo de tiu nokto li kaŝe iris kun lampo al la suda koridoro kaj skribis la gata-on sur la muron, por montri al la Patriarko, kion perceptas lia menso.

그날 밤 삼경에 아무도 모르게 틈을 타 스스로 등불을 들고 복도의 남쪽 벽에 자기 소견을 썼다.

§ 1-09

"La gata-o tekstis jene:

게송에 이르기를,

Mia korpo estas bodiarbo,
Mia menso similas klaran spegulon.
Diligente mi tenas ĝin pura,
Kaj lasas neniun polveron fali sur ĝin.

몸은 보리수요
마음은 맑은 거울.
부지런히 털고 닦아서
때 묻지 않도록 하라.

"Skribinte la gata-on, li tuj revenis en sian ĉelon, tial neniu sciis, kiu ĝin skribis. En sia ĉelo li ree meditis. 'Kiam la Patriarko morgaŭ vidos mian gata-on kaj ĝi plaĉos al li, tio pruvos, ke mi havas bonan ligitecon kun la Darmo; sed se li diros, ke ĝi estas malbona, tio signifos, ke mi ne taŭgas por la Darmo pro mia peza karmo en la antaŭaj vivoj, kiu dense nebuligas mian menson. Estas tre malfacile antaŭscii, kion la Patriarko diros pri ĝi!' En tia animstato li daŭre pensadis ĝis la tagiĝo, ne povante endormiĝi, nek trankvile sidi.

신수가 게송을 써놓고 곧 방에 들어오니 아무도 몰랐다. 신수가 다시 생각하기를 '날이 밝아서 오조께서 게송을 보시고 기뻐하신다면, 법과 내가 인연이 있거니와, 만약 그렇지 못한다면, 스스로 내가 미혹하여 숙세업장이 무거워 법을 얻지 못하는 것이다. 참으로 성인의 뜻을 짐작할 수 없구나' 하며 방에서 이것저것 생각하면서 불안하게 앉았다 누웠다 하는 동안에 시각은 오경이 되었다.

"Sed la Patriarko jam sciis, ke Shenxiu ankoraŭ ne transpaŝis la sojlon, tiel ke li ne vere konas la Veran Naturon.

그러나 오조는 신수가 아직 자성을 보지 못하여 문 안에 들지 못한 것을 아셨다.

§ 1-10

"En la mateno li sendis venigi la kortegan pentriston Lu por fari la murpentradon kaj iris kun li al la suda koridoro. Hazarde li ekvidis la gata-on. 'Mi bedaŭras, ke mi ĝenis vin per tiel longa vojaĝo veni ĉi tien,' li diris al la pentristo. 'La murpentrado nun ne bezonas esti farata, ĉar estas dirite en la sutro: Ĉiuj formoj aŭ fenomenoj estas efemeraj kaj iluziaj. Estos preferinde lasi la gata-on resti ĉi tie, por ke homoj povu ĝin lerni kaj reciti. Se oni metos ĝian instruon en la efektivan praktikon, oni estos savita disde la falo en la malbonajn regnojn de ekzistado (t.e. la infero, la regnoj de malsataj fantomoj kaj de animaloj). Tiu, kiu praktikos ĝin, akiros al si grandajn meritojn.

날이 밝자 아직 낭하 벽에 그림을 그리게 하시려고 노공봉을 불러오게 하고 남쪽 낭하에 이르시니 문득 신수가 지은 게송을 발견하시고 공봉에게 말씀하셨다. "그림을 그릴 것 없다. 먼 길을 오게 하여 너만 수고롭게 하였구나. 경에 이르기를 '모든 상이란 다 이것이 허망한 것이다' 하셨으니 다만 여기 이 게송만 남겨 두어 사람들로 하여금 외우고 받아 지니게 하리라. 이 게송에 의지하여 닦으면 악도에 떨어지지 않을 것이며 큰 이익이 있을 것이다." 하시고

"Li do ordonis, ke oni bruligu incensvergetojn antaŭ la gata-o, kaj ke ĉiuj liaj disĉiploj faru omaĝon al ĝi kaj recitu ĝin, por ke ili povu ekkoni sian Veran Naturon. Recitinte ĝin, ili ĉiuj ĝojkriis, ĝin laŭdante.

문인들로 하여금 게송 앞에서 향을 피워 예경케 하고 "이 게송을 모두 외우면 견성할 수 있으리라" 하시니 문인들이 모두가 이 게송을 외면서 참으로 훌륭하다 하며 찬탄하였다.

§ 1-11

"En la profunda nokto la Patriarko sendis venigi Shenxiu al la halo, kaj demandis, ĉu la gata-o estas skribita de li aŭ ne.

그날 삼경에 조사께서 신수를 불러 당에 들게 하시고

물었다. "저 게송은 네가 지었느냐?"

" 'Estis mi, Majstro,' respondis Shenxiu. 'Mi ne arogas al mi akiri la patriarkecon, sed mi esperas, ke Via Sankteco estos tiel afabla kaj diros al mi, ĉu mia gata-o havas iom da saĝo en tiu ĉi.'

신수가 대답하였다. "네, 제가 지었습니다. 이것은 제가 감히 조사 자리를 망령스레 구하는 것이 아니오니 바라옵건데 화상께서는 자비로 살펴주십시오. 제자가 자그마한 지혜라도 있습니까?"

" 'Via gata-o montras,' respondis la Patriarko, 'ke vi ankoraŭ ne konas vian Veran Naturon. Vi alvenis nur al la sojlo, sed vi ankoraŭ ne transpaŝis ĝin. Se vi penas atingi la plejsuperan bodian saĝon per tia kompreno, vi neniel povos sukcesi.

조사 말씀하셨다. "네가 지은 이 게송으로는 아직 너는 본성(本性)을 알지 못하였다. 다만 문밖에 이르렀을 따름이요, 아직 문 안에는 들지 못하였다 할 것이니 이런 견해로 무상보리를 찾는다면 마침내 언지 못할 것이다.

" 'Por atingi la plejsuperan bodian saĝon, oni devas esti kapabla spontanee koni sian propran menson kaj vidi sian Veran Naturon, kiu povas nek estiĝi, nek neniiĝi. Kiam en ĉiuj tempoj (la pasinteco, la nuno, kaj la estonteco), kaj de tempo al tempo, oni estas kapabla vidi sian propran Veran naturon, tiam al oni ĉiuj darmoj (ekzistaĵoj) estos liberaj de ĉia malhelpo. Kiam tio ĉi estos konata, oni estos libera de iluzio por ĉiam; kaj oni restos en la stato de la tatata-o (sanskrite: Tathata; la vera efektiveco, tieleco) en ĉiuj cirkonstancoj. Tia konstanta mensostato estas absolute vera. Se vi povos vidi aferojn en tia maniero, vi certe jam atingos la plejsuperan bodian saĝon.

무상보리(無上菩提)는 모름지기 말이 떨어진 그때 자기 본심을 알고 자기 본성을 보아야 하느니라. 생겨나지도 않고 없어지지도 아니하여, 어느 때나 생각 생각이 만법에 막힘이 없음을 스스로 여여(如如)하니 이 여여한 마음이 즉시 진실이니라. 만약 이같이 본다면 곧 무상보리인 자성이라 할 것이니라.

" 'Vi do reiru al via ĉelo kaj pripensu unu aŭ du tagojn, kaj poste prezentu al mi alian gata-on. Se via gata-o montros, ke vi jam transpaŝis la sojlon, mi transdonos al vi la Robon kaj la Darmon.'

너는 다시 가서 하루 이틀 생각하여 다른 게송을 지어서 나에게 가져오너라. 너의 게송이 만약 문에 들어온 것이라면 너에게 의법을 붙이리라."

"Shenxiu adiaŭis la Patriarkon kun saluto kaj foriris.

신수가 예배하고 물러 나왔다.

§ 1-12

"Dum pluraj tagoj li vane penis skribi alian gata-on. Tio tiel forte premis lian menson, ke li estis kvazaŭ en inkubsonĝo. Li ne povis trovi komforton en sido aŭ promeno.

신수는 수일이 지나도 게송을 짓지 못하니 심중이 혼란하고 심사가 불안하여 마치 꿈속과도 같으니 앉으나 서나 편하지 않았다.

"Du tagojn poste iu juna knabo preterpasis la ĉambron, en kiu mi laboris senŝeligante rizon. Li laŭte recitis la gata-on verkitan de Shenxiu. Aŭdinte ĝin mi tuj eksciis, ke ĝia komponinto ankoraŭ ne vere vidas sian Veran Naturon. Kvankam mi estis neinstruita, tamen mi jam kaptis ĝian ĝeneralan ideon.

다시 이틀이 지나, 한 동자가 방앗간을 지나면서 그 게송을 외는 것을 내가 한 번 듣고서 나는 이 게송은 아직 본성을 보지 못한 것임을 알았다. 나는 비록 아직 조사의 가르침을 받지는 못하였으나, 벌써 대의는 짐작하고 있었던 것이다. 이윽고 동자에게 물었다.

“ ‘Kian gata-on vi recitas?’ mi demandis la knabon.”
“외우고 있는 것이 무슨 게송입니까?”

“ ‘Vi barbaro!’ li respondis. ‘Ĉu vi ne scias pri la promeso de la Patriarko? La Patriarko diris al siaj disĉiploj, ke la demando pri vivo kaj morto estas gravega por la homo, kaj ke ĉar li estas preta transdoni sian robon kaj la Darmon, tial tiuj, kiuj deziras ilin heredi, devas ĉiu skribi gata-on, kaj tiu, kies gata-o montros, ke li vere komprenas la esencon de la Darmo, ricevos ilin kaj fariĝos la Sesa Patriarko. La estiminda Shenxiu skribis tiun ĉi “senforman” gata-on sur la muron de la suda koridoro, kaj la Patriarko diris al ni, ke ni ĝin recitu. Li diris ankaŭ, ke tiuj, kiuj metos ĝian instruon en la efektivan praktikon, estos savita disde la falo en la malbonajn regnojn de ekzistado kaj akiros al si grandajn bonojn.’

동자가 말하였다: “이 오랑캐가 그것도 모르는구나. 대사께서 말씀하시길, ‘세상 사람이 생사의 일이 크다. 의법을 전하고자 하니 문인들은 게송을 지어오라. 만약

큰 뜻을 깨쳤으면 곧 의법에 부쳐 제6조로 삼으리라’ 하셨는데 신수 상좌가 남쪽 복도 벽에 무상게를 써 놓으니 대사께서 문인들 모두에게 이 게송을 외우게 하시고 이 게송에 의지하여 닦으면 악도에 떨어지지 않는다 하셨느니라.”

§ 1-13

“Mi diris al la knabo, ke ankaŭ mi deziras reciti la gata-on, por ke mi povu esti ligita kun la budheco en mia estonta vivo. Mi diris al li ankaŭ, ke kvankam mi senŝeligas rizon ĉi tie jam ok monatojn, mi tamen neniam iris al la halo, kaj tial mi deziras, ke li konduku min tien kaj montru al mi kie la gata-o estas, por ke mi povu doni honoron al ĝi.

혜능이 말하였다. “나도 그 게송을 외워 내생 인연을 맺어 함께 불국토에 나고자 합니다. 스님이시여, 나는 이 방아를 딛고 있는지가 8개월이 지나도 아직 조사당 전에 가보지 못하였사오니, 바라건대, 스님은 나를 그 게송이 있는 곳으로 인도하여 주십시오. 나도 예배를 드리겠습니다.”

“La knabo kondukis min tien, kaj mi petis lin voĉlegi ĝin al mi, ĉar mi estas nelegoscia.

동자가 나를 게송 앞으로 인도하여 예배하게 하기에 내

가 말하였다. “저는 문자를 아직 알지 못하오니, 어렵지만 스님께서 읽어 주십시오.”

“Iu regna oficisto nomata Zhang Riyong, helpanto de la prefekto de Jiangzhou, tiam hazarde estis tie, kaj li komplezis al mi laŭtlegante ĝin al mi. Kiam li finis la legon, mi diris al li, ke ankaŭ mi komponis unu gata-on, kaj petis, ke li skribu ĝin por mi sur la muron.

그때에 강주의 별가가 와 있었는데, 성은 장씨이고 이름은 일용이라 하였다. 그가 곧 큰 목소리로 내게 읽어 주었다. 내가 다 듣고 나서 말하기를 “나도 또한 게송을 짓겠으니 바라건대 별가가 대신 써 주십시오.” 라고 하였다.

“Vere eksterordinare,’ li ekkriis, ‘ke ankaŭ vi povas komponi gata-on!”

별가가 말하였다. “이 오랑캐야, 네가 게송을 짓다니! 이 일이 또한 희한하구나.”

§ 1-14

“Mi replikis: ‘Ne malestimu la komencanton, se vi estas la serĉanto de la plejsupera bodia saĝo. Vi devas scii, ke la plej malalta klaso povas havi la plej akran

sagacon, dum la plej alta povas esti sen inteligenteco. Se oni malrespektas ilin, oni faras tre grandan pekon.'
혜능이 별가에게 말하였다. "무상보리를 배우고자 할진대 초학자를 업신여기지 말아야 하오. 가장 미천한 자에게도 가장 귀한 지혜가 있고, 가장 귀한 사람에게도 아주 어리석은 지혜가 있는 법이오. 만약 사람을 업신여기면 곧 한량없고 가없는 죄가 되는 줄 아시오."

" 'Diktu do vian gata-on,' li diris. 'Mi skribos ĝin por vi. Sed ne forgesu min savi el tiu ĉi mondo, se vi sukcesos en atingo de la Darmo.'

별가가 말했다. "당신은 다만 게송이나 읊으시오. 내가 당신을 위해 쓰리다. 만약 당신이 법을 얻으면 먼저 나를 제도하여 주시오. 이 말은 잊지 마시오."

"Mia gata-o tekstas jene:

내가 게송을 읊었다.

Propre sin trovas neniu bodiarbo,
La klara spegulo havas nenian soklon;
Ĉar ĉio estas malplena ekde la komenco,
De kie do povus veni la polvo?

보리에 나무 없고
거울 또한 거울이 아니다.
본래 한 물건 없거니
어느 곳에 티끌 일어나랴.

§ 1-15

"Kiam li finskribis ĝin, ĉiuj ĉeestantaj disĉiploj kaj aliaj estis forte suprizitaj. Plenaj de admiro, ili diris unu al la aliaj: 'Kiel mirinde! Sendube ni ne devas juĝi homojn nur laŭ la ekstero. Kaj ni, dum tiel longa tempo, laborigis tiun ĉi enkarniĝintan bodisatvon por ni!'

이 게송을 쓰고 나니, 대중이 모두 놀라 혹은 감탄하고 혹은 의아해하지 않는 이가 없었다. 서로 말하기를 "기이하다. 겉모양만으로 사람을 알 수는 없는 일이다. 우리가 오랫동안 저런 육신 보살을 부렸던가!"

"Vidante, ke la homamaso estas tiel forte mirigita, la Patriarko forviŝis la gata-on per sia ŝuo pro timo, ke iuj enviemaj povus fari malutilon al mi. Li do esprimis la opinion, ke ankaŭ la aŭtoro de tiu ĉi gata-o ne vidas la Veran Naturon, kaj ĉiuj tion kredis.

조사께서 모든 대중이 놀라고 괴이하게 여기는 것을 보시고는 사람들이 나를 해칠까 염려하시어, 그 게송을 자신의 신으로 문질러 지워 버리고는, "이것 또한 견성하지 못했다." 하시니 비로소 대중이 의심을 놓았다.

"En la sekva tago la Patriarko kaŝe venis al la ĉambro, kie la rizo estis senŝeligata. Vidante, ke mi pene laboras tie per peza ŝtona pistilo, li diris al mi: 'La serĉanto de la Vojo ne hezitas torturi sian korpon pro la Darmo. Tiel agi li ja devas!' Poste li demandis: 'Ĉu la rizo jam estas bone pistita?'

다음 날, 오조께서 가만히 방앗간에 이르러 내가 등에 돌을 지고 방아를 찧는 것을 보시고 말씀하시기를 "도를 구하는 사람은 법을 위하여 몸을 잊는 것이 마땅히 이같이 할진저!" 하시며 물으시기를 "방아는 다 찧었느냐?" 하신다.

" 'Jam de longe pistite,' mi respondis. 'Nur atendi la kribradon.'

내가 말씀드렸다. "예, 방아는 다 찧었습니다만, 아직 체질을 하지는 못하였습니다."

"Ĉe tio li frapis la pistilon trifoje per sia bastono kaj foriris.

그때 오조께서 지팡이로 방아를 세 번 치시고는 나가셨다.

§ 1-16

"Mi ekkomprenis la signifon de lia mesaĝo, kaj en la tria duhora periodo de la nokto (la nokto estis dividita en kvin periodojn laŭ la ĉina malnova tradicio kaj ĉiu periodo daŭris ĉ. du horojn) mi iris al lia ĉambro. Uzante la robon kiel ekranon por ke neniu povu nin vidi, li eksplikis al mi la Sutron de Diamanto. Kiam li venis al la frazo "la menso devas esti tie, kie estas nenia alkroĉiĝo" , subite mia menso plene eklumiĝis kaj ekkomprenis, ke ĉio en la universo neniel povas esti apartigita disde nia Vera Naturo.

나는 곧 조사의 뜻을 알고 삼경에 당에 들어가니 오조께서 가사로 둘레를 가려 사람들이 보지 못하도록 하시고 『금강경』을 설하여 주셨는데 '마땅히 머문 바 없이 그 마음을 낼지니라' 하는데 이르러 내가 그 말이 떨어진 그때에 크게 깨치니 일체 만법이 자성을 여의지 않았더라.

" 'Kiu povus atendi,' mi diris al la Patriarko, 'ke la Vera Naturo propre estas pura! Kiu povus atendi, ke la Vera Naturo propre estas libera de estiĝo kaj neniiĝo! Kiu povus atendi, ke la Vera Naturo propre estas kompleta en si mem! Kiu povus atendi, ke la Vera Naturo propre estas nemovebla! Kiu do povus atendi, ke la Vera Naturo estas la origino de ĉiuj ekzistaĵoj!' .

드디어 오조께서 말씀하시기를 "어찌 자성이 본래 스스로 청정함을 알았으며, 어찌 자성이 스스로 생멸하지 않은 것임을 알았으며, 어찌 자성이 본래 스스로 구족함을 알았으며, 어찌 자성이 본래 동요가 없음을 알았으며, 어찌 자성이 능히 만법을 만들어 냄을 알았겠는가."

§1-17

"Sciante, ke mi jam ekkonis la Veran Naturon, la Patriarko diris al mi: 'Por tiu, kiu ne konas sian propran menson, la lernado de la budhismo estas senutila. Aliflanke, se li konas sian propran menson kaj intuicie vidas sian propran naturon, li povas esti nomata "granda persono" , "instruanto de dioj kaj homoj" , "budho" .'

오조께서 내가 본성을 깨쳤음을 아시고 말씀하시었다. '자성을 모르는 이는 부처님의 가르침이 소용없다. 다시 말해, 만일 그가 자성을 안다면, 그는 곧 '대장부' , '천인사(사람을 가르치는 이)' , '부처' 가 될 수 있다 라고 하셨다.

"Kaj tiel, sen scio de ĉiuj aliaj, la Darmo estis transdonita al mi en la noktomezo, kaj sekve mi fariĝis la heredinto kiel de la instruo de la Subita Skolo, tiel ankaŭ de la robo kaj la bovlo.

이때가 삼경인데 법을 받으니 아무도 아는 사람이 없었다. 이에 돈교(頓教)와 의발(衣鉢)을 전하시면서 이르시기를,

" 'De nun vi estas la Sesa Patriarko,' li diris. 'Bone zorgu pri vi mem kaj faru vian plejeblon por savi kiel eble plej multajn sentohavajn estaĵojn. Disvastigu kaj gardu la instruon kaj neniel lasu ĝin veni al sia fino. Aŭskultu do mian gata-on:

"이제 너를 제6대조로 삼으니 스스로 잘 유념하고 널리 중생을 제도하여 긴 미래로 유포케 하여 끊임이 없게 하라. 내 게송을 들어라.

Sentohavaj estaĵoj, kiuj semis la semojn de iluminiĝo
En la kampo de kaŭzo, rikoltos la fruktojn de budheco.
Sensentaj objektoj, kiuj malhavas budho-naturon,
Ne semas, nek rikoltas fruktojn.'

유정(有情)이 와서 종자를 심으니,
인연의 땅에서 도리어 부처의 결실이 생긴다.
무정은 이미 종자가 없으니,

성품도 없고 생김도 없느니.”

§ 1-18

“Poste li aldonis: ‘Kiam la Patriarko Bodidarmo alvenis en Ĉinio, en la komenco oni ĝenerale dubis pri la aŭtentikeco de la instruo, kaj tial li uzis tiun ĉi robon kiel ateston, kiu devis esti transdonata de unu Patriarko al la sekvanta. Koncerne la Darmon, ĝi estas transdontata de menso al menso, kaj estas komprenata kaj interpretata de la individua ricevanto. Ekde la tempo de la antikva budho jam formiĝis tia kutimo: la substanco de la Darmo estis transdonata de unu budho al la heredanto, kaj la esotera instruo estis transdonata de unu Patriarko al alia per la menso. Ĉar la robo povas esti kaŭzo de disputo, tial vi estas ĝia lasta heredanto. Se vi transdonos ĝin al via heredonto, via vivo estos en danĝero. Nun do forlasu tiun ĉi lokon kiel eble plej rapide, ĉar iu povus fari al vi malutilon.’

오조 다시 말씀하시기를 “저 옛날 달마(達磨)대사께서 처음 이 땅에 오셨을 때는 사람들이 아직 믿음이 없었으므로 이 가사를 전하여 이로써 믿음의 본체로 삼아서 대대로 서로 이어 왔거니와, 법인즉 마음으로 마음을 전하여 누구나 스스로 깨치고 스스로 알게 함이니 예로부터 부처님과 부처님이 오직 이 본체를 전하였고 조사가 조사에게 서로 은밀히 붙인 것이 바로 이 본심이니라. 법의는 이것이 다툼의 실마리가 될 터이니 너에게서 그치고 뒤로는 전하지 말라. 만약 이 옷을 전한다면 목숨이 실날에 매달린 것과 같이 되리라. 너는 어서 빨리 떠나거라. 사람들이 너를 해칠까 두렵다."

§ 1-19
" 'Kien do mi iros?' mi demandis.

그때 내가 말씀드렸다. "어느 곳을 향하여 가오리까?"

" 'Vi devos halti ĉe Huai (nome ĉe iu loko, kies nomo enhavas la ĉinan ideografiaĵon 怀) kaj kaŝiĝi ĉe Hui (ĉe iu loko, kies nomo enhavas la ĉinan ideografiaĵon 會),' li respondis.

오조 말씀하셨다. "회(怀)를 만나면 머물고, 회(會)를 만나거든 숨거라."

"Ricevinte la robon kaj la bovlon en la noktomezo, mi diris al la Patriarko, ke mi, sudano, ne konas la ĉi-tieajn montajn vojetojn, kaj ke estas malfacile por mi atingi la riveron por preni ŝipon.

혜능이 삼경에 의발을 받아들고 또 말씀드렸다. "제자는 본디 남쪽 중국 사람이라 이곳 산길을 알지 못합니다. 어떻게 하면 배를 탈 강에 도달할 수 있습니까?"

" 'Vi ne bezonas maltrankviliĝi,' li diris. 'Mi akompanos vin ĝis tie.'

오조 말씀이 "너는 걱정할 것이 없다. 내가 거기까지 너를 전송하리라" 하신다.

"Li do akompanis min ĝis Jiujiang-poŝtostacio kaj tie ordonis min enboatiĝi. Kiam li persone ekremis por mi, mi petis lin sidiĝi kaj lasi al mi fari la remadon. 'Estas dece, ke mi remu por vi,' li diris. (Aludo pri la maro de naskiĝo kaj morto, kiun oni devas transpasi antaŭ ol la bordo de Nirvano povos esti atingita).

오조와 함께 구강역(강소성 구강군에 있는 나루터)에 이르니 마침 배 한 척이 있었다. 오조께서 나에게 배에 오르라 하시고 노를 잡으시고 친히 저어셨다. 내가 말씀드리기를 "화상께서 앉으십시오. 제자가 마땅히 노 저어 보겠습니다." 하니 오조 말씀이 "내가 마땅히 너를 건너가게 해주리라." 하신다.

"Al tio mi respondis: 'Kiam oni estas sub iluzio, oni devas esti gvidata de sia instruanto por la transpaso; sed eklumiĝinte, oni devas sin mem transpasigi. Kvankam la vorto "transpasi" estas la sama, tamen ĝia uzo malsamas en ĉiu okazo. Ĉar mi naskiĝis en apud-landlima regiono, mia prononcado ne estas tute ĝusta, sed, malgraŭ tio, dank' al via favoro mi heredis la Darmon. Nun ke mi jam eklumiĝis, kompreneble estas dece, ke nur mi mem transpasu la maron de naskiĝo kaj morto per la kono de mia propra Vera Naturo.'

혜능이 여쭈었다. "미혹한 때에는 스님께서 건너가게 해주셨지만, 깨친 다음에는 스스로 건너겠습니다. '건너다' 라는 말은 비록 하나이나, 쓰는 곳은 같지 않습니다. 혜능은 변방에서 태어나서 말조차 바르지 못하옵지만 스님의 법을 받아 이제는 이미 깨쳤사오니, 다만 마땅히 자성(自性)으로 스스로 건널 뿐입니다."

§ 1-20

" 'Tre prave, tre prave!' li konsentis. 'De nun dank' al vi la Budhismo (t.e. la Djan-a Skolo) fariĝos tre populara. Tri jarojn post via disiĝo for de mi, mi forlasos tiun ĉi mondon. Adiaŭ, nun vi jam povos komenci vian vojaĝon. Iru kiel eble plej rapide al la sudo. Ne tro baldaŭ faru la predikon, ĉar la Darmo ne estas tiel facile disvastigita."

오조께서 말씀하시기를 "옳다. 옳다! 이후로 너로 말미암아 크게 불법이 번성할 것이다. 네가 간 3년 뒤에 나는 세상을 떠날 것이니 너는 이제 네 갈을 잘 가거라. 힘써 남쪽으로 향하여 가되 속히 설하려고 서두르지 말라. 법난이 이르리라." 하셨다.

"Dirinte adiaŭ, mi forlasis lin kaj iris rekte al la sudo. Post ĉirkaŭ du monatoj mi atingis la monton Dayu.

혜능이 오조께 하직하고 발길을 돌려, 남으로 향하여 두달 반 만에 대유령(大庾嶺: 강서성 대유현과 광동성 남웅현의 경계에 있는 고개)에 이르렀다.

"Reveninte al sia templo la Patriarko ne aperis en la predika halo dum pluraj tagoj. Scivolaj, la disĉiploj iris demandi pri lia farto: 'Nia Patriarko ja malofte malsanas kaj malofte ĉagreniĝas — ĉu vi estas malsana?' La Kvina Patriarko respondis: 'Mi ne malsanas, sed la robo kaj la bovlo jam estas portata suden.' Ili ree demandis: 'Kiu heredis ilin?' Li respondis: 'La persono kapabla.' (La originala '能者' [nengzhe] signifas 'la kapablulon' aŭ 'tiun, kiu ĝin meritas', kaj samtempe aludas Huineng.)

오조는 절로 돌아왔지만 여러 날 설법당에 모습을 보이시지 않으셨다. 궁금한 제자들이 오조의 건강이 걱정되어 여쭈었다. "우리 오조께서 병도 적고 기운도 나쁜 적이 없었는데, 혹시 편찮으신가요?" 그러자 오조 대답하시길, “아프지 않지만, 법의(가사)와 발우(바리떼)는 이미 남으로 전하고 있단다.” 제자들이 다시 여쭙기를 “누가 그 일을 전하고 있습니까?”. 오조께서 “그 능력을 가진 이가” 라고 말씀하셨다.

“Ili ĉiuj ekkomprenis, ke estas mi, kiu ilin heredis. Poste centoj da homoj komencis min postkuradi kun la intenco rabi la robon kaj la bovlon for de mi.

“모두는 그것들을 전하는 이가 나였음을 알게 되었단다. 그러자 수백 명의 사람이 나의 의발(가사와 바리떼, 스승이 제자에게 전해 주는 불교의 교법(敎法)이나 오의(奧義)를 비유적으로 이르는 말)을 뺏을 의도로 나를 뒤쫓아 오게 되었단다.”

§ 1-21

“Inter ili sin trovis bonzo nomata Huiming, kies laika familinomo estis Chen. Li iam estis generalo de la kvara rango en sia laika vivo. Liaj manieroj estis krudaj kaj lia temperamento brutala. El la postkurantoj li plej forte deziris min kapti kaj kuris plej rapide. Kiam li min preskaŭ atingis, mi ĵetis la robon kaj la bovlon sur rokon kaj diris: ‘Tiu ĉi robo estas nenio alia, ol simbolo. Kia estos la utilo, se oni ĝin perforte prenos for de mi?’ Poste mi kaŝis min en herboj.

그 가운데 한 중이 있었는데 속성은 진이요, 이름은 혜명이었다. 본시 제4품 장군으로 성질이나 행동이 거칠고 사나웠다. 이 사람이 힘을 다하여 좇으니 다른 사람보다 앞서 혜능을 좇아 왔다. 혜능이 의발을 바위 위에 내어놓으며 "이 옷은 믿음의 표시이거니 어찌 힘으로 다툴까 보냐" 하고 나는 수풀 속에 숨었다.

"Kiam li atingis la rokon, li provis levi ilin, sed ili rifuzis moviĝi. Li do kriis: 'Laiko-frato, laiko-frato (Huineng tiam ankoraŭ ne estis bonzo), mi venas por la Darmo, ne por la robo.'

혜명이 달려와 그 의발을 잡아 거두려 하였으나, 그것들은 움직이지 않았다. 혜명이 소리쳤다. "행자이시여, 행자이시여, 저는 법을 위하여 왔습니다. 의발 때문에 온 것이 아닙니다." 한다.

"Tiam mi eliris el mia kaŝejo kaj sidiĝis sur la roko kun la kruroj krucitaj antaŭ mi. Li riverence salutis min kaj diris: 'Laiko-frato, bonvole prediku al mi.'

드디어 내가 숨었던 곳에서 나와, 반석 위에 앉으니 혜명이 절을 하고는 말하였다. "바라옵건대 행자이시여, 저를 위하여 법을 설하여 주십시오." 한다.

§ 1-22

“ ‘Ĉar vi venas por la Darmo,’ mi diris, ‘vin do detenu de ĉiaj pensoj kaj tenu vian menson malplena, kaj tiam mi predikos al vi.’

혜능이 말하였다. “네가 이미 법을 위하여 왔을진대 이제 모든 인연을 다 쉬고 한 생각도 내지 마라. 너를 위하여 말하리라.” 하고는 한참 있다가 혜명에게 말하였다.

“Li silente sin preparis por tio dum sufiĉe longa tempo, antaŭ ol mi rekomencis diri: ‘ ‘Kiam vi nun pensas nek pri bono, nek pri malbono, via estimata moŝto, kia do estas via vera vizaĝo (la Vera Naturo) ĝuste en tiu ĉi momento?’

“그는 내가 말을 다시 시작하기 전까지 충분한 시간도 안 내 말을 들으려고 조용히 준비하고 있었다. 그래서 내가 ‘선도 생각하지 않고 악도 생각하지 않는 바로 이러한 때, 어느 것이 명상좌의 본래 면목(자성)이겠는가?” 하니 해명이 말이 떨어진 그때에 대오하였다.

“Aŭdinte tion, li tuj eklumiĝis kaj plu demandis: ‘Krom tiuj esoteraj vortoj kaj esoteraj ideoj, kiujn vi ĵus diris, ĉu estas ankoraŭ aliaj instruoj esoteraj?’

그러고는 다시 묻기를 “화상이시여, 좀전의 비밀한 말씀과 비밀한 뜻 외에 다른 비밀한 가르침은 있사옵니까?"

" 'Tio, kion mi diras al vi, ne estas esotera," mi respondis. "Sed se vi turnos vian lumon internen, vi trovos tion, kio estas esotera ĝuste en vi mem.'

혜능이 말하길, "너에게 말한 것은 비밀 아니니, 네가 만약 빛을 반사해 보면 비밀은 네 편에 있느니라."

§ 1-23

" 'Malgraŭ mia restado en Huangmei kun la Patriarko,' li diris, 'mi ne vere konis mian veran vizaĝon (la Veran Naturon). Dank' al via gvido mi nun sentas min kiel akvotrinkanto, kiu mem konas la varmecon aŭ malvarmecon de la akvo. Laiko-frato, de nun vi estas mia instruanto.'

혜명이 말하기를 "혜명이 비록 황매에 있었사오나 실로 아직도 진면목을 살피지 못하였사온데 이제 그 가르침을 받자오니, 마치 사람이 물을 마셔보고, 그 물의 차갑고 더움을 스스로 아는 것과 같사옵니다. 이제부터 행자님은 이 혜명의 스승이십니다." 한다.

"Mi diris: 'Se estas tiel, ni do estu kundisĉiploj de la Kvina Patriarko. Bone zorgu pri vi mem, kaj adiaŭ!.'

혜능이 이르기를 “네가 만약 그러하다면 나와 너는 다 함께 황매를 스승으로 삼음이니, 앞으로 그 뜻을 잘 지녀라.” 하니 혜명이 또 물었다.

“Huiming ree demandis: ‘Kien do mi devos iri?’ Mi diris al li: ‘Haltu ĉe Yuan (ĉe iu loko, kies nomo enhavas la ĉinan ideografiaĵon 袁) kaj elektu ĉe Meng (ĉe iu loko, kies nomo enhavas la ĉinan ideografiaĵon 蒙).’ Li adiaŭis min kun saluto kaj foriris.

“혜명은 금후 어느 곳을 향하여 갈까요?” 그러자 혜능이 이르기를 “원(袁)을 만나면 멈추고 몽(蒙)을 만나거든 살라”. 혜명이 절을 하고 물러갔다.

“Huiming malsupreniris de la monto kaj diris al la postkurantoj: ‘Mi supreniris sur la monton kaj ne sukcesis trovi lin. Ni devos preni alian vojon por serĉo. Ĉiuj postkurantoj konsentis. Poste Huiming ŝanĝis sian nomon en Daoming por eviti la ripeton de ‘Hui’ en la nomo de Huineng. (En la feŭda Ĉinio, por montri respekton, oni evitis ripeti en sia propra nomo la nomon, aŭ ĝian parton, de monarko, altranga ŝtatoficisto, aŭ pli aĝa membro de influa familio, ktp.)

혜명이 산 아래로 내려가서 나를 뒤쫓는 이들에게 말하길 “내가 저 산 위에 가봐도 그를 찾지 못했습니다.

우리는 다른 곳으로 가서 그를 찾아야 합니다.” 모두가 그의 말에 동의하였다. 나중에 혜명은 혜능에 대한 존경의 표시로 자신의 이름에서 혜능의 ‘혜’ 자와 겹치는 것을 피하려고 자신의 이름을 ‘도명’으로 개명했다. (역주; 당시 중국에서는, 존경을 표하기 위해, 사람들은 자신의 이름에 영향력이 있는 인물, 스님, 고위관료 또는 가문의 형님 이름자나 그 이름자의 일부를 취하는 것을 피했음)

§ 1-24

“Poste mi atingis Caoxi. Malbonuloj ree postkuris min kaj mi estis devigita trovi rifuĝon en Sihui, kie mi restis kun grupo da ĉasistoj dum dek kvin jaroj. De tempo al tempo mi predikis al ili en maniero, kiu konvenis al lia kompreno. Ili ofte igis min kaŝobservi iliajn retojn, sed kiam ajn mi trovis vivajn estaĵojn en la retoj, mi ilin liberigis. En manĝotempoj, mi metis legomojn en la kuirpoton, en kiu ili kuiris sian viandon. Iuj el ili demandis min pri la kialo, kaj mi klarigis al ili, ke mi kutime manĝas nur la legomojn kuiritajn kun la viando.”

내가 뒤에 조계에 이르니 이곳에서도 악한 무리에 쫓기게 되었다. 이어 사회현에 들어가 사냥하는 무리 속에 피난하니 여기서 거의 15년 동안 사냥꾼들과 함께 지내며 그때그때 정황에 따라 법을 설하며 지냈다. 사냥꾼들은 나에게 항상 그물을 지키게 하였는데 나는 매양 살아있는 것을 보면 모두 놓아주었으며, 밥 지을 때는 나는 매양 채소를 그들의 고기 삶는 냄비 가에 넣어서 익혀 먹었는데 혹 그들이 물으면, "나는 다만 고기 곁의 채소만 먹는다" 고 대답하였다.

"Iun tagon mi pensis en mi, ke mi ne devas plu pasigi mian vivon en tia kaŝiteco, kaj ke jam estas la tempo por mi disvastigi la Darmon. Mi do forlasis tiun lokon kaj iris al la templo Faxing en Guangzhou.

하루는 생각을 해보니 때가 바로 마땅히 법을 펼 때라 더는 숨어 있을 것이 아니므로 드디어 산에서 내려와, 광주 법성사에 이르렀다.

§ 1-25

"Tiutempe iu bikŝuo nomata Yinzong, majstro pri la Darmo, estis predikanta tie pri la sutro Maha Parinirvana (mahajana sutro, eldirita de Ŝakjamunio ĝuste antaŭ lia morto). Sin trovis du bikŝuoj, kiuj diskutis pri la longa flago flirtanta super la templo en la vento. Unu diris, ke estas la vento, kiu moviĝas, dum la alia asertis, ke moviĝas la flago. Ili argumentis kaj argumentadis, sed neniu povis sukcese konvinki la alian. Mi do iris al ili kaj diris: 'Estas nek la vento, nek la flago, kiu moviĝas; kio efektive moviĝas, estas via propra menso.' La tuta ĉeestantaro estis forte mirkonsternita de mia diro, kaj la bukŝuo Yinzong invitis min preni la honoran sidlokon kaj demandis min pri iuj esoteraj signifoj de la doktrino.

마침 인종 법사가 『열반경』을 강의하는 중이었다. 그 때 바람이 불어 깃발이 펄럭이는 것을 보고 한 스님이 말하기를 "바람이 움직인다" 하고, 다른 스님이 "깃발이 움직인다" 하며 논의가 끊이지 않았다. 그때 혜능이 나서서 말하기를 "바람이 움직이는 것도 아니며 깃발이 움직이는 것도 아니요, 당신의 마음이 움직이는 것이다." 하니 모여 있던 대중이 모두 놀랐다. 이윽고 인종이 혜능을 상석으로 맞아 그 말의 깊은 뜻을 묻고 추궁하였다.

§1-26

"Vidante, ke miaj respondoj estas precizaj kaj adekvataj, kaj ne limigitaj je la laŭvorta lego de la sanktaj tekstoj, li diris al mi: 'Laiko-frato, vi devas esti eksterordinara homo. Jam antaŭ longe mi aŭdis, ke la heredinto de la robo kaj la Darmo de la Kvina Patrriarko jam venis al la sudo. Tre kredeble vi estas ĝuste la homo.'

혜능이 대답하는 말이 간략하고 이치는 합당하며 문자에 말미암지 않은 것을 보고는 인종이 말하기를 "행자님은 정말 비상한 분이십니다. 오래전부터 제5조 황매의 의법이 남쪽으로 내려온다는 말을 듣고 있사온대 행자님이 바로 그분이 아닙니까?" 한다.

"Al tio mi ĝentile jesis, dirante, ke mi ilin apenaŭ meritas. Li tuj afable salutis min kaj petis, ke mi montru al la ĉeestantaro la robon kaj la bovlon, kiujn mi heredis.

혜능이 말하기를 "내가 그러하외다." 하니, 인종이 제자의 예를 갖추어 절을 하고 전래의 의발을 대중에게 내어 보이기를 청하였다.

"Li plu demandis: 'Kion la Kvina Patriarko instruis al vi, kiam li transdonis al vi la Darmon?' 'Krom diskuto pri la vido de la Vera Naturo,' mi respondis, 'li donis al mi neniun alian instruon, nek pri la djan-o (sanskrite: Dhyana; meditado; zenismo), nek pri la moksa-o (sanskrite: Moksa, la liberiĝo).'

인종이 이어 묻기를 "황매에서 부촉하실 때의 가르치심이 어떠한 것이옵니까?" 한다. 혜능이 말하기를 '가르침이란 없고 다만 견성만 논했을 뿐 선정과 해탈을 논하지 않았습니다."

" 'Kial ne pri ili?' li demandis. 'Ĉar ili estas du

metodoj,' mi respondus, "kaj en la budhismo ne povas sin trovi dueco. La budhismo estas nedueca.'

인종이 말하기를 "어찌하여 선정과 해탈을 논하지 않습니까?" 하니 혜능이 "불법이 두 가지가 되기 때문입니다." 하고는, "이는 불법이 아닙니다. 불법(佛法)은 둘이 아닌 법이기 때문입니다."

§ 1-27

"Li demandis: 'Kion do signifas la nedueco de la budha Darmo?' Mi respondis: 'La sutro Maha Parinirvana, kiun Via Moŝto eksplikas, klarigas, ke la budho-naturo ne havas duecon. Kiel ekzemple, en la sutro, la reĝo Gaoguide, bodisatvo, demandis la Budhon, ĉu tiuj, kiuj faras la kvar agojn de granda miskonduto (mortigo, ŝtelo, malĉasto kaj mensogo) aŭ la kvin mortindajn pekojn (patromortigo, patrinomortigo, arahantomortigo, sangoverŝo al budho, kaj detruo de la harmonio de la samgo), kaj la iĉantika-oj (sanskrite: Icchantika, nekredanto, herezulo) — ĉu ili jam elradikigis sian "elementon de boneco" kaj sian budho-naturon aŭ ne. Al tio la Budho respondis: 'Sin trovas du specoj de "elemento de boneco". Unu estas la konstanta kaj la alia nekonstanta. Ĉar la budho-naturo estas nek konstanta, nek nekonstanta, tial ilia "elemento de boneco" ne estas elradikigita; jen kial la budhismo estas konata kiel ne havanta duecon. Unu estas bona kaj la alia nebona, sed ĉar la budho-naturo estas nek bona, nek nebona, tial la budhismo estas konata kiel nedueca. El la vidpunkto de ordinaruloj, la skanda-oj (sanskrite: Skandhas, unu el la ĉefaj ecoj de ĉiu sentohava estaĵo; la kvin skanda-oj estas formo, percepto, konscio, ago, kaj scio) kaj datu-oj (sanskrite: Dhatus, la faktoroj de la konscio) estas du apartaj aferoj; sed la eklumiĝintaj homoj komprenas, ke ili ne estas duecaj en la naturo. Jen kial tiu ĉi nedueco estas la budho-naturo.'

인종이 다시 묻기를 "어떤 것이 불법의 둘이 아닌 도리입니까?" 하니 혜능이 말하였다. "법사가 『열반경』을 강설하매 불성이 이 불법의 둘 아닌 법임을 밝게 보니, 저『열반경』에 고귀덕왕보살이 부처님께 사루기를 '사중금계(살생, 도둑질, 사음, 말로 속임을 금지하는 네 가지 계율)를 범한 이나 오역죄(무간지옥에 떨어질 5가지 악행을 저지른 죄)를 지은이나 또한 일천제(믿지 않는이) 등은 마땅히 선근 불성이 끊어집니까?' 하니 부처님께서 말씀하시기를 '선근에 둘이 있으니 하나는 상이요, 둘은 무상이라' 하셨으니 불성은 상도 아니며 무상도 아니요, 이런 고로 끊어지지 않음이 둘이 아님이라 하는 것이며, 또한 하나는 선(善)이요, 둘은 불선(不善)이니, 불성은 선도 아니며 불선도 아니니 이런 고로 둘이 아니라 하는 것이며, 또한 온(인간을 구성하는 다섯 가지 범주의 요소. 곧 물질적인 것을 의미하는 색(色), 감각의 수(受), 인식 작용의 상(想), 의지 작용의 행(行), 마음 작용의 식(識))과 계(界: 인간 존재의 18가지(6근, 6경, 6식) 구성 요소)를 범부는 둘로 보지만 지혜있는 사람은 그 성을 요달하여 둘로 보지 않으니 둘이 아닌 성품이 곧 불성입니다." 하였다.

§ 1-28

"Miaj respondo tre plaĉis al la bikŝuo Yinzong. Kunmetinte siajn manplatojn sur la brusto kiel signo de respekto, li diris: 'Mia interpreto de la sutro estas tiel senvalora, kiel rubo, dum viaj paroloj estas valoraj, kiel pura oro.' Li do direktis la ceremonion de harar-razo, en kiu li faris min bonzo, kaj petis, ke mi akceptu lin kiel mian lernanton.

인종이 내 말을 듣고는 환히 합장하여 말하기를 "제가 경을 강의하는 것은 마치 깨어진 기왓장 같고, 인자의 논의는 진실의 금과 같습니다." 하였다. 이에 인종이 혜능에게 머리를 깎게 하고 스승으로 섬기기를 원하였다.

"Ekde tiam, sub la bodiarbo, mi disvastigis la instruon de la Dongshan-a Skolo (la Skolo estis nomata laŭ la loko, kie la Kvara kaj la Kvina Patriarkoj vivis kaj predikis).

그리하여 이 혜능이 보리수 아래 동산법문(*역주: 4조 도신(道信, 580~651)과 5조 홍인(弘忍, 601~674)의 선법을 말한다. 동산(東山)은 도신이 머물렀던 호북성 쌍봉산(雙峰山)의 동쪽에 있는 풍무산(馮茂山)을 말한다. 도신이 입적한 후, 홍인은 이곳으로 옮겨 그의 선법을 선양했기 때문에 동산법문이라 함)을 열게 되었느니라.

§ 1-29

"Ekde la tempo, kiam la Darmo estis transdonita al mi sur Dongshan, mi sate spertis ĉiajn malfacilojn kaj ĉiajn suferojn, kaj mia vivo ofte ŝajnis pendi nur sur unu fadeno. Hodiaŭ mi havas la honoron renkontiĝi en tiu ĉi kunveno kiel kun Via Ekscelenco kaj viaj eminentaj akompanantoj, tiel ankaŭ kun tiom multe da bikŝuoj, bukŝuinoj, taŭistoj kaj laikaj amikoj, kaj mi devas atribui tion ĉi al nia bona kunligo estiĝinta en la antaŭaj kalpa-oj (sanskrite: Kalpa, kun la signifo 'eono', la periodo inter la kreo kaj la rekreo de mondo; Kalpas: ciklaj longegaj periodoj da tempodaŭro), kaj ankaŭ al niaj komune akumulitaj meritoj en la oferoj faritaj en niaj antaŭaj enkarniĝoj; alie mi ne havus la okazon dividi kun vi la rakonton pri mia heredo de la instruo de la Subita Skolo.

혜능이 동산에서 법을 얻은 후 갖은 고초를 모두 당하면서 목숨이 마치 실낱에 달린 듯했더니, 금일 사군과

관료와 비구와 비구니, 도속들과 더불어 이같이 모임을 함께 하게 되니 이것이 어찌 누겁의 인연이 아니랴. 또 이것은 과거생 중에 제불에 공양하고 함께 선근을 심었으므로 이제 바야흐로 돈교의 법을 얻는 인연을 얻은 것이다.

"Tiu ĉi instruo estis transdonita de la pasintaj Patriarkoj; ĝi ne estas kio venas el mia propra saĝo. Tiuj, kiuj deziras aŭdi la instruon, devas antaŭ ĉio purigi sian propran menson, kaj, aŭdinte ĝin, devas forigi ĉiu siajn proprajn dubojn en la sama maniero, kiel la saĝuloj faris en la pasinteco."

이 가르침은 먼저 성인께서 전하신 바요, 결코 이 혜능 스스로의 지혜가 아니니, 옛 성인의 가르침을 배우기를 원하는 이는 각기 마음을 깨끗이 하고, 자세히 듣고 각기 스스로의 의심을 없애라.

Ĉe la fino de la parolado, ĉiuj aŭskultantoj ekĝojis, respekte salutis kiel la budhanoj (t.e. saluti per kunmeto de la manplatoj sur la brusto kun ioma klino de la kapo) kaj foriris.

그 설법의 끝에 모든 청중이 기뻐하며, 예를 다해 혜능께 절하고는 흩어졌다.

ĈAPITRO 2. PRAĜNA-O

반야(般若)품

§ 2-01

En la sekva tago la prefekto Wei petis la Patriarkon doni alian paroladon pri la Darmo. Preninte sian sidlokon, la Patriarko petis la aŭskultantaron purigi sian menson kaj reciti la sutron Maha Prajnaparamita (Vidu la ĉi-supran tekston por la signifo de tiu ĉi sanskrita termino). Poste li donis la jenan paroladon:

다음날 위 자사가 제6조 혜능에게 설법을 청하였다. 혜능은 법좌에 앉고는 청중들에게 각자 자신의 마음을 청정하게 하고『마하반야바라밀경』을 읊기를 청하였다. 그러고 혜능은 법을 설하였다.

"Miaj amikoj en la boneco, la saĝo de la bodio kaj praĝna-o estas esence propra al ĉiu el ni. Ĝuste pro la iluzio, sub kiu nia menso funkcias, ni ne sukcesas per ni mem ĝin koni, kaj tial ni devas serĉi la konsilojn kaj la gvidadon de eklumiĝintoj antaŭ ol ni povas ekkoni nian propran Veran Naturon. Vi devas scii, ke koncerne la budho-naturon, sin trovas nenia diferenco inter eklumiĝintoj kaj la malkleruloj. Kio faras la diferencon, estas tio, ke unu konas ĝin, dum la alia ne. Nun, lasu al mi paroli al vi pri Maha

Prajnaparamita, por ke ĉiu el vi povu akiri sian saĝecon. Atente aŭskultu, ĉar mi nun parolas al vi.

“선지식아, 보리 반야의 지혜는 세간 사람이 모두 본래부터 스스로 가지고 있는 것인데 다만 마음이 미혹하여 스스로 깨닫지 못할 따름이니 모름지기 큰 선지식의 가르침과 인도함을 빌어서 견성하여야 하느니라. 마땅히 알라. 어리석은 자와 지혜 있는 사람이, 불성에 있어, 본래 차별이 없는 것이요, 다만 미혹함과 깨친 것이 다를 뿐이다. 이런 까닭에 어리석음도 있고 슬기로움도 있는 것이다.
내 이제 『마하반야바라밀경』을 설하여 너희로 하여 각기 지혜를 얻게 하리니 지극한 마음으로 자세히 들어라. 너희들을 위하여 설하리라.”

§ 2-02
“Miaj amikoj en la boneco, tiuj, kiuj recitas la vorton ‘praĝna-o’ (sanskrite: Prajna; saĝo, transcenda saĝo, perfekteco de saĝo) la tutajn tagojn, ŝajne ne scias, ke la praĝna-o estas esence propra al ilia naturo mem. Tio estas ĝuste kiel la okazo de tiuj, kiuj nur paroladas pri nutraĵo, neniel povas kvietigi sian malsaton, ĉar gurdadi la vorton ŝunja-o (sanskrite: Sunja, malpleneco, vanteco) dum eĉ miriadoj da kalpa-oj neniel helpos al ni ekkoni nian naturon, kaj servas al neniu celo.

" 선지식아, 세상 사람이 입으로는 나날이 반야를 외우나 그것의 자성이 곧 반야를 알지 못하니 마치 말로만 음식 이야기를 아무리 많이 하여도 배부를 수 없는 것과 같아 다만 입으로만 공(空)을 말한다면 만겁을 지내더라도 견성하지 못하리니 마침내 아무 이익이 없느니라.

"Miaj amikoj en la boneco, "Maha Prajnaparamita" estas vorto sanskrita, kiu signifas "la grandan saĝon por atingi la alian bordon" (t.e. atingi la budho-veron). Tio, kion ni devas fari, estas praktiki ĝin en nia menso anstataŭ teni ĝin nur sur la lipoj, kaj tute ne gravas, ĉu ni ĝin recitas aŭ ne. Nur recitado sen mensa praktiko estas egala al fantomo, iluzio, rosguto aŭ ekbrilo de fulmo. Aliflanke, se ni praktikas ĝin en la menso kaj ankaŭ tenas ĝin sur la lipoj, tiam ni trovos, ke nia menso estas en akordo kun kio estas de ni buŝe ripetata. Ĉar nia naturo mem estas budho, kaj aparte tiu ĉi naturo ekzistas neniu alia budho.

"선지식아, '마하반야바라밀' 이라는 말은 이것이 범어(梵語)이니 여기 말로는 '큰 지혜로 피안에 이르렀다' 라는 말이니라. 이는 모름지기 마음에서 행하는 것이요, 입으로 외우는 데 있는 것이 아니니, 입으로 외우더라도 마음에서 행하지 않는다면 꼭두각시와 같고 허깨비와도 같으며 이슬과 같고 번개와 같느니라. 입으로 외우고 마음으로 행할 때 곧 마음과 입이 서로 응할 것이니라. 우리의 본래 성품이 곧 불(佛)이니, 성품을 떠나서는 따로 부처가 없느니라."

§ 2-03

"Kio do estas 'Maha'? Ĝi signifas 'granda'. La mezuro de la menso estas vasta kaj granda, kiel la malpleneco de la spaco, senfina kaj senlima, nek ronda nek kvadrata, nek granda nek malgranda, nek verda nek ruĝa nek blanka, nek supra nek suba, nek longa nek mallonga, nek kolera nek ĝoja, nek prava nek malprava, nek bona nek malbona, nek unua nek lasta. Ĉiuj kŝetra-oj (Ksetra; tero, kampo) de la budhoj estas malplenaj kiel la spacego. Nia transcenda naturo propre estas malplena, kaj neniu unuopa darmo povas esti atingita. Kaj tia estas ankaŭ nia Vera Naturo, kiu estas vera 'Absoluta Malpleno'.

"다음에 어떤 것을 '마하' 라고 하는가? '마하' 는 크다는 말이니 심량이 광대하여 마치 허공과도 같아 가이 없으며, 또한 모나거나 둥글거나 크고 작음이 없으며, 또한 청황적백의 빛깔도 아니며, 위아래도 없으며 길고 짧음도 없으며, 성냄도 기쁨도 없으며, 옳음도 그름도 없으며, 착함도 악함도 없으며, 머리도 꼬리도 없으니, 모든 불국토도 또한 이같이 모두 허공과 같느니라. 세간 사람들의 묘한 성품도 본래 공(空)하여 가이 한가지 법도 얻을 수 없으니, 자성이 참으로 공함 또한 이와 같느니라.”

Miaj amikoj en la boneco, kiam vi aŭdas min paroli pri malpleneco, ne tuj alkroĉiĝu al ĝi. La afero plej grava estas eviti la alkroĉiĝon al la malpleneco. Se vi sidas kviete kun malplena menso, tiam vi restas en la stato de ‘malpleno de indiferenteco’ .

“선지식아, 내가 지금 공을 설하는 것을 듣고 공에 집착하지도 말라. 무엇보다 먼저 공을 집착하지는 말아야 하느니라. 만약 마음을 비워 고요히 앉는다면, 곧 무기공(無記空: 선도 악도 아닌 멍한 무의식의 상태)에 떨어지리라.

§ 2-04

“Miaj amikoj en la boneco, la senlima spaco de la universo estas kapabla enteni miriadojn da ekzistaĵoj de diversaj formoj, kiel ekz. la suno, la luno, la steloj, la mondoj, la montoj, la riveroj, la fontoj, la arbaroj, la veprejoj, la bonaj kaj malbonaj homoj, la bonaj kaj malbonaj darmoj, la ĉieloj, la inferoj, la grandaj oceanoj, kaj la montoj de Sumeru (fabelaj montoj, kiuj estas la loĝejo de la dioj) —ili ĉiuj estas ampleksitaj en la malpleno, kaj tia estas ankaŭ la malpleneco de nia naturo.

"선지식아, 세계의 허공이 능히 만물과 색상을 갈무리하고 있음이 마치 일월성숙과 산하대지와 샘과 계곡, 초목 총림과 악인, 선인, 악법, 선법, 천당, 지옥, 또 일체의 큰 바다와 수미의 모든 산이 다 공허 가운데 있음과 같이, 세인의 성품이 공한 바 이와 또한 같으니라."

"Miaj amikoj en la boneco, nia Vera Naturo ampleksas ĉiujn ekzistaĵojn, kaj tio signifas 'granda'; sekve ĉiuj ekzistaĵoj estas interne de nia naturo. Se ni vidas la bonecon aŭ la malbonecon de aliaj homoj sen esti altiritaj aŭ forpuŝitaj de ĝi, sen esti implikitaj en ĝi, tiam nia menso estas malplena kiel la spacego. Tiuokaze ni povas diri, ke nia menso estas granda. Jen kial ni nomas ĝin 'Maha'.

"선지식아, 자성이 능히 만법을 머금고 있는 것이 이것이 큰 것이니, 만법이 모든 사람의 성품 중에 들어있느니라. 만약 모든 사람이 하는 일에 선이나 악을 볼 때 모두를 취하지도 않고 버리지도 않으며, 또한 물들거나 집착하지도 아니하여 마음이 마치 저 허공과 같음을 이름하여, 크다 함이니 이런 까닭에 '마하'라 하느니라."

§ 2-05

"Miaj amikoj en la boneco, la iluziitoj kutime parolas

sen praktiko, dum la saĝaj homoj ĉiam faras efektivan praktikon per sia menso. Sin trovas ankaŭ kategorio de iluziitoj, kiuj kviete sidas kaj penas teni sian menson tute neokupita. Ili detenas sin de penso pri io ajn kaj nomas sin "granda". Kun tia hereza vidpunkto, tiuj homoj apenaŭ valoras, ke ni parolu kun ili.

"선지식아, 미혹한 이는 입으로 말하고, 지혜 있는 사람은 마음으로 행하느니라. 또 미혹한 사람이 마음을 비우고 고요히 앉아 아무 생각도 하지 않는 것을 가리켜 스스로 큰 것이라 말한다면, 이런 무리와는 더불어 말조차 하지 말라. 지견이 삿되기 때문이다."

"Miaj amikoj en la boneco, vi devas scii, ke la menso estas vasta kaj granda en mezuro, ĉar ĝi kapablas ampleksi la tutan darmadatu-on (sanskrite: Dharmadhatu; la sfero de la Leĝo, t.e. la Universo). Kiam ĝi estas uzata, ĉio estas klare konata. Uzu ĝin kaj vi scios ĉion. Ĉar ĉio estas en unu kaj unu en ĉio, tial kiam nia menso funkcias sen obstaklo kaj estas libera 'veni' aŭ 'foriri', tiam sin trovas 'praĝna-o'.

"선지식아, 심량이 광대하여 법계(法界)에 두루하다. 그것이 작용하면 모든 것이 분명하다. 그것을 사용해보면 곧 모든 것을 알리라. 왜냐하면, 일체가 곧 하나요,

하나가 곧 일체이니 오고 감이 자유로와 우리의 마음이 막힘이 없음을 곧 '반야' 느니라.

§ 2-06

"Miaj amikoj en la boneco, ĉia saĝo de praĝna-o venas de la Vera Naturo kaj ne de la ekstera fonto. Ne havu eraran nocion pri tio. Tio ĉi estas nomata "memuzo de la Vera Naturo" . Kiam la tatata-o estas konata, oni estos libera de la iluzio por ĉiam.

"선지식아, 일체의 반야의 지혜는 모두 자성에서 생기는 것이고, 밖에서 들어옴은 아니니, 그릇된 생각을 하지 않음이, 곧 참 성품을 스스로 쓴다는 것이니라. 하나가 참됨으로 일체가 참됨이라."

"Ĉar la amplekso de la menso estas por grandaĵoj, ni ne devas praktiki agojn bagatelajn (kiel ekz. kviete sidi kun menso tute neokupita). Ne parolu tutajn tagojn pri la malpleneco sen praktiki ĝin en la menso. Tiu, kiu agas tiamaniere, povas simili ordinarulon, kiu pretendas esti reĝo kaj neniam fariĝos tia. Praĝna-o neniam povas esti atingita en tiu ĉi maniero, kaj tiuj, kiuj tiel kondutas, ne estas miaj disĉiploj.

"마음은 큰일을 헤아리느니라. 작은 도행도 행하지 않으면서 입으로 종일 공을 말하고 마음에 이 행을 닦지 않음과 같은 일은 하지 말라. 이는 마치 일개 범인이 스스로 일컬어 국왕이라고 함과 같아 아무 소용이 없단다. 이런 자를 나는 나의 제자라고 할 수 없느니라."

§ 2-07

"Miaj amikoj en la boneco, kio do estas praĝna-o? Ĝi signifas saĝon. Se ni, en ĉiuj tempoj kaj en ĉiuj lokoj, konstante tenas nian penson libera de stulta deziro, kaj saĝe agas en ĉiuj okazoj, tiam ni praktikas praĝna-on. Unu stulta ideo estas sufiĉa por malaperigi praĝna-on, dum unu saĝa penso povas ĝin reaperigi. La homoj en stulteco aŭ sub iluzio ĝin ne vidas; ili paroladas pri ĝi per la lango, sed ilia menso restas stulta. Ili ĉiam diras al si: mi praktikas praĝna-on; ili gurde paroladas pri la 'Malpleneco', sed ili ne konas la 'Absolutan Malplenon'. La praĝna-o estas senforma; la menso de saĝo estas ĝuste tia. Se ni havas tian komprenon, tiam la nia estas la saĝo de praĝna-o.

"선지식아, 무엇을 '반야' 라고 하는가? 반야라고 함은 여기 말로는 지혜이란다. 일체 처 일체 시에 생각생각을 어리석게 하지 않음이, 또 항상 지혜를 행함이 곧 반야 행이니라. 한 생각이 어리석으면 곧 반야가 끊어지고, 한 생각이 슬기로우면 곧 반야가 생기는 것이니라. 세상 사람들이 어리석고 미혹하여 반야를 보지 못하면서도 입으로 반야를 말한다고 하고, 또 마음속이 항상 어리석으면서도 항상 말하기를 내가 반야를 닦는다고 한다. 생각 생각마다 공을 말하지만 참된 공은 알지 못하느니라. 반야는 형상의 없음이요, 지혜심이 바로 이를 말하니, 만약 이같이 알면 곧 반야의 지혜라고 할 것이니라."

§ 2-08

"Kio estas paramita-o? Ĝi estas vorto sanskrita, signifanta 'al la alia bordo'. Ĝi figurasence signifas 'super la ekzisto kaj la neekzisto' aŭ 'libera de produktiĝo kaj de la detruiĝo'. Kiam oni alkroĉiĝas al la sensobjektoj, tiam la ekzisto aŭ la neekzisto sin prezentas kiel la leviĝo kaj la malleviĝo de la ondanta maro, kaj tia stato estas metafore nomata 'tiu ĉi bordo'; kiam oni rompas kun tia alkroĉiĝo, tiam malaperas la ekzisto kaj la neekzisto, kaj ĉio estas kiel la akvo ĉiam kviete fluanta, kaj tio estas nomata 'la alia bordo'. Jen kial ĝi estas nomata paramita-o.

" '바라밀' 이란 무엇인가? 이는 서쪽 나라말이니 여기 말로는 '피안에 이르렀다' 라는 말이라 생멸을 여의었다는 뜻이니라. 경계를 집착하면 생멸이 이나니, 그 때에는 물에 물결이 이는 것과 같아서, 이것이 곧 이 언덕이요, 경계를 여의면 생멸이 없나니 이는 물이 항상 자유로이 통해 흐르는 것과 같음이 곧 피안이 됨이

라. 그러므로 바라밀이라 하느니라."

"Miaj amikoj en la boneco, la homoj sub iluzio recitas la sutron Maha Prajnaparamita per sia lango, kaj dum ilia recitado la pensoj eraraj kaj malbonaj sin prezentas en ilia menso. Sed se ili metas la praĝna-on en praktikon de momento al momento, tiam ili efektive vidas sian Veran Naturon. Koni tiun ĉi Darmon estas koni la Darmon de praĝna-o, kaj praktiki ĝin estas praktiki praĝna-on. Tiu, kiu ne praktikas ĝin, estas nomata ordinara homo. Tiu, kiu uzas sian menson por ĝin praktiki eĉ dum unu momento, estas la egalulo de budho.

"선지식아, 미혹한 사람은 입으로만 '마하반야바라밀다'를 외우는데, 그때에는 틀린 생각과 나쁜 생각이 난다. 만약 생각 생각마다 이 '마하반야바라밀다'의 실행에 둔다면 이것이 곧 참된 성품이니라. 이 법을 깨달으면 이것이 반야 법을 아는 것이요, 이 행을 닦으면 이것이 반야를 행함이니라. 그것을 닦지 않으면, 바로 범부가 되지만, 일념으로 수행하는 이는 자신이 부처와 같으니라."

§ 2-09

"Miaj amikoj en la boneco, la ordinara homo nature estas neniel alia, ol budho, kaj kleŝo (aflikto, makulo en la menso) estas neniel alia, ol bodio. Dum unu stulta penso pasanta faras ordinaran homon, unu eklumigita dua penso faras budhon; dum unu pasanta penso, kiu alkroĉiĝas al la sensobjektoj, estas kleŝo, unu dua penso, kiu estas libera de la alkroĉiĝo, estas bodio.

"선지식아, 범부가 곧 부처요, 번뇌가 곧 보리이니, 앞의 생각이 미혹하면 범부이고, 뒷생각이 깨달으면 곧 부처이니라. 앞의 생각이 집착하면 번뇌가 되고, 뒷생각이 경계를 여의면 즉시 보리이니라.

"Miaj amikoj en la boneco, la Maha Prajnaparamita estas la plej alta, la superega kaj la unua. Ĝi nek restas, nek foriras, nek venas. Per ĝi la budhoj de la nuno, de la pasinteco, kaj de la estontaj generacioj atingis la budhecon. Ni devas uzi tiun ĉi grandan saĝon por rompi la kvin skanda-ojn (la ĉefaj ecoj de ĉiu sentohava estaĵo: formo, percepto, konscio, ago, kaj scio), kaj ĉiajn kleŝojn (afliktojn), ĉar sekvi tian praktikon certigas la atingon de la budheco. La Tri Venenoj (avido, malamo kaj iluzio) tiam turniĝos en ŝila-on (senkrite: Shila; bona konduto aŭ disciplinaj reguloj), samadi-on (sanskrite: Samadhi; profunda medito) kaj praĝna-on (saĝon).

"선지식아, '마하반야바라밀'이 가장 높고 가장 위이고 가장 으뜸이니 현재도 없고, 과거도 없고, 미래 또한 없으며, 삼세(과거, 현재, 미래)의 제 불(佛)이 이 가운데서 나오느니라. 마땅히 대 지혜를 써서 오온(색, 수, 상, 행, 식), 모든 번뇌와 망상을 깨부수어야 하느니라. 왜냐하면, 그런 수행을 따름이야말로 불성에 다다르기 때문이니라. 그러면 삼독(탐, 진, 치)이 변화되어 계, 정, 혜가 되느니라.

§2-10

"Miaj amikoj en la boneco, per mia metodo de praktiko, okdek kvar mil manieroj de saĝo povas esti produktitaj el unu praĝna-o sola, ĉar en la mondo sin trovas la sama nombro da afliktoj, kontraŭ kiuj oni devas lukti. Kiam tiuj ĉi estas forigitaj, tiam la saĝo estos konstante trovata en la Vera Naturo. Tiuj, kiuj komprenas tiun ĉi Darmon, estas konataj kiel penso-liberaj. Esti libera de ĉiaj memoroj kaj de ĉiaj alkroĉiĝoj; meti sian propran esencon de la tatata-o en funkciadon; uzi praĝna-on por konstati ĉiujn darmojn, sen prefero kaj malprefero al io ajn — jen ĉio, per kio oni vidas sian Veran Naturon kaj atingas la budhecon.

"선지식아, 나의 이 법문은 한 반야로부터 8만4천의 진로(塵勞: 마음이나 몸을 괴롭히는 노여움이나 욕망

따위의 망념)가 있었기에 가능했으니, 만약 이 세상에 번뇌가 없으면 지혜가 항상 드러나 자성을 여의지 않게 되느니라. 이 법을 깨닫는 자는 곧 생각에서도 벗어나고 모든 집착에서도 벗어나고 거짓 망령을 일으키지도 않고 스스로 진정한 자성을 써서 지혜로 일체 법을 관조하여 취하지도 않고 버리지도 아니함, 이것이 곧 견성이요 불도를 이룸이니라.

§2-11

"Miaj amikoj en la boneco, se vi deziras penetri la plej profundan misteron de la darmadatu-o kaj la samadi-o de praĝna-o, vi devas praktiki praĝna-on per recitado de la Sutro de Diamanto, kiu ebligos al vi koni la Veran Naturon.

선지식아, 만약에 깊은 법계와 반야 삼매에 들려고 한다면『금강반야경』을 지니고 읽어야 하느니라. 그러면 곧 견성하리라.

"Vi devas scii, ke la meritoj akiritaj per la studo de tiu ĉi sutro estas senmezuraj kaj senlimaj. Ĉiuj ĉi tiuj meritoj estas verse laŭdataj en la teksto, kaj ne povas esti detale elnomeblaj. Tiu ĉi sutro apartenas al la plej alta Skolo de Budhismo kaj estas donita de la Sinjoro Budho speciale al la homoj saĝaj kaj spritaj. Se la malpli saĝaj kaj malpli spritaj aŭdas pri ĝi, ili dubas ĝian kredindecon. Kial do?

마땅히 알라. 이 공덕이 무량 무변함을 경 가운데서 분명히 찬탄하셨으니 이를 다 말할 수 없느니라. 이 법문은 최상승이라. 큰 지혜 있는 이를 위해 설한 것이고, 상근인(上根人:부처의 가르침을 배우고 수양할 수 있는 자질이 남보다 뛰어난 사람)을 위하여 설한 것이니라. 그러므로 지혜가 적고 근기가 약한 자는 이 법문을 들어도 마음에서 믿는 마음이 나지 않느니라.

§ 2-12

"Kiel ekzemple, se pluvas en Jambudvipa (la Suda Kontinento, unu el la mondaj kvar kontinentoj en la budhisma tradicio) per la miraklo de la Ĉiela Naga-o (sanskrite: Naga; drako), ĝiaj urboj, urbetoj kaj vilaĝoj estas tiel inunditaj, ke ili flosas sencele sur la akvomaso kiel jujubarbaj folioj. Sed se pluvegas sur la granda oceano, la nivelo de la oceano en la tuteco neniel ŝanĝiĝas. Kiam la majananistoj, la sekvantoj de la plej alta skolo, aŭdas pri la Sutro de Diamanto, ilia menso eklumiĝas kaj ilia koro malfermiĝas. Ili eksciis, ke praĝna-o estas imanenta en ilia Vera Naturo kaj ke ili ne devas sin apogi nur sur la skribaĵoj, ĉar ili povas fari uzon de sia propra saĝo por la konstanta praktiko de la kontemplado de la Maha Prajnaparamita. La Maha Prajnaparamita estas imanenta en ĉies Vera

Naturo, kio povas esti similigita al la pluvo. La pluvo ne venas el la ĉielo. Ĝi estas produktita per la miraklo de la naga-o. La malsekeco de la pluvo refreŝigas kaj nutras ĉiujn vivajn estaĵojn, ĉiujn herbojn kaj arbojn, kaj ĉion, kio estas sentohava kaj ankaŭ sensenta. Kiam la riveroj kaj rivereto atingas la maron, la akvo portata de ili kuniĝas kun la marakvo en unu tuton; — tia estas ankaŭ la okazo kun la homa saĝo de praĝna-o.

왜냐하면, 비유를 들자면, 큰 용이 염부제에 큰비를 내린다면 성읍이나 마을이 모두 마치 대추나무 잎을 띄운 것과 같이 떠내려가겠지만, 만약 큰 바다에 비가 내린다면 늘지도 줄지도 않으니. 이같이 만약 대승인이나 최상승인이『금강경』의 설함을 들으면 곧 마음이 열려 깨치리라. 이 까닭에 마땅히 알라. 원래 본성에는 스스로 반야의 지혜가 있어서 스스로 지혜로 항상 관조하므로 문자를 빌지 않나니, 비유하면 비와 같으니라. 비는 본래 하늘에서 내리는 것이 아니라 원래 이것은 용이 일으켜 일체중생과 일체 초목과 유정 무정으로 하여금 모두를 다 윤택하게 하고 모든 냇물은 바다로 흘러들어 마침내 하나로 합치게 되나니 중생 본성의 반야의 지혜도 또한 이와 같으니라.

"Miaj amikoj en la boneco, kiam diluve pluvas, la plantoj, kiuj ne profunde enradikiĝintaj, estas elradikigitaj kaj kuŝiĝas teren. Tia estas ankaŭ la okazo kun la homoj malspritaj, kiam ili aŭdas pri la instruo de la Subita Skolo. La praĝna-o estas imanenta en ili estas ĝuste la sama, kiel tiu en la homoj tre saĝaj, sed kial do ili ne eklumiĝas tiam, kiam la Darmo estas instruata al ili? Ĉar ili estas dike vualitaj per eraraj opinioj kaj profunde enradikiĝintaj kleŝoj en la sama maniero, kiel la suno estas vualita de dika nubo kaj ne povas montri sian lumon, antaŭ ol la vento forblovas la nubon.

선지식아, 근기가 낮은 사람이 이 돈교(頓教) 법문을 들으면 마치 뿌리가 약한 초목이 큰비를 맞으면 모두 다 쓰러져 자라지 못하는 것처럼, 근기가 낮은 사람도 또한 이와 같으니라. 원래 반야의 지혜를 갖추고 있기는 큰 지혜 있는 사람과 조금도 차별이 없거니 어찌하여 법문을 듣고도 스스로 깨닫지 못할까? 이는 사견과 깊은 업장과 번뇌의 뿌리가 깊기 때문이니 마치 큰 구름이 해를 가리었을 때 바람이 불지 않으면 햇빛이 드러나지 않는 것과 같느니라.

§ 2-13

"La saĝo de praĝna-o ne varias laŭ la personoj. La diferenco estas nur tio, ke la homa menso povas esti eklumigita aŭ iluziita. Tiuj, kies menso estas iluziita, penas serĉi la budhecon nur observante eksterajn religiajn ritojn kaj sekve neniam konas sian propran Veran Naturon; tiuj homoj estas nomataj malsprituloj. Aliflanke, tiuj, kiuj konas la instruon de la Subita Skolo kaj ne alkroĉiĝas al la ekstera formo de la ritoj, kaj kies menso funkcias ĉiam sub la ĝustaj opinioj kaj sekve estas absolute libera de kleŝoj, estas nomataj vidantoj de sia Vera Naturo.

반야의 지혜는 크고 작음이 없으나 일체중생의 마음이 미혹함과 깨달음이 같지 않기 때문에 마음의 미혹으로 인해 밖을 보고 수행하며 불(佛)을 찾으므로 자성을 보지 못하니 이것은 근기가 낮은 것이니라. 만약 돈교를 깨달아서 밖을 향하여 닦는 것을 고집하지 아니하고 다만 자기 마음에서 정견(正見)을 일으켜 항상 번뇌의 티끌에 물들지 않음이 곧 견성(見性:모든 미혹을 깨닫고 자기 본연의 천성을 깨달음)이다.

§2-14

"Miaj amikoj en la boneco, do alkroĉu vian menson nek al la interno, nek al la ekstero, kaj 'venu' aŭ 'foriru' tute en libereco. Tiu, kiu estas libera de tiu ĉi alkroĉiĝo, povas komplete eklumiĝi sen la plej malgranda konfuziĝo; kaj tiu, kiu estas kapabla fari tion ĉi, povas esti en la mensa stato postulata por kompreni la Sutron de Diamanto.

선지식아, 안과 밖에 머물지 아니하고 가고 옴이 자유로워 능히 집착하는 마음을 버린다면 일체에 통달하여 걸림이 없을지니, 능히 이를 행하면『반야경』과 더불어 본래로 차별이 없으리라.

“Miaj amikoj en la boneco, ĉiuj Sutroj kaj Skriboj de la Mahajana kaj Hinajana Skoloj, same kiel la dek du sekcioj de la kanonaj skriboj, estas donitaj por konveni al la bezonoj kaj temperamentoj de diversaj homoj. La doktrinoj eksplikitaj en tiuj ĉi tekstoj estas starigitaj surbaze de la jena principo: praĝna-o estas latenta en ĉiu persono. Se sin trovus neniuj homoj, sin trovus neniuj darmoj, kaj tial ni scias, ke ĉiuj darmoj estas faritaj por homoj, kaj ke ĉiuj sutroj ŝuldas sian ekziston al la predikantoj.

선지식아, 일체 수다라(修多羅: 부처님의 말씀을 적은 경전)와 모든 문자인 대승 경전(大乘經典: 『금강경』, 『미륵경』, 『법화경』, 『화엄경』, 『지장경』, 『아미타경』)과 소승경전(小乘經典: 『아함부 경전』등)의 12부경이 사람으로 인하여 있는 것이며, 지혜의 성품으로 말미암아 능히 건립되는 것이니 만약 세간 사람이 없으면 일체 만법이 본래 있을 수 없느니라. 이런 까닭에 알아라. 만법이 본래 사람으로 인하여 일어나는 것임을! 일체 경서도 사람을 위해 설하게 되느니라.

“Ĉar iuj homoj estas malkleraj, kaj iuj estas kleraj. La malkleraj similas infanojn, dum la kleraj plenaĝulojn. La kleraj predikas al la malkleraj tiam, kiam la lastaj petas ilin tion fari. Dank’ al tio la malkleraj povas atingi subitan eklumiĝon kaj per tio ilia menso fariĝas iluminita. Tiam ili ne estas plu diferencaj de la kleraj.

사람 가운데는 어리석은 자도 있고 슬기로운 자도 있어서 어리석은 자는 소인이라 하고 슬기로운 자는 대인이라 하느니라. 어리석은 사람은 지혜 있는 사람에게 묻고, 지혜 있는 사람은 어리석은 사람과 더불어 법을 설하므로 어리석은 사람이 홀연히 마음이 열려 깨치게 되면 곧 지혜 있는 사람과 다를 바 없느니라.

§ 2-15

“Miaj amikoj en la boneco, sen eklumiĝo sin trovus nenia diferenco inter budho kaj aliaj vivaj estaĵoj, dum ekbrilo de lumo estas sufiĉa por fari iun ajn vivan estaĵon egala al budho. Tial ĉiuj darmoj estas imanentaj en nia menso. Tiuokaze, kial do ni ne penas ekkoni, per subita vekiĝo, la veran naturon de la tatata-o en nia menso? La sutro Bodisattva Sila (sutro pri la budhismaj disciplinaj reguloj) diras: ‘Nia Vera Naturo estas propre pura.’ Se ni konus nian menson kaj scius, kia estas nia naturo, ĉiu el ni povus atingi la budhecon. Ankaŭ la sutro Vimalakirti Nirdesa (kolekto de konversacioj inter Ŝakjamunio kaj kelkaj loĝantoj de la urbo Vaisali) diras: “Oni tuj eklumiĝas kaj reakiras al si la propran menson.”

선지식아, 깨닫지 못하면 불(佛)이 곧 중생이요 한 생각 깨달으면 중생이 곧 불(佛)이니라. 이 까닭에 알아라. 만법이 모두가 자기 마음에 있음인데 어찌하여 자심 중에 바로 진여 본성을 보지 못하는가. 『보살계경』에 이르기를, ‘나의 본성 자성이 본래 청정하니 만약 자심을 알면 견성이라. 모두가 불도를 이루리라. 『정명경』에 이르기를, ‘즉시 활연하면 도리어 본심을 얻는다’ 하였느니라.

§ 2-16

“Miaj amikoj en la boneco, kiam la Kvina Patriarko siatempe predikis al mi, mi tuj eklumiĝis post liaj paroloj kaj spontanee ekvidis la Veran Naturon de tatata-o. Pro tiu ĉi kaŭzo nun estas mia tasko disvastigi la instruon de la ‘Subita’ Skolo, por ke la lernantoj de budhismo povu tuj trovi la bodion kaj ekkoni sian Veran Naturon per introspekto de la menso.

선지식아, 내가 홍인 화상 회하에서 한 번 듣고 말이 떨어진 그때 문득 깨달아 곧장 진여 본성을 보았으니 그러므로 이 교법을 널리 펴 내려가 도를 배우는 자로 하여금 보리를 단번에 깨닫게 하여 각기 스스로 마음을 보고 스스로 본성을 보게 하느니라.

"Se vi ne povas mem eklumigi vin, vi devas serĉi budhanon vere pian kaj kleran, kiu profunde komprenas la instruon de la Plejalta Skolo, por montri al vi la ĝustan vojon. Li komprenigos al vi, ke la metodo de la Maha Prajnaparamita estas la ĝusta praktiko. Dank' al lia gvido vi povos esti inicita en ĉiujn bonajn darmojn. La saĝeco de la budhoj de la pasinteco, la nuno kaj la estonteco, same kiel la instruoj de la dek du partoj de la mahajana kanono, estas imanentaj en nia menso. Sed en okazo, kiam oni ne sukcesas sin eklumigi, oni devas serĉi la gvidon de vere piaj kaj tre kleraj homoj.

만약 스스로 깨닫지 못하거든 최상승법을 아는 대선지식을 가진 이를 찾아, 바른길의 가르침을 받아라. 이러한 선지식은 큰 인연이 있어 이른바 중생을 교화하고 인도하여 견성토록 하나니 일체 선법은 모두 선지식으로 인하여 능히 일어나느니라. 삼세제불(과거, 현재, 미래의 모든 부처)의 12부경(경전의 형태를 형식 내용에 따라 12종으로 구분한 것)이 모든 사람의 성품 가운데에 본래 스스로 갖추어져 있으나 이를 능히 스스로 깨닫지 못하면 모름지기 선지식의 가르침을 구하여야 바야흐로 보게 되려니와, 만약 스스로 깨친 자는 밖으로 구할 것이 없느니라.

“Aliflanke, tiuj, kiuj povas sin mem eklumigi, bezonas nenian eksteran helpon. Estas eraro, se oni insistas pri la ideo, ke sen konsiloj de pia kaj klera amiko oni ne povus atingi liberiĝon. Kial do? Ĉar per via kunnaskita saĝo vi ja kapablas atingi vian eklumiĝon, kaj eĉ la ekstera helpo kaj la instruoj de pia kaj klera amiko havus nenian utilon, se vi estus trompita de falsaj doktrinoj kaj eraraj opinioj. Se vi introspektas vian menson per vera praĝna-o, tiam ĉiuj eraraj opinioj estos venkitaj en momento, kaj tuj kiam vi ekkonos la Veran Naturon, vi jam alvenos en la budho-tero (t.e. fariĝos budho).

그러나 만약 일향 모름지기 다른 지식의 지시를 기다려 해탈을 바라볼 수 있다고 고집한다면 이 또한 옳지 않으니, 왜냐하면 자기 마음속에 선지식이 있어 스스로 깨닫는 것인데, 만약 삿되고 미혹한 마음을 일으켜 망념으로 전도하면 비록 밖으로 선지식의 가르침이 있더라도 아무 소용이 없느니라. 만약 바르고 참된 반야를 일으켜 관조한다면 일 찰나의 사이에 망념이 모두 없어지나니 만약 자성을 알아 한번 깨달으면 단번에 불지(佛地)에 이르느니라.

§ 2-17

"Miaj amikoj en la boneco, kiam ni uzas praĝna-on por introspekto, ni estas iluminita de interne kaj de ekstere, kaj ni povas ekkoni nian propran menson. Koni sian menson estas akiri fundamentan liberiĝon. Akiri liberiĝon estas atingi la samadi-on de praĝna-o, kiu estas 'senpenseco' aŭ transcenda sciado. Kio do estas la 'senpenseco'? Ĝi estas vidi kaj koni ĉiujn darmojn (ekzistaĵojn kaj fenomenojn) per menso libera de ĉia alkroĉiĝo. Vi povas uzi ĝin ie ajn sen alkroĉiĝo al io ajn. Tio, kion ni devas fari, estas purigi nian menson, por ke la ses viĝnana-oj (konscioj) povu pasi tra la ses pordoj (sensorganoj) sen esti makulitaj de aŭ alkroĉitaj al la ses sensobjektoj. Kiam nia menso libere laboras sen malhelpo kaj estas libera "veni" aŭ "foriri", tiam ni atingas la samadi-on de praĝna-o aŭ liberiĝon. Tia stato estas nomata la funkcio de 'senpenseco'. Sed sin deteni de pensado pri io ajn, tiel ke ĉiuj pensoj estas subpremataj, signifas esti katenita de la Darmo, kaj tio estas ankaŭ erara opinio.

선지식아, 지혜로 비추어 보면 안과 밖이 밝게 사무쳐 자기 본심을 아나니, 만약 본심을 알면 이것이 곧 본래 해탈이며, 만약 해탈을 얻었으면 곧 이는 반야 삼매이며 또한 이것이 무념이니라. 어찌하여 무념이라 할까? 만약 일체 법을 보더라도 마음에 물들고 집착하지 않는다면 이것이 무념이라. 작용을 일으킨 것은, 즉 일체처에 두루하되 일체처에 집착하지 않으며 다만 본심을 깨끗이 하여 **육식**(六識: 안식(眼識), 이식(耳識), 비식(鼻識), 설식(舌識), 신식(身識), 의식(意識))으로 하여금 **육문**(六門:육근(六根)의 문. 즉 안근(眼根), 이근(耳根), 비근(鼻根), 설근(舌根). 신근(身根), 의근(意根)을 말함)으로 나오더라도 **육진**(六塵: 중생의 마음을 더럽히는 여섯 가지. 색(色), 성(聲), 향(香), 미(味), 촉(觸), 법(法)을 말함) 중에 물들지 아니하고 섞이지도 아니하며, 오고 감도 자유롭고 통용에 걸림이 없으니 이것이 즉 반야삼매이고 자재 해탈이니 그 이름이 무념행(無念行)이니라. 그러나 만약 아무것도 생각하지 아니하고 생각을 끊는다면 이를 일러 법의 속박이며 틀린 의견이니라.

§ 2-18

"Miaj amikoj en la boneco, tiuj, kiuj konas la metodon de 'senpenseco', konos ĉiujn aliajn metodojn; tiuj, kiuj konas la metodon de 'senpenseco', scios ĉion, kion ĉiuj budhoj scias; tiuj, kiuj konas la metodon de 'senpenseco', kaj atingos la budhecon.

선지식아, 무념 법을 깨달은 자는 만법에 걸림 없이 통하고, 무념 법을 깨달은 자는 모든 불(佛)의 경계를 보며, 무념 법을 깨달은 자는 불지(佛地: 불성)에 이르는 것이니라.

“Miaj amikoj en la boneco, se en la estonteco inicitoj de mia Skolo faros, kune kun siaj kolegoj kaj kundisĉiploj, ĵurpromeson dediĉi sian tutan vivon, tute sen retiriĝo, al la praktikado de la instruoj de tiu ĉi ‘Subita’ Skolo, en la sama maniero, en kiu ili servus al la Budho, ili certe atingos la Sanktan lokon (t.e. la budheco).

선지식아, 뒷날 나의 법을 얻는 자가 이 돈교 법문을 가지고 견해를 같이하며 행을 같이하기로 원을 발하며 받아 지니기를 부처님 섬기듯이 하며 종신토록 물러서지 않는다면 결정코 성인의 자리, 즉 불성에 들리라.

“La sekvantoj de mia Skolo devos transdoni de koro al koro la instruon transdonitan de unu Patriarko al alia, kun nenia provo kaŝi la ortodoksan instruon. Al tiuj, kiuj apartenas al aliaj skoloj kaj al tiuj, kies opinioj kaj celoj estas diferencaj de la niaj, la Darmo ne devos esti transdonita, ĉar la transdono povus esti malutila al ili. Tiu ĉi paŝo devas esti prenata por eviti, ke la malkleraj personoj, kiuj ne povas kompreni nian instruon, povu diri kalumniajn vortojn pri ĝi kaj per tio neniigi sian semon de la budho-naturo, kiu restos nereakirita dum centoj da kalpa-oj kaj miloj da reenkarniĝoj.

그리고 나의 법을 얻은 자는 모름지기 위로 내려오면서 말없이 분부하심을 모두 전수하여 그 정법을 숨김이 없이 하라. 그러나 만일 견해가 같지 않고 실행이 같지 않아 다른 법에 있는 자이거든 이 법을 전하지 마라. 그의 앞사람을 손해하고 마침내 아무런 이익이 없으리니, 저 어리석은 사람이 알지 못하고 이 법문을 비방해서 백겁 천생으로 부처 종자를 끊을까 두려우니라.

§ 2-19

"Miaj amikoj en la boneco, mi havas 'Senforman' Ĉanton, kiun vi ĉiuj devos reciti kaj teni en la menso. Sekvu ĝian instruon tute egale, ĉu vi estas bonzo aŭ laiko; estus senutile nur parkerigi ĝin sen praktikado. Aŭskultu do tiun ĉi ĉanton:

선지식아, 나에게 한 무상송(無相頌)이 있으니 모름지기 각기 외워 지녀라. 재가인이든 출가인이든 다만 이에 의하여 닦아라. 만약 스스로 닦지 아니하고 오직 내 말만 외운다면 이 또한 아무 이익이 없느니라. 나의 송을 들어보라.

Tiuj, kiuj povas plene kompreni kaj instrui la Darmon
Estas kiel la suno brilanta en la malplena spaco.

무애 설법 진여 마음은 모두 통하니
태양이 허공에 있음과 같다.

Ilia nura celo estas transdonado de la Darmo por la ekkono de la Vera Naturo,
Kaj ili venas en tiun ĉi mondon nur por elradikigi ĉiujn herezajn instruojn.

그들의 유일한 목적은 오직 견성하는 이 법을 전하고 세간에 드러내어 삿된 가르침을 깸일세.

Ni apenaŭ povas klasi la darmojn en 'Subitan' kaj 'Laŭgradan';
Sed iuj homoj atingos eklumiĝon multe pli rapide, ol la aliaj.

법에는 돈(頓: 문득, 즉각)도 점(漸: 점차)도 없는 것이네. 중생에는 미혹함과 깨달음으로 인해 늦음과 빠름이 있네.

Nia instruo estas la pordo por la vido de la Vera Naturo;
La stultaj homoj havas malfacilon en la kompreno.

우리 가르침이 성품(性品)을 보려는 문이니,
이 문을 어리석은 무리가 어찌 다 알리.

Mi povas klarigi en dek mil manieroj,
Sed ĉiuj tiuj klarigoj povas esti revenigitaj al unu

principo.

말로 하면 만 가지로 벌어지지만,
이치에 들어서면 모두가 하나로 되니라.

Nia menso kaŝas en si diversajn iluziojn,
Ni bezonas la lumon de saĝeco por forigi la mallumon.

우리 번뇌는 안개 속 어두운 집 안에 있으니,
이 어둠을 쫓아내려면 지혜의 밝은 태양이 필요하니라.

§ 2-20
Eraraj pensoj portas al ni iluziojn,
Ĝustaj pensoj helpas al ni forigi ilin.

사념(邪念)이 오면 번뇌가 이는 것이고,
정념(正念)이 생기면 번뇌는 사라지느니.

Se vi forĵetas kiel la erarajn, tiel ankaŭ la ĝustajn.
Pureco nature aperos en nia menso.

틀림과 바름(正), 이 모두가 여의어 쓰지 않을 때,
생멸 없는 청정에 이르렀네.

La bodio estas imanenta en nia Vera Naturo.
Estas eraro, se vi provas ĝin serĉi aliloke.

보리가 곧 자성이고,
마음을 일으킴이 곧 허망이로다.

Interne de nia malpura menso la pura estas trovebla,
Kaj atinginte la purecon, ni estas liberaj de tri obstakloj (t.e. la kleŝo, la malbona karmo, kaj la repago pro la agoj antaŭaj).

청정심이란 망념 중에 있으니, 다만 올바름이면 **삼장**(三障: 불도 수행(佛道修行)과 선근(善根)에 중대한 장애가 되는 세 가지; 번뇌장(煩惱障: 끊임없이 일어나는 번뇌에 의한 장애); 업장(業障: 정도(正道)를 방해하는 몸, 말, 마음으로 짓는 온갖 행위), 이숙장(李熟障: 악한 행위를 저지른 과보로 받은 지옥·아귀·축생 등의 생존으로 인해 청정한 수행을 할 수 없는 장애)을 말함)이 없네.

§2-21
Se vi volas sekvi la Vojon, kiu kondukas al la iluminiĝo,
Nenio povos malhelpi vin kiel stumbliga ŝtono.

만약 세간 사람이 수도의 길에 들어서려면,
일체 세간의 일이 방해되지 않으니

Konstante havu okulon sur viajn proprajn kulpojn,

Vi ne povos plu deflankiĝi de la Vojo.

항상 스스로 제 허물을 보면
도와 더불어 서로 맞으리다.

Ĉiuj specoj de vivaj estaĵoj havas sian propran manieron de saviĝo,
Kaj ili vivas en harmonio kaj ne kreas suferojn unuj al la aliaj.

일체중생이 제각각 도가 있으니
서로서로 방해됨이 없고 괴로움도 없으리.

Se vi forlasos vian propran kaj serĉos iun alian manieron de saviĝo,
Vi povos malŝpari vian tutan vivon kaj neniam trovos ĝin.

만일 도를 떠나 도를 찾으면,
목숨이 다하도록 도를 보지 못하리다.

Kvankam vi peze paŝas sur via erara vojo ĝis la maljuniĝo,
Vi trovos nenion krom malĝojo kaj pento en la fino.

부질없는 길에서 바삐 생을 보내다가

백발에 뉘우침이라.

§2-22

Se vi deziras trovi la Veran Vojon,
Agu ĝuste kaj juste — jen la Vojo.

참된 도(道)를 보려 한다면,
행(行)을 바로 함, 이것이 도니

Sed se vi ne pene strebas al la budheco,
Vi palpos en mallumo kaj neniam trovos ĝin.

스스로 도심이 없으면
어둠 속에서도 어느 때도 도를 못 보리

Tiu, kiu serioze sekvas la Vojon,
Ne vidas la erarojn kaj kulpojn de la mondo.

참되게 도를 닦는 사람이면
세간의 허물을 보지 않으니

Se vi trovas kulpojn de aliaj,
Vi mem jam estas en la eraro.

만일 다른 사람 허물을 보면
도리어 제 허물이 저를 지나니

Kiam aliaj estas en la eraro, ni devas ignori tion,
Ĉar estas eraro por ni trovi kulpon.

다른 사람 그르고 내가 옳다면
내가 그르게 여김이 내 허물이 되리.

§ 2-23
Senigante nin je la emo trovi alies kulpojn
Ni obstrukcas fonton de afliktoj.

다만 스스로 어리석은 마음을 버리면
번뇌는 부서져 자취는 없어지고

Kiam nek malamo, nek amo ĝenas nian menson,
Ni serene dormas kun la du kruroj plene etenditaj.

미움과 사랑에 마음을 두지 않으니
두 다리 쭉 펴고 편히 쉬도다.

Se vi intencas esti instruanto de aliaj,
Vi devas havi diversajn lertajn rimedojn, kiuj kondukas aliajn al eklumiĝo.

만약 다른 사람을 교화하려면
모름지기 스스로 기틀을 만들고 방편을 써서

Faru la disĉiplojn liberaj de ĉiaj duboj,
Tiam ilia Vera Naturo estos trovita.

모든 의심의 뭉치를 버리게 하라.
그러면 즉시 그 사람의 청정 자성이 드러나리라.

La budha Darmo estas en tiu ĉi mondo,
Nur en kiu estas trovita la eklumiĝo.

불법은 세간에 있는 것이니
세간 속에서 깨닫게 하라.

§2-24
Se vi serĉas la bodion ekster tiu ĉi mondo,
Tio estas kvazaŭ serĉi kuniklan kornon.

세간을 여의고서 보리를 찾으려면
흡사 토끼의 뿔을 구함과 같으리라.

Ĝustaj opinioj estas nomataj 'transcendaj';
Eraraj opinioj estas nomataj 'ĉi-mondaj'.

정견(正見)이란 세간에서 뛰쳐 남이요,
사견(邪見)이란 세간 속에 파묻힘이라.

Kiam ĉiuj opinioj, ĝustaj kaj eraraj, estas forĵetitaj,

Tiam la naturo de bodio aperas.

틀림과 올바름, 모두 다 물리치면
보리 자성이 완연히 드러나누나.

Tiu ĉi ĉanto estas la instruo de la Subita Skolo.
Ĝi estas nomata ankaŭ La Granda Ŝipo de Darmo (por transpasi la maron de naskiĝo kaj morto).

이 게송의 가르침이 바로 **돈교(頓敎)**이며, 또 이름하여 (생사의 바다를 건너기 위한)법의 큰 배이로다.

Kalpa-on post kalpa-o, la iluziitaj homoj povas aŭskultadi sutrojn,
Sed la eklumiĝo estas atingita nur en momento."

미혹해 들으면 누겁을 지내도 깨침이 없고
바로 들으면 깨침은 찰나에 있음이네.

§ 2-25
"Antaŭ la fino de sia parolado la Patriarko aldonis: 'Hodiaŭ, en tiu ĉi templo Dafan, mi predikas al vi pri la instruo de la 'Subita' Skolo. Se nur ĉiuj sentohavaj estaĵoj de la darmadatu-o tuj ekkomprenus la Leĝon kaj atingus la budhecon!"

대사께서 다시 이르시기를 "이제 대범사에서 이 돈교를 설하니, 바라건대 널리 법계 중생이 언하(말이 떨어진 이때)에 견성 성불할지어다."

Aŭdinte kion la Patriardo diris, la prefekto Wei kaj la aliaj registaraj oficistoj, kune kun la taŭistoj kaj la laikoj, estis ĉiuj eklumigitaj. Ili respekte donis al la Patriarko budhanan saluton kaj ĝoje kriis unuanime: "Bone farite! Bone farite! Kiu povus atendi, ke budho enkarniĝis ĉi tie en Guangdong!"

이때, 위 자사와 다른 모든 관료와 도인과 속인이 대사의 설법을 듣고 깨우치지 않은 이가 없었으니 모두 다 일시에 일어나서 예배하면서 찬탄하기를 "기쁘다! 어찌 이곳 영남(광동)에서 부처님이 출세하심을 짐작이나 하였으랴" 하였다.

ĈAPITRO 3. KLARIGO DE DUBOJ

의심품(공덕과 정토를 밝히다)

§ 3-01

Iun tagon, la prefekto Wei gastigis la Patriarkon kaj liajn sekvantojn per vegetara manĝo. Ĉe la fino de la bankedo la prefekto petis la Patriarkon preni la altan sidlokon kaj doni darman paroladon. Denove farinte ceremonian kotoadon (kotoi: surgenuiĝi kaj respektege riverenci kap-al-tere) al la majstro kune kun la aliaj ĉeestantaj registaraj oficistoj, kleruloj kaj ordinaruloj, la prefekto diris: "Mi aŭdis la predikon de Via Sankteco. Ĝi estis tiel profunda kaj mirinda, ke ĝi estis super nia mizera komprenpovo, kaj mi havas kelkajn dubojn, kiujn mi esperas, ke vi klarigos por ni."

다음날, 위 자사가 대사와 그 제자들을 위하여 큰 재회를 베풀었는데 자사가 재회를 마치자 대사께 청하여 법좌에 오르시게 하였다. 이에 관료와 선비와 대중이 일제히 위의를 가다듬고 엄숙히 재배드렸다. 그때 자사가 물었다. "제자가 화상의 설법을 듣자옵건대 참으로 불가사의하옵니다. 이제 작은 의심이 있으니 바라옵건대 대자비로 해설하여 주십시오."

"Se vi havas dubojn," respondis la Patriarko, "bonvolu demandi, kaj mi klarigos."

대사께서 말씀하셨다. “의심이 있으면 물으라. 내 설하여 주리라.”

“Tio, kion vi predikis, estis la fundamentaj principoj instruitaj de Bodidarmo (majahana budhano, kiu venis en Ĉinion en la 6-a jarcento por disvolvi ĉinan budhisman skolon, nome skolon de djan-o aŭ ĉina zeno), ĉu ne?”

위자사가 말하였다. “화상께서 설하시는 법은 달마대사(達磨大師: 중국 선종의 개조로 일컬음. 보리달마는 남인도 출신으로 520년 중국 광저우에 도착했다. 그해 10월 선행으로 이름 높았던 양나라 무제와 만나, 단지 선한 행위를 쌓는 것만으로는 구원에 이를 수 없다고 설파해 황제를 당혹시켰다. 보리달마는 부처로부터는 28번째의 조사로 여겨지고, 중국 선종에서는 초조(初祖)로 간주된다. 보리달마는 부처의 심적 가르침에 돌아가는 방법으로 선을 가르쳤기 때문에 그의 일파를 선종(禪宗)이라 함.)의 종지(근본 가르침)가 아닙니까?”

“Jes,” respondis la Patriarko.

대사 말씀이 “그렇다.” 하였다.

“Mi aŭdis, ke kiam Bodidarmo unuafoje intervidiĝis

kun la imperiestro Wu de la dinastio Liang por konverti tiun," diris la prefekto, "la imperiestro demandis, kiajn meritojn li jam akiris al si el la konstruigado de temploj, la honorado al la bonzoj kaj la donado de almozoj kaj vegetaraj regaloj al la samgo dum la vivo, kaj la Granda Majstro respondis, ke ĉio tio alportis al li neniajn meritojn. Mi ne povas kompreni, kial li donis tian respondon. Bonvole faru al ni klarigon."

공이 이르기를, "제자가 듣자 오니 달마대사께서 처음 양나라 무제(464년~549년, 중국 남북조 시대 양나라의 초대 황제)를 교화하실 때 무제가 묻기를 '짐이 일생동안 절을 짓고 스님을 공양하고 널리 보시를 하고 재를 베풀었는데 어떤 공덕이 있습니까?' 하니, 달마대사의 말씀이 '실로 공덕이 없느니라' 하셨다 하는데 제자는 그 이치를 알지 못합니다. 바라옵건대 화상께서는 말씀하여 주십시오" 하였다.

"Ĉio tio ja alportis neniajn meritojn," respondis la Patriarko. "Ne dubu pri la vortoj de la Saĝulo. La menso de la imperiestro Wu estis iluziita, kaj li ne konis la ortodoksan instruon. Tiaj agoj, kiaj estis la konstruigado de temploj, la honorado al la bonzoj kaj la donado de almozoj al la samgo, alportas al la farinto nur feliĉojn, kiuj ne devas esti prenataj por meritoj. Meritoj devas esti trovitaj interne de la darmakaja-o (sanskrite: Dharmakaya; la darmo-korpo de budho), kaj ili havas nenian rilaton al la atingitaj feliĉoj.

대사 말씀이 "실로 공덕이 없느니라. 옛 성인 말씀이 무제가 마음이 삿되어 정법을 알지 못한 채 절을 짓고 공양을 올리고 보시를 하며 재를 베푼 것은 복을 구함이라. 복이 공덕이 될 수는 없느니라. 공덕은 법신 중에 있는 것이지 복을 닦는데 있는 것은 아니니라."

§ 3-02

La Patriarko daŭrigis: "La konado de sia Vera Naturo estas 'Gong' (bonaj meritoj) kaj tenado de la egaleco kontraŭ ĉiuj vivaj estaĵoj estas 'De' (bona kvalito, virto). Kiam nia mensa aktiveco funkcias sen ĝenaĵoj, tiel ke ni povas konstante koni la veran staton kaj la misteran funkciadon de nia menso, tiam ni povas esti konsiderataj kiel jam akirintaj Gong De (veraj meritoj). Interne, teni la menson en humileco estas Gong, kaj ekstere, konduti laŭ la deco estas De. Lasi ĉiujn aferojn esti la manifestaĵoj de la Vera Naturo estas Gong, kaj liberigi sian menson disde ĉiaj pensoj estas De. Ne deflankiĝi de la Vera Naturo estas Gong, kaj ne malpurigi la menson dum la uzo de ĝi estas De. Se vi serĉos meritojn interne de la darmakaja-o kaj praktikos tion, kion mi ĵus diris, tiam vi akiros verajn meritojn. Tiu, kiu laboras por meritoj, ne malestimas la aliajn, kaj ĉiuokaze li traktas ilin kun respekto. Tiu, kiu kutimas rigardi de alte aliajn kaj ne rompis kun 'mi', 'mia' kaj 'min', ne povas havi meritojn. Pro sia egoismo kaj sia kutima malestimo al ĉiuj aliaj, li kompreneble ne konas sian Veran Naturon, kio montras, ke al li mankas De.

대사가 다시 말씀하시길, "본성을 깨달음이 공(功)이요, 모든 것을 평등하게 보고 바르게 행함이 곧 덕(德)이니라. 생각생각이 막힘이 없음이 항상 본성의 진실묘용을 봄이 공덕(功德)이라 함이로다. 안으로 마음을 겸양으로 낮추면 그것이 공(功)이요, 바깥으로 예를 행함이 곧 덕(德)이로다. 자성이 만법을 세움이 공이요 심체가 생각을 여읨이 덕이니라. 자성을 여의지 않음이 공이요, 그것의 사용에 마음을 더럽히지 않음이 덕이니라. 만약 공덕 법신을 찾으려면 다만 이에 의하여 지어야만 이것이 참 공덕이니라. 공덕을 닦는 사람은 마음을 가벼이 아니한 채 항상 널리 공경하느리라. 만약 마음으로 항상 남을 업수이 여기고 나를 내세우는 마음을 끊지 못하면, 이는 곧 스스로 공이 없게 됨이요, 자성이 허망하고 부실하면 이는 곧 스스로 덕이 없음이니라. 이것이 나를 내세우는 생각이 스스로 커져서 항상 일체를 가벼이 여기기 때문이니라.

“Miaj amikoj en la boneco, kiam nia mensa aktiveco laboras sen interrompo, tiam tio estas Gong; kaj kiam nia menso funkcias en rekta maniero (t.e. en maniero simpla, lojala), tiam tio estas De. Kulturi sian menson estas Gong, kaj kulturi nian konduton estas De.

선지식아, 생각 생각이 끊임없음이 공이요, 마음을 평등히 하고 곧게 씀이 덕이니라. 스스로 성품을 닦는 것이 공이요, 스스로 몸을 닦는 것이 덕이니라.

“Miaj amikoj en la boneco, la meritoj devas esti serĉataj interne de la Vera Naturo kaj ili ne povas esti akiritaj per donado de almozoj kaj vivtenado de bonzoj, ktp. Tial ni devas fari distingon inter la feliĉoj kaj la meritoj. Sin trovas ja nenio erara en kio estas dirita de nia Patriarko Bodidarmo. Estas la imperiestro Wu mem, kiu ne konas la veron.”

선지식아, 공덕이란 모름지기 자성 안에서 볼 것이니 보시나 공양 올림에서 구할 바가 아니로다. 이같이 복과 공덕이 다른 것인데, 무제가 진리를 알지 못하였을 뿐이지, 우리 조사의 허물이 아니니라.”

§ 3-03

La prefekto ree demandis: “Mi rimarkas, ke bonzoj kaj laikoj kutime recitas la nomon de Amitabo kun la espero naskiĝi en la Pura Lando de Okcidento. Por forigi miajn dubojn, bonvolu diri al mi, ĉu estas eble por ili naskiĝi tie aŭ ne."

자사가 또 물었다. "제자가 보옵건대, 승속간에 항상 아미타불(阿彌陀佛: 서방정토의 부처님의 이름)을 생각하여 서방극락에 태어나기를 원하고 있사온데 저곳에 가서 태어날 수 있는지 알고자 하오니 말씀하여 주시어 저희들의 의심을 풀어주십시오."

"Atente aŭskultu min, sinjoro," respondis la Patriarko, "kaj mi klarigos. Laŭ la sutro dirita de nia Sinjoro Budho en la urbo Shravasti por kondukado de homoj al la Pura Lando, estas tre klare, ke la Pura Lando ne estas malproksima de tie, kie ni estas. La distanco estas fizike cent ok mil lioj, kiu efektive simbolas "dek malbonojn" kaj ok "erarojn" interne de ĉiu el ni. Por homoj de malsupereca menso certe ĝi estas malproksima, dum por homoj de supereca menso ĝi estas tre proksima.

대사께서 말씀하셨다. "위 자사는, 내 말을 잘 듣거라. 내가 말하리라. 세존께서 사위성(고대 인도의 코살라국 사위성) 중에 계실 때에 서방국토로 인도하여 교화하심을 말씀하셨는데 경문에는 분명히 '여기서 멀지 않다' 고 하셨고, 또한 상(相)으로 논하여 말한다면 '거리가

10만 8천리라' 하셨으니 즉 이 몸 가운데의 10악 8사(10악(惡): 몸과 입과 생각으로 만들어 내는 10가지 죄악, 즉, 살생, 도둑질, 남녀의 음탕한 행동, 거짓말, 꾸며낸 말, 삿된 말, 이간질하는 말, 지나친 욕심, 화냄, 어리석음을 말하고, 8사(邪): 8정도(正道:깨달음을 얻기 위해 실천 수행해야 할 8가지 바른 자세, 즉, 정견(正見:바르게 보기), 정사유(正思惟: 바르게 생각하기), 정어(正語: 바르게 말하기), 정업(正業: 바르게 행동하기), 정명(正命: 바르게 생업을 유지하기), 정정진(正精進: 바르게 정진하기), 정념(正念: 바르게 마음이 깨어 있기), 정정(正定:바르게 삼매에 들기)에 어긋나는 사악한 행동 8가지)를 말함이니라. 이것을 멀다고 말씀하신 것이다. 멀다고 하심은 하근(下根: 어리석은 자)을 위함이요, 아주 가깝다고 하심은 상근(上根: 불도를 잘 닦는 사람) 대지를 갖춘 이(깨달은 자)를 위함이니라.

"Kvankam la Darmo estas la sama, tamen la homoj estas diferencaj inter si per sia menso. Ĉar ili diferencas unu de la alia en sia grado de lumigiteco aŭ malklero, iuj ekkomprenas la Darmon pli rapide ol la aliaj. Dum la iluziitaj homoj recitas la nomon de Amitabo kaj preĝe petas pri sia naskiĝo en la Pura Lando de Okcidento, la lumiĝintaj nur penas purigi sian menson. Jen kial la Budho diris: 'kiam la menso estas pura, ankaŭ la Budha Lando estas pura.'

사람에게는 두 가지 종류가 있어도 법에는 두 가지가 없느니라. 미혹함과 깨달음의 다름이 있기에 견해의 늦고 빠름이 있음이니, 미혹한 사람은 염불을 통해 저 땅에서 나기를 구하거니와, 깨달은 사람은 스스로 그 마음을 깨끗이 하느니라. 이 까닭에 부처님께서 말씀하시기를 '그 마음의 청정함을 따라 곧 불(佛)의 땅이 청정하다' 하셨느니라.

§ 3-04

"Kvankam vi estas indiĝeno de la Oriento, se via menso estas pura, vi estas sen pekoj. Aliflanke, eĉ se vi naskiĝus en la Okcidento, la malpura menso ne povus liberigi vin de pekoj. Kiam la Orientanoj faras pekojn, tiam ili recitas la nomon de Amitabo kaj preĝe petas pri sia naskiĝo en la Okcidento; sed kiam la Okcidentanoj pekas, tiam kie do ili preĝus, ke ili naskiĝu?

"위 자사 사군아, 동방사람이라도 다만 마음이 청정하면 죄가 없음이요, 서방 사람이라도 마음이 청정하지 못하면 이 또한 허물이 되는 것이니라. 만약 동방 사람이 죄를 짓고서 염불하여 서방국토에서 나고자 한다면, 또 서방사람이 죄를 짓고서 어느 나라에 나고자 염불을 할 것인가?"

"La ordinaruloj kaj malkleruloj konas nek la Veran

Naturon, nek la Puran Landon interne de si mem, tial ili deziras naskiĝi en la Oriento aŭ en la Okcidento. Sed la lumiĝintaj vidas ĉiun lokon kiel la saman. Jen kial la Budho diris: 'Kie ajn oni estas, oni ĉiam estas feliĉa kaj trankvila.'

어리석은 범부는 자성을 밝히지 못해 자기 몸 한가운데 정토가 있음을 알지 못하고, 혹은 동방을 혹은 서방을 원하나, 깨달은 사람은 있는 곳마다 다 한가지로다. 이 까닭에 부처님께서 말씀하시길 '머무는 곳마다 항상 안락하다' 하셨느니라.

"Sinjoro, se via menso estas libera de malbono, la Okcidento ne estas malproksima de ĉi tie; sed estus tute vane por homo kun koro malpura preĝi por naskiĝi tie per recitado de la nomo de Amitabo.

사군아, 다만, 마음 바탕에 착한 마음이 가득하면 서방정토가 여기서 멀지 않음이요, 착하지 않은 마음을 품고 있다면 설사 염불을 한들 서방극락에 가서 나기가 어려우니라.

"Nun, mi do konsilas al vi, sinjoro, unue forigi la 'dek malbonojn' — tiam vi jam vojaĝos cent mil liojn; poste forigi la 'ok erarojn', kaj tio signifos la daŭrigon de la restantaj ok mil lioj. Se ni povas ĉiutempe vidi la Veran Naturon kaj ĉiuokaze konduti en rekta maniero (t.e. en maniero simpla, lojala), en palpebruma daŭro ni povos atingi la Puran Landon kaj tie vidi la Amitabon.

내 이제 선지식에게 권하노니, 먼저 10악을 제거하라. 그러면 곧 10만리를 감이요, 다음에 8사심을 제거하면 곧 8천리를 지남이니라. 생각 생각으로 견성을 하고서 항상 평등하고 곧게 행동하면 눈 깜짝할 사이에 서방정토에 이르고 즉시 아미타불을 뵙게 될 것이다.

§ 3-05

"Se vi nur metas en praktikon la dek bonajn agojn, tiam ne estos necese por vi naskiĝi tie. Aliflanke, se vi ne forigas la "dek malbonojn" en via menso, tiam kiu budho kondukos vin tien? Se vi ekkomprenas la Sennaskiĝan Doktrinon (kiu metas finon al la ciklo de naskiĝo kaj morto) de la 'Subita' Skolo, tiam necesos al vi nur unu momento por vidi la Okcidenton. Se vi ne komprenas ĝin, tiam la distanco estos longega, kiel do vi povos atingi tien per recitado de la nomo de Amitabo?

위자사 사군아, 다만 10선(善: 몸・ 말・ 뜻(마음)으로 짓는 다음의 10가지 종류의 선업(善業)들, 즉 청정한 행위들)을 행한다면 어찌 반드시 서방에 왕생하기를 원할 것이며, 만약 10악심을 끊지 않는다면 비록 염불한들 어느 부처님이 오셔서 맞아 주실 것인가! 만약 무생(無生)인 돈법(頓法)을 깨치면 서방을 찰나에 볼 것이고, 만일 이를 깨치지 못하고서 염불만 하면서 가서 나기를 원한다면 길이 멀어 어찌 도달할 수 있겠는가."

"Nu, sinjoroj, se mi movus la Puran Landon antaŭ viajn okulojn en tiu ĉi momento, ĉu vi volus ĝin vidi?"

내가 이제 그대들을 위하여 서방국토를 찰나 사이에 옮겨 그대들의 눈앞에 보게 하리니 다들 보기를 원하는가?"

La ĉeestantaro kotois kaj respondis: "Se ni povus vidi la Puran Landon ĉi tie, estus tute nenecese por ni deziri naskiĝi tie. Via Sankteco do afable volu, ke ni, dank' al via transporto, povu vidi ĝin ĉi tie."

이때 대중이 모두 이마를 조아려 예를 드리고는 말하기를 "만일 이곳에서 볼 수 있을진대 어찌 일부러 서방국토를 찾겠습니까? 화상이시여, 바라옵건대 자비를 베푸시어 곧 서방국토가 나타나 저희로 하여금 모두가 볼 수 있도록 하여 주십시오." 한다.

§ 3-06

La Patriarko diris: "Tiu ĉi nia fizika korpo estas kiel urbo. Niaj okuloj, oreloj, nazo kaj lango estas la pordoj. Sin trovas kvin eksteraj pordoj kaj unu interna pordo, pordo de ideoj. La menso estas tero; la Vera Naturo estas la Reĝo, kiu vivas en la regno de la menso. Kiam la Vera Naturo estas ene, la Reĝo estas ene, kaj nia korpo kaj menso ekzistas. Kiam la Vera Naturo estas for, sin trovas neniu Reĝo, kaj niaj korpo kaj menso kadukiĝas. La budheco devas esti alstrebata interne de nia Vera Naturo, kaj ne esti serĉata ekstere de la korpo.

대사께서 말씀하셨다. "대중들아, 세간 사람의 색신(色身: 형체가 있는 몸)이 도시의 성곽이요, 눈과 코, 입, 혀가 문이로다. 밖으로는 5개의 문이 있고, 안으로는 뜻의 문이 있으니, 그 마음이 국토요, 그 성품이 왕이로다. 왕이 마음 국토 위에 군림하니, 성품이 있으면 왕이 있음이요, 성품이 가고나면 왕이 없음이라. 성품이 있으면 몸과 마음이 있고, 성품이 가고 없으면 몸과 마음이 허물어지느니라. 그러므로 부처를 이루고자 할 때는 자기 성품을 향하여 지을 것이요, 몸 밖을 향하여 구하지 말라.

"Tiuj, kiuj ne konas sian Veran Naturon, estas ordinaraj homoj; tiuj, kiuj estas eklumiĝintaj en sia Vera Naturo, estas budhoj. La granda kompatemo estas Avalokiteŝvaro (unu el la du ĉefaj bodisatvoj de la Pura Lando). La ĝojo en almozdono estas Mahasthama (la alia bodisatvo). La kapablo ĉiam teni sian vivon pura estas Ŝakjamunio (unu el la titoloj de Gotamo la Budho, la fondinto de la budhismo). La egaleco kaj lojaleco estas Amitabo. La ideo pri la permanenta memo aŭ tiu pri la efektiva estaĵo estas la monto Sumeru. La diboĉa menso estas la oceano (de suferado). La kleŝo estas la ondego. La malvirto estas la malbona drako. La iluzio kaj la falseco estas fantomoj kaj dioj. La tedaj sensobjektoj estas fiŝoj kaj aliaj akvaj animaloj. La avido kaj la malamo estas la inferoj. La malklero kaj stulteco estas brutoj.

자성이 미혹함이 중생이요, 자성의 깨우침이 곧 불이니라. 자비가 관음(觀音)보살이요, 희사의 즐거움이 세지(勢至)보살(삼불(三佛)의 하나. 아미타불의 오른쪽에 있는 보처존(補處尊). 지혜의 광명으로 중생의 삼악도(三惡道)를 건지는 보살이라고 함.)이로다. 능히 청정함을 일컬어 석가로다. 평등하고 곧음이 곧 아미타불이로다. 자아의 교만함은 고통의 수미산이라. 삿된 마음은 바다와 같이 넓으며, 번뇌는 성난 파도이로다. 독과 해는 나쁜 용과 다르지 않고, 허망은 귀신과 다르지 않으니라. 속세의 고통은 물고기와 자라와 같다. 탐과 진을 벗어나지 못함은 지옥이요, 어리석은 마음은 짐승과 다를바 없느니라."

§ 3-07

"Miaj amikoj en la boneco, se vi konstante plenumas la dek bonajn agojn, la paradizo tuj aperos al vi. Kiam vi senigos vin je la ideo pri la memo de vi kaj de iu ajn alia estaĵo, la monto Sumeru disfalos. Kiam via menso ne plu estas okupita de malbonaj pensoj, la oceano (de suferado) sekiĝos. Kiam vi estas liberaj de kleŝo, la ondoj (de la oceano) kvietiĝos. Kiam vi ne estas malvirta, la fiŝoj kaj malbonaj drakoj tute mortos.

선지식아, 항상 10가지 선을 행하면 곧 천당에 다다르고, 자아의 교만함을 없애면 수미산이 쓰러지고, 삿된 마음을 없애면 고통의 바닷물이 마르고, 번뇌가 없어지면, 그 바다의 파도도 없어지고, 독과 해에서 자유로와지면 온갖 물고기와 용이 없어질 것이로다.

"Interne de la regno de nia menso, sin trovas Tatagata-o (sanskrite: Tathagata; titolo donita al ĉiuj budhoj, inkluzive de Gotamo la Budho; unu el la plej altaj titoloj de budho) de nia eklumiĝinta menso, kiu elsendas potencan lumon, kiu prilumas ekstere la ses pordojn de senso (okuloj, oreloj, nazo, lango, korpo kaj menso) kaj faras ilin puraj. Tiu ĉi lumo estas sufiĉe forta por klarigi la ses ĉielojn de deziro (la ses klasojn de dioj en la regno de deziroj) kaj, kiam ĝi estas turnita internen al la Vera Naturo, ĝi tuj eliminas la tri venenajn elementojn (t.e. kolero, avido, malklero) kaj elpurigas nin je la pekoj, kiuj povus konduki nin al la inferoj aŭ al aliaj malbonaj regnoj, kaj plene prilumas nin interne kaj ekstere, tiel ke ni fariĝas neniel diferencaj de tiuj naskiĝintaj en la Pura Lando de la Okcidento. Nu, se ni ne tion ĉi praktikas, kiel do ni povas atingi tien?"

이에 자심의 왕국에 각성 여래가 대광명을 놓아 밖으로는 6개의 문(눈, 귀, 코, 혀, 몸, 생각)을 비추니 그 모습이 청정하여 능히 욕계(欲界: 욕계는 맨 아래 지옥에서부터 아귀, 축생, 아수라, 인간의 다섯 세계가 있고, 그 위의 천상계 6단계가 놓인다. 천상계에는 모두 28단계가 있는데, 그 가운데 가장 낮은 6단계가 욕계에 속함)에 속한 6개 하늘(욕계 중 가장 낮은 여섯 하늘)을 파하고 그 자성이 안으로 비치면 삼독(三毒: 깨달음을 이루는 데 독이 되는 세가지 나쁜 마음, 즉, 탐심(貪心:욕심), 진심(瞋心: 자신의 감정을 추스르지 못하고 자주 화를 내고 짜증을 내는 마음), 치심(痴心: 청정한 자성을 보지 못한 채 어리석은 마음))이 곧 없으지니. 지옥 등의 죄가 일시에 소멸하니, 안과 밖이 명철하여 서방 국토와 다르지 않느니라. 만약 이 수행을 닦지 않는다면 어떻게 저 국토에 이를 수 있으라!"

§ 3-08

Aŭdinte kion la Patriarko diris, la ĉeestantaro tre klare ekvidis sian Veran Naturon. Ili ĉiuj kune donis al li budhanan saluton kaj admire ekkriis: "Kiel mirinde!" Ili ankaŭ diris kun forta deziro: "Se nur ĉiuj sentohavaj estaĵoj en la regno de la Darmo povus aŭdi tion ĉi kaj tuj eklumiĝus!"

대중이 대사의 말씀을 듣고 모두가 자기 성품을 확연히 보고 예배하고 찬탄하기를 "참으로 거룩하여라. 멀리 법계의 모든 법계의 모든 중생이 이 법을 듣는다면, 그들 모두가 일시에 깨칠 것이라" 하였다.

La Patriarko aldonis: "Miaj amikoj en la boneco, tiuj, kiuj deziras sekvi la instruojn de la Budho, povas fari sian praktikadon ankaŭ hejme. Estas tute ne necese por ili resti en temploj. Tiuj, kiuj faras la praktikadon hejme, povas esti kiel indiĝeno de la Oriento, kiu estas bonkora, dum tiuj, kiuj restas en temploj sed neglektas sian praktikadon, estas neniel diferencaj de indiĝeno de la Okcidento, kiu estas malbona en la koro. Kie la menso estas pura kaj klara, tie sin trovas la 'Okcidenta Pura lando de nia propra Vera Naturo'."

대사께서 말씀하셨다. "선지식아, 만약 수도하고자 할진대 재가라도 무방하니라. 도를 닦음이 절로 말미암음이 아님을 알고서 재가의 사람이라도 잘 수행하면 저 동방인의 착한 마음과 같고, 절에 있으면서도 닦지 않으면, 저 서방인의 삿된 마음과 같으니 다만 마음이 청정하면 자성이 곧 서방극락이니라."

§ 3-09

La prefekto demandis: "Kiel do ni sekvas la instruojn de la Budho hejme? Bonvolu nin instrui." La Patriarko respondis: "Mi donos al vi 'Senforman' Ĉanton. Se vi metos ĝian instruon en praktikon, vi profitos la samon kiel tiuj, kiuj konstante vivas kun mi. Aliflanke, se vi ne praktikos ĝin, kia utilo do estos via sekvado de la Vojo, eĉ se vi fortondos al vi la hararon kaj forlasos vian hejmon (por fariĝi pia bonzo)?

위 자사가 또 물었다. "재가인은 어떻게 수행하오리까? 바라옵건대 가르쳐 주십시오." 대사께서 말씀하셨다. "내가 대중을 위하여 무상송을 지으리니 다만 이에 의지하여 닦으면 항상 나와 더불어 함께 있는 것과 다르지 않음이요, 만일 이에 의지하여 닦지 않는다면 비록 머리를 깎고 출가한들 무슨 보탬이 되랴" 하시고는 게송을 이르셨다.

La ĉanto tekstas jene:

게송에 이르기를

Por animo ekvilibrigita kaj kvieta, la observo de ŝila-o (disciplinaj reguloj) estas nenecesa.

마음이 평등하니 어찌 힘써 계를 가지며

Por konduto en lojala maniero, praktikado de djan-o (sanskrite: Dhyana; kontemplado; meditado) estas senutila.

행실이 정직하니 선을 닦아 무엇하랴.

Sekvante la principon de dankoŝulda pago ni vivtenas niajn gepatrojn kaj ilin file servas.

은혜를 알아 부모님께 효성 공양을 잊지 않고

Sekvante la principon de justeco la superuloj kaj la subuloj subtenas unu la alian en okazo de bezono.

의리를 지켜 위아래가 서로 돕고 사랑하며

Sekvante la principon de humileco kaj respekto la pliaĝuloj kaj la plijunuloj estas en harmoniaj rilatoj.

예양(禮讓: 예의를 지켜 사양함)을 알아
높고 낮음이 서로서로 화목하고

Sekvante la principon de tolero kaj cedemo ni ne kverelas, eĉ meze de malamika homamaso.

인욕(忍辱: 어떤 곤욕을 당하여도 마음을 움직이지 않고 참고 견디는 수행)한즉, 나쁜 일들이 걸릴 것이 하나도 없네.

Se ni povas persisti ĝis fajro estas produktita per senĉesa borado de ligno,

만약 능히 나무를 비벼서 불을 내듯 그렇게 한다면

Tiam la ruĝa lotuso (simbolo de la budho-naturo) elkreskas el la nigra koto (simbolo de la malklero, la ne-lumiĝinta stato de la mondo).

진흙 속에 붉은 연꽃은 어김없이 피어나리.

Tio, kio havas amaran guston, plej ofte estas bona medikamento,

입에 쓴 약은 몸에는 반드시 양약이요

Kaj tio, kio sonas malagrable al la orelo, certe estas sincera konsilo.

거슬리는 말은 필시 마음에 충언이라.

§ 3-10

Korektinte niajn erarojn, ni fariĝas pli saĝaj,

허물을 고치면 필시 지혜가 살아나고

Ŝirmante niajn mankojn kaj kulpojn, ni difektas nian menson.

허물을 두둔하면 마음 안은 어질지가 않구나.

En nia ĉiutaga vivo ni devas ĉiam praktiki altruismon,

일용생활 어느 때나 착한 행을 앞세우라.

Kvankam la budheco ne estas atingita per almozdonado de mono.

도를 이룸이 재물 보시에 있지 않다.

La bodio povas esti trovita nur en nia menso,

보리의 도는 한결같이 마음 안에서만 찾을 것이로다.

Kaj ne estas necese serĉi ion mistikan de ekstere.

어찌 힘써 밖을 향해 미신(玄)을 구하려고 헤맬 것인가.

Tiuj, kiuj aŭdis tiun ĉi ĉanton kaj metas ĝin en efektivan praktikon,

이 말을 듣고 이를 따라 수행을 닦아 보면

Trovos paradizon antaŭ si ĝuste en la momento.”

천당 극락이 바로 눈앞에 드러나리다.

§ 3-11

La Patriarko aldonis: “Miaj amikoj en la boneco, ĉiu el vi devas meti la instruon de tiu ĉi ĉanto en praktikon, por ke vi povu ekkoni la Veran Naturon kaj atingi rekte la budhecon. La Darmo atendas neniun. Nun vi povas foriri, kaj mi revenos al Caoxi. Se vi havos demandojn, vi povos iri tien kaj meti ilin al mi.”

대사께서 다시 말씀하시길, “선지식아, 다들 이 게송에 의지하여 수행하고 자성을 본다면 곧 불도를 이루리라. 법은 서로 기다림이란 없느니라. 대중은 이만 헤어져라. 나는 조계로 돌아가리라. 만약 의심되는 것이 있다면, 와서 묻도록 하라.”

Tiumomente la prefekto, la aliaj registaraj oficistoj, kaj

la gepiuloj, kiuj ĉeestis, ĉiuj eklumiĝis. Kun plena kredo ili akceptis la instruon kaj decidis meti ĝin en praktikon.

그때, 자사와 관료와 그 밖의 회중에 있던 선남선녀가 각각 깨달음을 얻고 그 가르침을 가지고 실천을 행하였다.

ĈAPITRO 4. SAMADI-O KAJ PRAĜNA-O

정혜품(정과 혜는 일체로다)

§ 4-01

La Patriarko en alia okazo predikis al la aŭskultantaro la jenon:

대사께서 대중에게 이르셨다.

"Miaj amikoj en la boneco, mia metodo de praktiko estas fondita sur samadi-o kaj praĝna-o. Sed vi ne miskomprenu, ke tiuj ĉi du estas sendependaj unu de la alia, ĉar ili estas nedisigebla tuto kaj ne du entoj. Samadi-o estas la substanco de praĝna-o, dum praĝna-o estas la funkcio de samadi-o. Kiam ajn ni atingis praĝna-on, samadi-o sin trovas kun ĝi; kaj inverse. Se vi komprenas tiun ĉi principon, vi komprenas la instruon pri ilia unueco.

"선지식아, 나의 이 법문은 정혜(定慧)로써 근본을 삼느니라. 대중은 미혹하여 정(定)과 혜(慧)가 다르다고 말하지 말라. 정혜는 일체요 둘이 아니나, 정(禪定: 속정(俗情)을 끊고 마음을 가라앉혀 삼매경의 상태에 이름)은 지혜의 몸체이요, 혜(지혜)는 선정의 작용이니라. 우리가 지혜에 다다를 때마다 선정은 지혜와 함께 있고, 우리가 선정에 다다를 때마다 지혜는 선정과 함께 있으니, 만약 이 도리를 알면 선정지혜를 함께 배우게 되리라.

“La sekvantoj de la budhisma Vojo ne pensu, ke sin trovas distingo inter ‘samadi-o donas naskon al praĝna-o’ kaj ‘praĝna-o donas naskon al samadi-o’. Teni tiun ĉi opinion implicas, ke la Darmo havas du formojn. Se belaj vortoj venas de tiuj, kies koro estas malpura, tiam samadi-o kaj praĝna-o estas nur vanaj kaj sekve senutilaj, ĉar inter ili mankas ekvilibro. Aliflanke, kiam ni estas bonaj kiel la menso, tiel ankaŭ en niaj vortoj, kaj kiam nia ekstera aspekto kaj niaj internaj sentoj estas harmoniaj inter si, tiam samadi-o kaj praĝna-o estas egalaj unu al la alia. Laŭnome ili estas du aferoj, sed substance ili estas unu kaj la sama.

대개 도를 배우는 이들이 정을 먼저 하고 나중에 혜를 일으킨다거나, 혜를 먼저 하고 다음에 정을 일으킨다거나 하여 정과 혜가 각각 다르다고 말하지 말라. 이 같은 견해를 가진 자는 법에는 두 가지 상(相)이 있다고 하느니라. 이는 입으로는 선하나, 마음속은 선하지 않으니 공연히 정혜가 있다고 하고 정혜가 가지 않은 것이요, 만약 말과 마음이 함께 선하여 내외가 한가지이고 정혜 또한 한가지라.

§ 4-02

“Argumentado ne estas necesa por la mem-eklumiĝinta disĉiplo. La argumento, ĉu samadi-o aŭ praĝna-o estiĝas la unua, egaligus homon al tiuj, kiuj estas sub iluzio. Tia argumendado kuntrenus la deziron venki kaj sekve fortigus la egoismon kaj alligus nin al la ideo pri la Kvar Formoj (memo, ekzisto, vivaj estaĵoj, persono).

스스로 깨닫고 수행함이란 입으로 다툼에 있지 않느니라. 만약 선후를 다툰다면 이는 곧 미혹한 사람과 같은 의미니라. 승부를 끊지 못한 채 오히려 ‘나’라는 것에 대한 고집만 더해가니, 4가지 상(相: 아상(我相): 나의 모습에 집착함; 인상(人相): ‘사람’으로서 분별심으로 내어 상대에게 집착함; 중생상(衆生相): 중생의 어리석음을 깨닫지 못하고 스스로를 참된 실체라고 착각해 사물과 사람에 두루 집착함; 수자상(壽者相):오래 살겠다는 마음으로 목숨에 집착함, 수명상이라고도 함)을 여의지 못하리라.

“Miaj amikoj en la boneco, al kio do samadi-o kaj praĝna-o povas esti similaj? Nu, ili estas pli aŭ malpli similaj al la lampo kaj ĝia lumo. Se vi uzas lampon, tiam estiĝas lumo; sed sen lampo, tiam estus mallume. La lampo estas la enkorpiĝo de la lumo, kaj la lumo estas la funkcio de la lampo. Laŭnome ili estas du aferoj, sed substance ili estas unu kaj la sama. La okazo estas la sama kun samadi-o kaj praĝna-o.”

선지식아, 정혜란 무엇과 같은가? 마치 등불과 그 불빛에 비유할 수 있으리라. 등불이 있으면 빛이 있고, 등불이 없으면 곧 빛이 없어 어두우니, 등불은 빛의 몸체요, 빛은 등불의 작용이라. 등불과 빛은 비록 이름은 다르지만 원래 둘이 아니니, 정혜의 법 또한 이와 같으니라.

§ 4-03

En ankoraŭ alia okazo la Patriarko predikis al disĉiploj la jenon:

조사께서 말씀하셨다.

“Miaj amikoj en la boneco, la praktikado de la ‘Samadi-o de Unu-Ago’ signifas, ke nia menso devas esti en rekta maniero egale je ĉiu okazo, ĉu ni paŝas, staras, sidas aŭ kuŝas. La sutro Vimalakirti Nirdesa diras: la ‘rekteco’ estas la sankta loko (t.e. la loko, kie la Budho atingis sian iluminiĝon), la Pura Lando. Ne lasu vian menson esti ‘malrekta’ dum vi praktikas la ‘rektecon’ nur per viaj lipoj. Ne lasu vian buŝon diri la ‘Samadi-on de Unu-Ago’ dum vi ne praktikas ‘rektecon’ en la menso. Vi devas praktiki ‘rektecon’ kaj ne devas alkroĉiĝi al io ajn.

La iluziitaj homoj inklinas alkroĉiĝi al darmalakŝana-o (sanskrite: Dharmalakshana; la formoj de darmo; objektoj kaj fenomenoj) kaj sekve ili obstinas en sia propra maniero de interpreto de la 'Samadi-o de Unu-Ago', kiun ili difinas kiel 'sidadi daŭre kaj senmove, sen lasi iun ajn ideon aperi en la menso'. Se vi havas tian komprenon, vi egaligas vin al senanima objekto. Tio obstrukcos la vojon de via praktikado de la budhisma doktrino.

'일행삼매(一行三昧)' 란 어느 곳에서나 걷거나 서거나 앉거나 눕게 되는 경우에도 항상 흐트러지지 않고 곧은 마음으로 행동하는 것이니라. 『정명경』에 이르기를 '곧은 마음이 곧 도량(도를 배우는 바탕)이며, 곧은 마음이 곧 정토(맑고 깨끗한 나라)이니라' 라고 하였느니라. '일행삼매' 에 있어 마음으로는 왜곡하고서 입으로 다만 곧음을 말하지 말라. 입으로는 일행삼매를 말하고서 마음을 바르게 행하지 않은 일은 없어야 하느니라. 곧은 마음을 행하되, 일체 법에 집착하지 말지어다. 미혹한 사람은 법의 상(모양)에 얽매이고 되고 '일행삼매' 에 집착하면서 말하기를 '움직임 없이 늘 앉아 있어서는 마음으로는 온갖 생각을 버리지 않음' 을 '일행삼매' 를 제 마음대로 해석하려고 하니, 이런 견해를 가진 자는 곧 무정(無情)물(감정없는 존재)과 같으니라. 이는 도리어 도를 장애하는 인연이 되느니라."

"Miaj amikoj en la boneco, tiu vojo devas esti kiel libere fluanta akvo — kial do ĝin stagnigi kaj haltigi? Se via menso estas libera de alkroĉiĝo al la formo de darmo, la vojo fariĝas malobstrukcita; alie vi vin katenas. Se vi sidadas senmove, vi estas kiel Sariputra (unu el la dek famaj disĉiploj de la Sinjoro Budho), kiu estis severe riproĉita de Vimalakirti (samtempulo de Ŝakjamunio, fama laika budhano, kiu profunde konis la mahajanan doktrinon) pro sia kvieta sidado en la arbaro.

선지식아, 도란 모름지기 흘러 통해야 하거늘 어찌하여 도리어 정체하랴? 마음이 법에 머물지 아니하면 도가 곧 통하여 흐르고, 마음이 만약 법에 머물면 이를 일컬어 스스로 얽매인다라고 하느니라. 만약 늘 앉아 있어 마음이 움직이지 아니함을 옳다고 말한다면, 숲속에서 사리불(석가모니의 10대 제자 중 한사람)이 좌선하다가 유마힐(유마거사)로부터 꾸지람을 당하는 것과 같으니라.

§ 4-04

"Miaj amikoj en la boneco, iuj instruantoj de meditado instruas siajn disĉiplojn observadi kviete sian menson kaj forpeli ĉiajn pensojn, asertante, ke tio estas la metodo akiri meritojn, kaj pro tio la disĉiploj rezignas ĉiun alian praktikon. La iluziitaj personoj inklinas freneze alkroĉiĝi al tia instruo. Tiaj okazoj ne estas maloftaj. Tio montras, ke estas granda eraro instrui tion ĉi al homoj.

선지식아! 또 어떤 사람이 좌선을 가르치면서 마음을 보고 고요함을 관찰하라며 움직이지도 말고 일어나지도 말라며, 이것으로 공부삼는다고 한다면, 미혹한 사람은 사물의 이치를 분간하지 못하고 거꾸로 잘못 이해되는 경우가 허다 하느니라. 이렇게 도를 가르치면 그것은 크게 그릇된 것임을 알아야 하느니라.

Pli poste la Patriarko ree alparolis siajn disĉiplojn:

조사께서 대중에게 이르셨다.

"Miaj amikoj en la boneco, en la ortodoksa budhismo la diferenco inter la 'Subita' Skolo kaj la 'Laŭgrada' Skolo efektive ne ekzistas; la nura diferenco rekonata estas, ke per naturo iuj estas rapidaj, dum aliaj malrapidaj en komprenado. Tiuj, kiuj estas rapidaj kaj klerigitaj, povas vekiĝi al la vero en subiteco, dum tiuj, kiuj estas malrapidaj kaj iluziitaj, devas trejni sin iom post iom. Sed tia diferenco malaperos tiam, kiam ni konas nian propran menson kaj vidas nian originan naturon. Tial tiuj terminoj 'Subita' kaj 'Laŭgrada' estas nur por oportuna uzo.

선지식아, 본래 정교에는 본래 돈(頓: 단박에 깨닫는 법)과 점(漸: 점차로 깨닫는 법)이라는 차별이 없건만, 사람의 성품에 따라 영리함과 우둔함이 있어, 미혹한 이는 점차 계합하고, 깨친 이는 단박에 닦아 스스로 본심을 알게 된다. 그러나 본성을 봄에는 차별이 없으니 여기서 돈과 점이라는 거짓 이름이 있게 되느니라.

§ 4-05

"Miaj amikoj en la boneco, estas la tradicio de nia skolo preni la 'Senpensecon' kiel nian celon, 'Senformecon' kiel nian bazon kaj 'Ne-alkroĉiĝon' kiel nian fundamentan principon. La 'Senformeco' signifas ne alkroĉiĝi al objektoj tiam, kiam ni estas en kontakto kun ili. La 'Senpenseco' signifas ne alkroĉiĝi al iu ajn penso, kiu aperas en la menso. La 'Ne-alkroĉiĝo' estas la karakterizaĵo de nia Vera Naturo.

선지식아, 나의 이 법문은 위로부터 내려오면서 먼저 '무념(無念)' 을 세워 종(중심)을 삼고, '무상(無相)' 을 본체로 삼으며 '무주(無住)' 를 본(근본)으로 삼느니라. 무상이라 함은 상을 보되 그 상에 사로잡히지 않음이요, '무념' '이란 생각에서 생각이 없음(생각이 없음이 아니라 매 순간 생각하되 한 생각에도 얽매이지 않음)이요, '무주' 란 사람의 본성(어디에도 머무름이 없는 것으로 어떤 것에도 집착해 머무르지 않음)이니라.

“Ĉiuj aferoj en la mondo, bonaj aŭ malbonaj, belaj aŭ malbelaj, amikeco aŭ malamikeco —eĉ ofendoj de akraj vortoj, trompo, molesto— devas esti traktataj kaj forigitaj kiel malplenaj kaj vantaj, kaj ni ne devas, eĉ en okazoj kiel la lastaj, pensi pri redono de malbono pro malbono. De momento al momento, ne alkroĉiĝu al la pasinteco. Se ni permesas al niaj pensoj interligiĝi kun la pasinteco, la nuno kaj la estonteco en seninterrompan serion, ni metas nin en katenon. Se, aliflanke, ni liberigas nin de la alkroĉiĝo al ĉiuj aspektoj de objektoj kaj aferoj, ni akiros liberiĝon. El tiu ĉi kialo ni prenas ‘Ne-alkroĉiĝon’ kiel nian fundamentan principon.

세간의 선이나 악이나 밉거나 곱거나 원수이든 친하든가, 모질고 거친 말을 하거나 속이고 다툼을 당하거나 할 때 그 모두를 공으로 돌려 버리고 상대하여 해칠 생각을 하지 않고, 생각과 생각 중에 앞 경계를 생각하지 않음이니라. 만약 먼저 생각, 지금의 생각, 뒤의 생각이 생각마다 상속되어 끊임이 없으면 이것을 얽매임이라 함이요, 만약 모든 경계를 대함에서 생각 생각에 머물지 않으면 곧 얽매임이 없음이니라.

§ 4-06

“Miaj amikoj en la boneco, liberigi nin de la alkroĉiĝo al la eksteraj objektoj estas nomata ‘Senformeco’.

Kiam ni povas tion fari, la naturo de la darmo estos pura. El tiu ĉi kialo ni prenas 'Senformecon' kiel nian bazon.

선지식아, 밖으로 일체의 상을 여윔을 무상이라 하니 능히 상을 여의면 곧 법체가 청정하니라. 이 까닭에 무상으로 본체를 삼느니라.

"Teni nian menson libera de malpuriĝo sub ĉiaj cirkonstancoj estas nomata 'Senpenseco'. Nia menso devas stari aparta de cirkonstancoj, kaj neniel devas lasi ilin influi la funkcion de nia menso. Sed estas granda eraro subpremi nian menson disde ĉiaj pensoj; ĉar eĉ se ni sukcese senigos nin je ĉiaj pensoj kaj post tio tuj mortos, ni ankoraŭ reenkarniĝos aliloke. La lernantoj de budhismo devas doni konsideron al tio ĉi. Estas sufiĉe malbone por homoj fari tian seriozan eraron ne konante la signifon de la Leĝo, sed estus eĉ pli malbone instigi aliajn sekvi la samon! Ĉar ili ne sole ne vidus sian iluziiĝon, sed eĉ kalumnius la budhismajn skribojn. Tial ni prenas 'Senpensecon' kiel nian celon.

선지식아! 모든 경계를 여의어 경계에서 마음이 물들지 않음을 일러 무념이라고 하느니라. 또 스스로의 생각 위에서 언제나 경계를 여윔은 또한 경계상에 마음이 생기는 것이 아니니라. 그러나 만약 다만 아무것도 생각하지 않고 모든 생각을 없애버리면 한 생각마저 끊어지면서 곧 죽게 되어 다른 곳에 몸을 받는다 한다면 이는 큰 잘못이라. 도를 배우는 사람은 경계하여야 하느니라. 만약 법의 뜻을 바로 알지 못하면 자기 혼자 잘못되는 것은 오히려 어쩔 수 없거니와 다시 타인에게 권하여 그르치게 하며, 또한 자기가 미혹한 것은 알지 못하고 오히려 부처님 경전을 비방하게 되니 이런 까닭에 무념을 세워 종(근본)으로 삼느니라.

§4-07

"Miaj amikoj en la boneco, permesu al mi pli plene klarigi, kial ni prenas "Senpensecon" kiel nian celon. Sin trovas homoj iluziitaj, kiuj fanfaronas pri sia konado de la Vera Naturo, sed kiam ili estas influataj de la cirkonstancoj, multaj pensoj estiĝas en ilia menso, sekvataj de eraraj opinioj, kiuj estas la fonto de ĉiuj ĉagrenoj de la mondo kaj diversaj falsaj ideoj. En la Vera Naturo sin trovas propre nenio, kio estus atingita. La diro, ke sin trovas ia atingo, kaj la facilanima parolo pri meritoj aŭ malmeritoj, estas eraraj opinioj kaj makuloj en la menso. Jen kial ni prenas "Senpensecon" kiel la celon de nia Skolo.

선지식아, 어찌하여 무념을 세워서 종(근본)으로 삼는다 하랴? 다만 입으로만 견성했다고 하는 사람이 있으므로 미혹함을 벗어나지 못한 사람은 경계(나를 넘어선 외부의 어떤 대상) 위에서 생각을 내게 되어, 그 생각 위에서 문득 자신의 삿된 견해를 내니 온갖 망상이 이로부터 생기느니라. 자성이란 본래 한 법도 가히 얻을 것이 없음인데 이를 만약 얻음이 있다고 하여 망령되게 화와 복을 말한다면 이것은 곧 망념이며 삿된 견해이라. 그러므로 이 법문은 무념을 세워서 종을 삼느니라.

§ 4-08

"Miaj amikoj en la boneco, (parolante pri 'Senpenseco') je kio do ni devas senigi nin kaj sur kio do ni devas fiksi nian menson? Ni devas senigi nin je 'paroj da kontraŭoj' kaj ĉiuj makulitaj konceptoj. Ni devas fiksi nian menson sur la Vera Naturo de tatata-o, ĉar la tatata-o estas la substanco de penso aŭ ideo, kaj la ideo estas la rezulto de la aktiveco de la tatata-o.

선지식아, '무(無)' 라 함은 무엇이 없다는 것이며, '념(念)' 이라 함은 무엇을 생각한다는 것인가? '무' 라 함은 대립된 두 극단의 어떤 번뇌에서도 모두 벗어남을 말함(두 가지 상(相)이 없는 것이니 모든 번거로운 망상이 없음)이요, '념' 이라 함은 진여 본성(있는 그대로의 본성)을 통찰함이니라. 진여(眞如)는 곧 생각을 일으키는 본체요, 생각은 곧 진여의 작용으로 일어남이니라.

“Estas nia Vera Naturo de tatata-o —ne la sensorganoj de okulo, orelo, nazo aŭ lango— kiu estigas ‘ideon’. Tatata-o portas sian atributon, kaj tial ĝi povas estigi ‘ideon’. Sen tatata-o la sensorganoj kaj la sensobjektoj tuj pereus.

진여자성(眞如自性: 태어나면서 갖추어진 원래 청정한 본성)이 있기에 생각을 일으킴이요, 눈이나 귀, 코, 혀가 능히 우리로 하여금 생각하게 하는 것이 아니니라. 진여에 성품이 있으므로 생각이 일어나고, 만약 진여가 없으면 눈이나 귀나 빛깔이나 소리가 당장 없어지리라.

“Miaj amikoj en la boneco, ĉar estigi ‘ideon’ estas la atributo de la tatata-o, tial, se nur niaj ses sensorganoj (okuloj, oreloj, nazo, lango, korpo kaj menso) —kvankam ili havas funkciadojn en vidado, aŭdado, tuŝado, konado ktp— ne estas infektitaj aŭ makulitaj de la miriadoj da cirkonstancoj, nia Vera Naturo povas esti ĉiam libera kaj mem-manifestita. Jen kial la sutro diras: ‘Tiu, kiu estas lerta en la distingo de diversa darmalakŝana-o (objektoj kaj fenomenoj), estos nemoveble instalita en la Unua Principo (t.e. la Nirvano)’ ”

선지식아, 진여자성이 생각을 일으킴으로 비록 육근(六根: 눈, 귀, 코, 혀, 몸, 정신)이 보고 듣고 깨닫고 알더라도 모든 경계에 물들지 아니하며 진성은 항상 자재(自在: 자유롭고 스스로 나타남)하니라. 이런 까닭에 경(『유마경』)에 이르기를 '능히 모든 법상을 밝게 분별하나 제일의 원칙(열반)에 있어서는 동함이 없다' 하였느니라.

ĈAPITRO 5. DJAN-O

좌선품(좌선법을 가르치다)

§ 5-01

Iun tagon la Patriarko predikis al la disĉiploj la jenon:

어느 날 대사께서 대중에게 이르셨다.

"En nia skolo la meditado signifas, ke ni fiksas nian atenton nek sur la menso, nek sur la pureco. Ni ankaŭ ne aprobas la senaktivecon. Koncerne 'fiksi la atenton sur la menso', la menso estas laŭnature iluziiĝema; kaj kiam ni scias, ke ĝi estas nur fantazio, tiam estas tute ne necese fiksi la atenton sur ĝi. Koncerne 'fiksi la atenton sur la pureco', nia naturo estas propre pura, kial do necesas fiksi la atenton sur ĝi? Se ni senigas nin je ĉiuj iluziaj ideoj, tiam sin trovos nenio krom la pureco en nia naturo, ĉar estas la iluziaj ideoj, kiuj obskurigas la tatata-on. Se ni fiksas nin sur la purecon, tiam ni nur kreas alian iluzion, la iluzion pri pureco. Ĉar la iluzio havas nenian restejon, tial fiksi la atenton sur ĝi nature estas iluzie. La pureco havas nek formon, nek aspekton, tamen iuj homoj penas doni al ĝi formon — peno, pri kiu ili eĉ pretendas, ke ĝi estas ia merito de ili atingita. Tenante tian opinion, tiuj homoj estas spirite premataj de 'pureco', kaj ilia Vera Naturo estas per tio obskurigita.

선지식아, 어떠한 것을 좌선이라 하느냐? 이 법문 중에 좌선이란 원래 마음에 집착함도 없고, 청정(고요)함에 집착함도 없고, 움직임이 없음도 아니니라. 만약 마음에 집착함이 있다면, 마음은 원래 망령됨이니라. 마음이 환상과 같음을 아는 고로 집착하지 않느니라. 만약 깨끗함(청정)에 집착한다면 원래 사람의 성품은 청정하나 다만 망념으로 말미암아 진여가 덮인 것이니, 만일 망상을 없애면 성품 스스로가 청정하니, 마음을 일으켜 청정함에 집착하면 이것이 도리어 청정심과 망념을 일으키는 것이니라. 망념이란 본래 처소가 없고, 이에 집착하면 망념이요, 청정이란 형상이 없기에 도리어 깨끗함(청정)이라는 상(相)을 세워 이를 공부로 삼는다면, 이런 견해를 가진 자는 스스로 본성을 막고 도리어 청정함에 얽매이고 만다.

§5-02

"Miaj amikoj en la boneco, tiuj, kiuj trejnas sin por 'Kvieteco', devas, en sia kontakto kun diversaj homoj, ignori la kulpojn de aliaj en ĉiaj cirkonstancoj. Ili devas esti indiferentaj por alies pravo aŭ malpravo, merito aŭ malmerito, bono aŭ malbono, ĉar tia sinteno estas konforma al la 'Kvieteco' de la Vera Naturo".

선지식아, 만일 부동(不動: 움직임 없음)을 수행한다면, 다만 모든 사람을 볼 때, 다른 사람의 시비와 선악과 허물을 보지 않으니, 이를 자성이 부동하다 하느니라.

"Miaj amikoj en la boneco, homo iluziita povas esti fizike kvieta, sed tuj kiam li malfermas sian buŝon, li kritikas aliajn kaj parolas pri iliaj pravoj aŭ malpravoj, fortaĵoj kaj malfortaĵoj, bonoj aŭ malbonoj; kaj sekve li devias de la ĝusta vojo. Tial, fiksi nian atenton sur nia propra menso aŭ nia pureco estas ankaŭ stumbliga ŝtono sur la Vojo."

선지식아, 미혹한 사람이 몸은 비록 부동(움직임 없음)이나 타인의 시비와 장단과 좋고 싫음를 말하게 되면 도를 등지게 되니, 만약 마음에 집착하거나 청정함에 집착하는 것 또한 도의 길에 장애가 되느니라.

§5-03

La Patriarko en alia okazo predikis al la disĉiploj la jenon:

"Miaj amikoj en la boneco, kio do estas la termino 'sidi en medito'? En nia Skolo ĝi signifas neniajn obstaklojn aŭ malhelpojn. Ekstere, neniaj pensoj devas esti kaŭzitaj de ĉiaj statoj, bonaj aŭ malbonaj: jen tio, kion ni nomas 'sidi'; interne, ni devas vidi la konstantecon de nia Vera Naturo: jen 'mediti'.

선지식아, 좌선이란 무엇인가? 이 법문 중에 장애가 없음이고 또 밖으로는 일체 선악경계를 당하여도 심념(心念)이 일어나지 않는 것을 일러 '좌(坐)' 라 하고, 안으로는 자성이 부동(움직임 없음)을 일러 '선(禪)' 이라 하느니라.

"Miaj amikoj en la boneco, kio do estas la djan-o kaj la samadi-o? Djan-o signifas esti libera de alkroĉiĝo al ĉiuj eksteraj objektoj, kaj samadi-o signifas atingi internan pacon. Se ni alkroĉiĝas al eksteraj objektoj, nia interna menso estos perturbita. Kiam ni estas liberaj de la alkroĉiĝo al eksteraj objektoj, la menso estos en paco. Nia Vera Naturo estas propre pura, kaj la kaŭzo, kial nia menso estas perturbita, kuŝas en tio, ke ni permesas al ni esti influataj de la cirkonstancoj, en kiuj ni estas. Tiu, kiu estas kapabla teni sian menson neperturbita en ĉiuj cirkonstancoj, jam atingis la samadi-on.

선지식아, 어떤 것을 선정(禪定)이라 하는가? 밖으로는 상을 여의면 '선(禪)' 이 되고, 안으로 어지럽지 아니함을 '정(定)' 이라 하니, 만약 밖으로 상에 집착하면 곧 안으로 마음이 어지럽고, 밖으로 상을 여의면 곧 마음에 어지러움이 없어지니라. 본성은 스스로 깨끗하고 스스로 정에 있는 것이지만, 다만 경계를 대하고 경계를 생각함이 곧 어지러움이니라. 만약 모든 경계를 보고도 마음이 어지럽지 아니함은 곧 참된 '정'(眞定)에 있음이라.

§ 5-04

"Miaj amikoj en la boneco, esti libera de la alkroĉiĝo al ĉiuj eksteraj objektoj estas djan-o, kaj atingi internan pacon estas samadi-o. Kiam ni estas kapablaj trakti la djan-on kaj teni nian internan menson en samadi-o, tiam ni povas esti konsiderataj kiel jam atingintaj la djan-on kaj la samadi-on. La sutro Bodisattva Sila diras: 'Nia Vera Naturo estas propre pura.'

선지식아, 밖으로 상을 여의면 곧 '선'이요, 안으로 어지럽지 않음이 곧 '정'이니, 밖으로 '선'을 행하고 안으로 '정'에 들면 이를 바로 '선정'이라 하느니라. 『보살계경』에 이르기를, '나의 본성이 원래 스스로 청정하다' 하였느니라.

"Miaj amikoj en la boneco, lasu do al ni de momento al momento vidi nian puran Veran Natruon, kaj lasu al ni daŭrigi nian praktikadon kaj atingi la budhecon per kaj por ni mem."

선지식아, 일체 생각과 생각 중에 스스로 본성을 보아 스스로 닦아라. 스스로 행하라. 또 스스로 불도를 이루게 하라.

ĈAPITRO 6. PENTO

참회품(참회법을 정하다)

§6-01

Iufoje kunvenis granda amaso da kleruloj kaj ordinaruloj el Guangzhou, Shaozhou kaj aliaj lokoj por atendi, ke la Patriarko prediku al ili. La Patriarko do prenis la altan sidlokon kaj donis la jenan paroladon:

그때, 대사께서는 광주, 소주 2군을 비롯한 사방의 선비와 백성들이 모두 산중에 모여 법을 청하고자 함을 보시고 이에 높은 법좌에 오르시어 대중에게 말씀하셨다.

"Nu, miaj amikoj en la boneco, en la praktikado de budhismo, ĉio devas komenciĝi de nia Vera Naturo. De momento al momento lasu do al ni purigi nian propran menson per niaj propraj penoj, koni nian darmakaja-on (la darmo-korpo de la budho) kaj vidi la budhon en nia propra menso kaj savi nin mem per nia persona observo de la ŝila-oj (devigoj, disciplinaj reguloj). Se vi faras ĉion ĉi tion, via vizito al tiu ĉi loko ne estos vana. Ĉar vi venis de malproksime, la fakto de nia kunveno ĉi tie montras, ke sin trovas bona afineco inter ni. Nun lasu al ni meti nin sur la dekstran genuon (laŭ la hinda maniero), kaj mi unue predikos pri la kvinobla Darmakaja-Incenso de la Vera Naturo

kaj poste mi donos al vi la 'Senforman' Penton."
Kaj ĉiuj kunvenantoj falis sur la dekstran genuon.

와서 보라, 선지식아! 불법을 닦는 이 일은 모름지기 우리의 자성에서 시작되어야 하느니라. 순간순간마다 생각 생각으로 그 마음을 스스로 청정하게 하고, 그 행을 스스로 닦아서 자기 법신을 보며, 자기 마음의 부처를 보며, 스스로를 제도하고 스스로를 경계하여야 비로소 얻음이 있으니 굳이 이곳까지 올 필요가 없느니라. 그러나 이미 먼 곳에서 와서 함께 모여 있음은 모두가 인연인지라. 이제 오른 무릎 위로 꿇고 앉아라. 그러면 내가 먼저 자성의 오분법신향(五分法身香: 다섯 가지 청정법신으로부터 뿜어져 나오는 향기, 즉 계(戒)향, 정(定)향, 혜(慧)향, 해탈(解脫)향, 해탈지견(解脫知見)향)에 대해 설하고는 나중에 내가 '무상(無相)' 참회를 주리라." 그러고는 대중 모두가 꿇어앉으니 대사께서 말씀하셨다.

§6-02

La Patriarko daŭrigas:

"La unua estas la Ŝilaoj-Incenso, kiu signifas, ke nia menso devas esti libera de infektoj de misagoj, malbono, envio, avareco, avido, kolero, rabemo, kaj malamo. Jen kial la nomo 'Ŝila-oj'.

"첫째, 계향은 자신의 마음속의 모든 거짓과 악행, 질투와 탐심과 성냄도 없애고 또한 빼앗고 해치는 마음도 벗어남(계율을 바로 지켜 탐욕이나 어리석음을 벗어난 향기)를 말하며,

"La dua estas la Samadi-Incenso, kiu signifas, ke nia menso devas esti neperturbita en ĉiuj cirkonstancoj, favoraj aŭ malfavoraj. Jen kial la nomo 'Samadi-o'.

둘째, 정향은 모든 선악 경계나 형상을 보고서도(어떤 대상이나 경계에 부딪히더라도) 자기 마음이 흐트러지지 않는 집중과 고요함에서 오는 향기이며,

"La tria estas la Praĝna-Inceso, kiu signifas, ke nia menso devas esti libera de ĉiaj malhelpoj, ke ni devas konstante introspekti nian Veran Naturon per saĝo, ke ni devas nin deteni de farado de ĉiaj specoj de malbonaj agoj, ke kvankam ni faras ĉiajn specojn de bonaj agoj, ni tamen ne devas lasi nian menson alkroĉiĝi al tiaj agoj, kaj ke ni devas esti respektemaj al niaj pli aĝaj familianoj, prizorgemaj al la pli junaj, kaj kompatemaj kaj helpemaj al la senparencaj, mizeraj kaj malriĉaj. Jen kial la nomo 'Praĝna-o'.

셋째, 혜향은 자기 마음이 걸림이 없어 항상 지혜로서 자성(본성)을 비추어 보아 악을 짓지 아니하고 비록 많은 선을 행하더라도 그 마음에 집착하지 않으며, 윗사

람을 공경하고 아랫사람을 보살피고 돌보며, 외롭고 가난한 사람을 불쌍히 여기는 향기이며,

“La kvara estas la Incenso de Moksa-o, kiu signifas, ke nia menso devas esti en tia absolute libera stato, ke ĝi alkroĉiĝas al nenio, kaj sin okupas nek pri bono, nek pri malbono, sendepende kaj libere de malhelpoj. Jen kial la nomo ‘Moksa-o’.

넷째, 해탈향은 자기 마음이 대상에 끌려다니거나 얽매이지 않고 선도 악도 생각하지 않고 아무런 장애 없이 자유로움(해탈)에서 오는 향기이며,

“La kvina estas la Incenso de Moksa-Pariĝnana-o (sanskrite: Moksa-Parijnana; Scio akirita pri la Atingo de Liberiĝo). Kiam nia menso alkroĉiĝas nek al bono, nek al malbono, ni devas nek nin teni je la malpleneco, nek resti en stato de inercio, nome, ni devas plivastigi nian studadon kaj plilarĝigi nian sciadon, por ke ni povu koni nian propran menson, ĝisfunde kompreni la principojn de la budhismo, esti afablaj al aliaj en la traktado kun ili, senigi nin je la ideo pri la ‘memo’ kaj tiu pri la ‘ekzistado’, kaj ekscii, ke ĝis la tempo, kiam ni atingos la bodion, la Vera Naturo devas resti ĉiam neŝanĝebla. Jen kial la nomo ‘Moksa-Pariĝnana-o’.

다섯째, 해탈지견향은 스스로 해탈했다 하더라도 공에 잠겨 고요를 지켜서는 아니 되니 모름지기 널리 배우고 많이 들어야 하며, 자기 본심을 알아서 모든 불법 이치에 통달하며 빛을 화하여 사물을 접(광명이 두루 비추되 아니 닿는 사물이 없음)하면서도 '아'(我: 나)도 없고 '인'(너)도 없어 바로 보리에 이르러 참된 성품으로, 변함없는 향기를 말함이니라. 일체중생도 속박이 없이 자유로운 존재임을 명확히 깨닫고 아는 지견의 향기로다.

"Miaj amikoj en la boneco, la bonodoro de tiu ĉi kvinobla Incenso trapenetras nian menson de interne, kaj ni ne devas serĉi ĝin de ekstere.

선지식아, 이 향은 각자 안에서 풍기는 것이니 결코 밖에서 이를 구하지 말라."

§ 6-03

"Nun mi donos al vi la 'Senforman' Penton, kiu estingos niajn pekojn faritajn en niaj nuna, pasinta kaj estonta vivoj, kaj purigos niajn karmojn de penso, parolo kaj ago.

"다음으로 이제부터 너희로 하여금 '무상참회'를 주어 삼세(과거, 현재, 미래)에 지은 죄를 멸하여 삼업을 청정하게 해 주리니,

"Miaj amikoj en la boneco, bonvolu sekvi min kaj kune ripetu kion mi diras:

선지식아, 내 말을 따라 함께 일러라.

"Ni, disĉiploj, preĝas, ke ni estu, de momento al momento, en niaj vivoj pasinta, nuna kaj estonta, liberaj de la infektoj de malklero kaj iluzio. Ni pentas pri niaj pekoj kaj malbonaj agoj faritaj en malklero kaj iluziiteco en la pasinteco. Se nur ili estus tuj estingitaj kaj neniam reestiĝus.

"제자들이 전념, 금념, 후념의 염념 중에 어리석고 미혹함에 물들지 않게 하오며, 이제까지 지은바 악업인 어리석고 미혹하였던 죄를 모두 참회하오니, 이를 일시에 소멸해서 다시는 영영 생기지 않기를 바라옵니다.

"Ni preĝas, ke ni estu, de momento al momento, en niaj vivoj pasinta, nuna kaj estonta, liberaj de la infektoj de aroganteco kaj malhonesteco. Ni pentas pri niaj aroganta konduto kaj malhonestaj agoj en la pasinteco. Se nur ili estus tuj estingitaj kaj neniam reestiĝus.

제자들이 전념, 금념, 후념의 염념 중에 교만하고 진실하지 못함에 물들지 않게 하오며, 이제까지 지은 바 악업인 교만과 속임의 죄를 모두 참회하오니, 이를 일시에 소멸해서 다시는 영영 생기지 않기를 바라옵니다.

"Ni preĝas, ke ni estu, de momento al momento, en niaj vivoj pasinta, nuna kaj estonta, liberaj de la infektoj de envio kaj ĵaluzo. Ni pentas pri niaj pekoj kaj malbonaj agoj faritaj en la envia aŭ ĵaluza spiritstato en la pasinteco. Se nur ili estus tuj estingitaj kaj neniam reestiĝus.

제자들이 전념, 금념, 후념으로 염념 중에 질투심에 물들지 않게 하오며, 이제까지 지은바 악업인 질투심 등의 죄를 모두 참회하오니, 이를 일시에 소멸해서 다시는 영영 생기지 않기를 바라옵니다." 하라.

§6-04

"Miaj amikoj en la boneco, la ĉi-supra estas tio, kion ni nomas "wu xiang chan hui" (senforma pento).

선지식아! 지금까지 설한 바를 '무상참회(無相懺悔)'라고 하느니라.

"Nu, kio do estas la signifo de chan kaj hui? Chan signifas konfesi la pasintajn pekojn, t.e. konfesi ĉiujn niajn pasintajn pekojn kaj malbonajn karmojn, kiaj estas malklero, iluzio, aroganteco, malhonesteco, envio aŭ ĵaluzo ktp, por meti finon al ili ĉiuj. Hui signifas sin gardi kontraŭ estontaj pekoj. Ekkoninte la naturon de niaj pekoj, ni ĵurpromesas, ke de nun ni metos finon por ĉiam al ĉiuspecaj malbonoj faritaj sub iluzio, malklero, aroganteco, malhonesto, envio aŭ ĵaluzo ktp, kaj neniam plu repekos. Jen kial tio estas nomata chan hui.

그럼, '참(懺)' 이란 무슨 말인가? 어떤 것이 '회(悔)' 란 말인가? '참' 이라 함은 이제까지 지은 허물을 뉘우치는 것이니 이제까지 지은 모든 악업인 어리석고 미혹하고, 교만하고 속이고, 질투하는 등의 죄를 모두 참회하며 이를 영영 다시는 생기지 않게 함, 이것을 말함이며, '회' 라 함은 미래의 허물을 뉘우침이니 지금부터 이후의 짓는바 악업인 어리석고 미혹하고, 교만하고 속이고, 질투하는 등의 죄를 지금 미리 깨닫고 이를 영영 끊고 다시는 짓지 않는 것, 이를 이르노니, 이런 까닭에 '참회' 라 하느니라.

§ 6-05

"Pro malklero kaj iluziiĝo ordinaruloj scias nur senti bedaŭron pri siaj pasintaj pekoj, sed ne povas sin deteni de repekado en la estonteco. Ĉar ili ne donas viglan atenton al sia estonta konduto, ili faros novajn pekojn antaŭ ol la pasintaj estas estingitaj. Tiuokaze, kiel do ni povus nomi tion 'chan hui'?

범부는 어리석고 미혹하여, 다만 이전의 허물만 뉘우칠 줄 알뿐이고 미래의 허물을 뉘우칠 줄을 모르나니, 미래의 허물을 뉘우치지 않으므로 해서 앞의 허물도 또한 멸하지 아니하고, 또한 뒤의 허물이 생겨나면, 이미 앞의 허물도 없어지지 않고서 뒷허물 또한 생기니 어찌 참회라 할 것이냐."

"Miaj amikoj en la boneco, nun ke ni jam pentis pri niaj pekoj, lasu al ni fari kvar grandajn ĵurpromesojn. Aŭskultu do atente:

선지식아, 이미 참회를 마쳤으니 이제 선지식과 더불어 사홍서원(四弘誓願: 네 가지 넓고 큰 소원)을 발하리라. 각각 모름지기 지극한 마음으로 바로 들어라.

Ni ĵurpromesas savi la miriadojn da sentohavaj estaĵoj interne de nia menso.
Ni ĵurpromesas forigi la miriadojn da afliktoj interne de nia menso.
Ni ĵurpromesas lerni la sennombrajn metodojn de la Darmo en nia Vera Naturo.
Ni ĵurpromesas atingi la subliman budhecon de nia Vera Naturo.

"우리는 중생이 많아도 맹세코 제도하리라.
우리는 번뇌가 끝없어도 맹세코 끊으리라.

우리는 법문이 많아도 맹세코 다 배우리라.
우리는 불도가 드높아도 맹세코 이루리다." 하라.

§ 6-06

"Miaj amikoj en la boneco, nun ni ĉiuj jam deklaris nian ĵurpromeson savi la miriadojn da sentohavaj estaĵoj, sed kion tio signifas? Tio ne signifas, ke mi, Huineng, persone kapablas ilin savi.

선지식아, '중생이 많아도 맹세코 제도(濟度: 고통받는 중생을 구제하여 깨달음의 저 언덕으로 이끌어감)하리라' 라고 지금 말했는데, 이는 무슨 말인가? 이는 이 혜능이 혼자서 중생을 제도하겠다는 말이 아님을 알라.

"Miaj amikoj en la boneco, la sentohavaj estaĵoj interne de nia menso estas nenio alia, ol la iluziita menso, la trompema menso, la malbona menso, la envia kaj ĵaluza menso, la malica kaj venena menso, kaj similaj mensoj. Ĉiu el ili devas savi sin mem per sia propra Vera Naturo, ĉar nur tia savo estas vera savo.

선지식아, 중생이란 마음속의 중생이니라. 이른바 저 삿되고 미혹한 마음, 속이고 망령된 마음, 착하지 않은 마음, 질투심, 모질고 독한 마음 등 이러한 마음이 모두 다 중생이니 각기 모름지기 자성을 바탕으로 스스로를 제도하는 것, 이것이 참된 제도이니라.

“Nu, kion do signifas ‘savi sin mem per sia propra Vera Naturo’? Tio signifas la savon de la malklero, la iluziiĝo, la makuliĝo interne de nia menso per ĝustaj opinioj. Kun la helpo de la ĝustaj opinioj kaj praĝna-saĝo la obstakloj starigitaj de tiuj malkleraj kaj iluziitaj estaĵoj povas esti rompitaj, tiel ke ĉiu el ili povas savi sin mem per siaj propraj penoj. Lasu al la eraraj esti savitaj per la ĝusteco, al la iluziitaj per la eklumiĝo, al la malkleraj per la saĝo, al la malvirtaj per la virteco. Tia savo estas nomata vera savo.

어떤 것이 ‘자성으로 스스로를 제도한다’ 라는 것인가? 즉, 자기 마음속의 사견, 번뇌, 우치(愚痴), 미망 중생을 정견으로써 제도함을 말하느니라. 이미 이 정견이 있으니 반야의 지혜로 하여금 우치, 미망한 중생을 쳐부수어 각기 스스로를 제도하며, 삿됨이 생기면 바름으로 제도하고, 미혹이 생기면 깨달음으로 제도하고, 우둔함이 생기면 지혜로 제도하고 악이 생기면 선으로 제도하나니, 이 같은 제도를 참된 제도라 하느니라.

§ 6-07

“Koncerne la ĵurpromeson ‘forigi la miriadojn da afliktoj interne de nia menso’, ĝi signifas la anstataŭigon de nia nefidinda kaj iluzia pensado per la praĝna-saĝo de nia Vera Naturo.

또 '번뇌가 끝없어도 맹세코 끊으리라' 함은 자성의 반야지혜로서 허망한 마음을 쳐 없애버림을 말함이요,

"Koncerne la ĵurpromeson 'lerni la sennombrajn metodojn de la Darmo en nia Vera Naturo', ĝi signifas, ke sin trovas neniu vera lernado antaŭ ol ni povas vidi vizaĝ-kontraŭ-vizaĝe nian Veran Naturon, kaj antaŭ ol ni povas konformiĝi al la ortodoksa Darmo en ĉiuj okazoj. Jen la vera lernado.

또, '법문이 많아도 맹세코 다 배우리라' 라고 함은 모름지기 자기의 성품을 보아 항상 정법을 행함을 말하는 것이요,

"Koncerne la ĵurpromeson 'atingi la subliman budhecon de nia Vera Naturo', ĝi signifas, ke ni devas ĉiam esti kompatemaj al la ordinaruloj, sekvante la veran ortodoksan Darmon en ĉiuj okazoj, kaj senigante nin je iluzio sen alkroĉiĝo al vekiĝo. Kiam praĝna-o leviĝas en nia menso de momento al momento, kaj la falseco estas forigita sen esti obsedata de la ideo pri la vero, tiam ni povos ekvidi nian budhonaturon, kaj la budheco estos tuj atingita.

또 '불도가 드높아도 맹세코 이루리라' 함은 이미 항상 능히 하심(下心: 자기 자신을 낮추고 남을 높이는 마음)을 하고서 참된 바름을 행하고, 어리석음도 여의고 깨달음도 여의어, 항상 반야를 생기게 하여, 참도 망도 없애서 즉시 불성을 보아, 언하에 불도를 이룸을 말하니,

"Ni devas ĉiam teni en la menso niajn kvar grandajn ĵurpromesojn kaj agi laŭ ili, ĉar per tio la ĵurpromesoj povos esti plifortigitaj.

항상 이 네 서원을 지니고 닦아야, 이 서원을 더욱 강하게 만드는 원력(願力: 신행하는 사람이 목적을 성취하고자 내적으로 수립하는 기본 결심과 그에 따르는 힘)하는 방법이 되니라.

§ 6-08

"Miaj amikoj en la boneco, ĉar ni ĉiuj jam faris la kvar grandajn ĵurpromesojn, nun lasu al mi instrui la 'Senformajn Trioblajn Rifuĝojn' :

선지식아, 지금 사홍서원을 발하였으니, 다시 선지식들에게 무상의 '삼귀의계(三歸依戒)' 를 주리라.

Miaj amikoj en la boneco, ni prenu rifuĝon en la Eklumiĝo, ĉar ĝi estas la kulmino kiel de praĝna-o

(saĝo), tiel ankaŭ de punja-o (sanskrite: Punya; bonaj ago; merito; feliĉo).
Ni prenu rifuĝon en la Ortodokseco, ĉar ĝi estas la plej bona maniero senigi nin je la deziroj.
Ni prenu rifuĝon en la Pureco, ĉar ĝi estas la plej nobla kvalito de ĉiuj vivaj estaĵoj.

선지식아, '깨달으신 양족존(兩足尊: 깨달음에 귀의하여 미혹된 마음이 일어나지 않고 만족할 줄 알며 재물욕이나 색욕을 벗어난 존귀한 존재)에 귀의합니다. 바르신 이욕존(離欲尊: 정의와 올바름에 귀의하여 한 생각도 그릇됨이 없고 애착이 없으며 욕망을 떠난 존귀한 존재)에 귀의합니다. 청정하신 중중존(衆中尊: 청정함에 귀의하여 자성에 본뇌와 망념이 비록 남아있더라도 거기에 물들지 않는, 대중 가운데서 가장 존귀한 존재)께 귀의합니다.' 하라.

"Ekde nun, lasu al la iluminiĝinto esti nia instruanto kaj neniam akcepti mara-on (sanskrite: Mara; la personiĝo de malbono) kaj iun ajn herezulon kiel nian gvidanton. Tion ĉi ni devas konfirmi al ni mem per konstanta alvoko al la 'Tri Juveloj' de nia Vera Naturo, en kiuj, miaj amikoj en la boneco, mi konsilas al vi preni rifuĝon. Ili estas:
Budho, kiu staras por eklumiĝo.
Darmo, kiu staras por Ortodokseco.

Samgo, kiu staras por Pureco.

금일부터 앞으로는 깨달은 이를 스승으로 삼고, 다시는 사악함과 미혹함과 외도(外道: 불교가 아닌 다른 종교의 가르침)에 귀의하지 아니하며, 자성삼보(自性三寶: 자기 본성에 간직된 삼보)에 귀의할 것임을 항상 스스로 맹세하라. 여기서 삼보란, 불・법・승으로, 불(佛)은 깨달음이요, 법(法)은 바름이요, 승(僧)은 청정함이니라.

§ 6-09

"Kiam nia menso prenas rifuĝon en la Eklumiĝo, ni estos liberaj de pensoj malbonaj kaj iluziaj, konos malpli da deziroj kaj pli da kontenteco, kaj ne plu estos katenitaj de avido kaj volupto. Tio estas konata kiel la kulmino de praĝna-o kaj punja-o.

자심(自心: 우리 마음)이 깨달음에 귀의하여 미혹된 마음이 일어나지 않고 만족할 줄 알며, 재물욕이나 색욕을 벗어난 존귀한 존재를 양족존이라 하느리라.

"Kiam nia menso prenas rifuĝon en la Ortodokseco, ni estos ĉiam liberaj de eraraj opinioj, ĉar sen eraraj opinioj sin trovos nek egoismo, nek aroganteco, nek alkroĉiĝo, nek amligiteco. Tio estas konata kiel la plej bona maniero senigi nin je la deziroj.

자심이 정의와 올바름에 귀의하여 한 생각도 그릇됨이 없고 삿된 견해가 없어서 곧 아상(我相)이나 인상(人相)으로 스스로를 높이 떠받치거나, 탐애와 집착이 없으며 욕망을 떠난 존귀한 존재를 이욕존이라 하며,

"Kiam nia menso prenas rifuĝon en la Pureco, nia Vera Naturo ne estos makulitaj en ĉiaj cirkonstancoj de tedaj sensobjektoj, de amo, kaj de avido. Jen kio estas nomata la plej nobla kvalito de ĉiuj vivaj estaĵoj.

자심이 청정함에 귀의하여 일체 번뇌와 애욕의 경계에 둘러싸여 있더라도 그것에 물들지 않음으로 대중 가운데서 가장 존귀한 존재를 중중존이라 하느니라.

§ 6-10

"Praktiki la 'Trioblajn Rifuĝojn' en la maniero ĉi-supre menciita signifas preni rifuĝon en nia propra memo (t.e. en la persona propra Vera Naturo). Malkleraj personoj prenas la 'Trioblajn Rifuĝojn' tage kaj nokte, sed ili ne komprenas tion ĉi. Se ili diras, ke ili prenas rifuĝon en Budho, ĉu ili scias, kie Li estas? Kaj se ili ne povas vidi Budhon, kiel do ili povas preni rifuĝon en Li? Ĉu tia aserto ne egalas malplenan parolon?

만약 이와 같은 행을 닦는다면, 이것이 스스로 귀의함

이니라. 그런데 범부는 이 도리를 알지 못한 채로 날마다 삼귀의계를 받고 있느니라. 또 부처님께 귀의한다고 말하면서 그 부처님이 어디 계신지도 모르고 부처님을 뵙지도 못한다면 도대체 어디에 귀의하는 것인가? 말이 되지 않음이니라.

"Miaj amikoj en la boneco, ĉiu el vi devas konsideri kaj ekzameni tiun ĉi punkton por vi mem kaj ne lasas vian energion esti misuzata. La sutro klare diras, ke ni devas 'preni rifuĝon en la Budho interne de ni mem', anstataŭ 'preni rifuĝon en alia Budho'. Plie, se ni ne prenas rifuĝon en la Budho interne de ni mem, tiam sin trovas neniu alia loko por nia rifuĝo.

선지식아, 각자 살펴보아 마음을 잘못 쓰지 않도록 하라. 경전에는 분명히 말씀하기를 '우리 자성(스스로)의 부처님께 귀의한다' 라고 하였으니, '다른 외부의 부처님께 귀의한다' 라고는 가르치지 않았으니, 만약 자성 가운데 있는 부처님께 귀의하지 않는다면 아무데도 돌아가 의지할 곳이 없느니라.

Bone komprenante tiun ĉi punkton, ĉiu el ni devas preni rifuĝon en la "Tri Juveloj" interne de nia menso. Interne, ni devas regi nian menson; ekstere, ni devas esti respektemaj al la aliaj. Jen la ĝusta maniero preni rifuĝon interne de ni mem.

너희들은 이미 스스로 깨쳤으니 각각 모름지기 '자심삼보(自心三寶)' 에 귀의하여 안으로 심성을 고르게 하고, 밖으로는 다른 사람을 공경하면, 이가 곧 스스로 귀의하는 것이니라.

§ 6-11

"Miaj amikoj en la boneco, ĉar ĉiu el vi jam prenis la Trioblan Rifuĝon, mi nun parolos al vi pri la Tri Korpoj de la Budho de nia Vera Naturo, por ke vi povu vidi tiujn ĉi Tri Korpojn kaj klare ekkompreni nian Veran Naturon. Bonvolu atente aŭskulti kaj ripeti la jenon post mi:

선지식아, 이미 자기 삼보에 귀의하였으니, 다시 각각의 마음을 가다듬어라. 내 이제 너희로 하여금 일체이면서도 삼신(三身)인 자성불(自性佛)을 말할 터이니, 너희들로 하여금 밝게 삼신을 보고 스스로 자성을 깨닫게 하리니, 모두 나를 따라 이렇게 말하거라.

Kun nia fizika korpo, ni prenas rifuĝon en la Pura Darmakaja-o (sanskrite: Dharmakaya; Darmo-korpo) de Budho.
Kun nia fizika korpo, ni prenas rifuĝon en la Perfekta Sambogakaja-o (sanskrite: Sambhogakaya; manifestiĝo-korpo) de Budho.
Kun nia fizika korpo, ni prenas rifuĝon en la Miriada

Nirmanakaja-o (sanskrite: Nirmanakaya; enkarniĝo-korpo) de Budho.

"자기 색신(色身: 육체, 즉 우주의 근본물질인 땅, 물, 불, 바람(공기)과 같은 요소들로 구성된 물질적인 육체)의 청정 법신(淸淨法身: 청정한 본성이 담긴 정신적인 육체)불에 귀의하옵니다.
자기 색신의 천백억화신불에 귀의하옵니다.
자기 색신의 원만보신불께 귀의합니다."

§6-12
"Miaj amikoj en la boneco, nia fizika korpo povas esti similigita al gastejo (t.e. provizora loĝejo), tial ni ne povas preni rifuĝon tie. La Tri Korpoj de la Budho sin trovas interne de nia Vera Naturo kaj estas komuna al ni ĉiuj. Ĉar la menso de la ordinara persono funkcias en iluziiteco, li ne povas vidi sian propran internan naturon; kaj la rezulto estas, ke li ignoras la Tri-korpan Bodion interne de si kaj serĉas ekstere la Tri-korpan Tatagaton. Nun ke vi jam aŭdis mian predikon, ĉiu el vi devas bone kompreni, ke la Tri-korpa Budho estas ĝuste en via Vera Naturo kaj neniel povas esti akirita de ekstere.

선지식아, 색신(色身: 육체)이란 사택(우리 살림집)이니, 여기에 귀의한다고 말할 수는 없느니라. 집에 귀의할 수 없듯이 육체에 귀의한다고 할 수는 없느니라. 앞서 말한 삼신불(三身佛: 법신불(法身佛), 화신불(化身佛), 보신불(報身佛))은, 자기의 본성 가운데 있는데, 세간 사람은 누구나 가지고 있느니라. 그런데도 자기 마음이 미혹한 까닭에 안으로는 성품을 보지 못하고, 밖으로는 삼신불을 찾아 헤매어 자신 가운데의 삼신불이 있음을 보지 못하느니라. 너희들은 자세히 듣거라. 너희들로 하여금 자신 가운데 자신의 삼신불이 있음을 보게 하리다. 이 삼신불은 자성으로부터 생겨남이지만, 밖에서 생기는 것이 아니니라.

§ 6-13

"Nu, kio do estas la Pura Darmakaja-o? Nia Vera Naturo estas propre pura; la miriadoj da estaĵoj estas ĝiaj manifestiĝoj, kaj bonaj kaj malbonaj agoj estas nur la rezulto de bonaj kaj malbonaj pensoj respektive. Tial, ĉiuj estaĵoj originas en la Vera Naturo kaj estas propre puraj. Por fari komparon, la ĉielo estas ĉiam klara, la suno kaj la luno estas ĉiam brilaj; kiam ili estas kovritaj de pasantaj nuboj, tiam fariĝos brile nur supre kaj malhele sube. Sed tuj kiam la nuboj estas forblovitaj, la brileco reaperas kiel supre tiel ankaŭ malsupre, kaj la miriadoj da estaĵoj revidos la plenan lumon. La homa naturo ofte flosas, kiel la nuboj en la ĉielo.

어떤 것이 청정법신불(淸淨法身佛)인가? 세간 사람들의 성품이 본래 청정하여 만법이 자성으로부터 생기느니라. 만약 일체 악한 일을 생각하고 헤아리면 곧 악한 행동이 생겨나고, 만약 일체의 선한 일을 생각하고 헤아리면 곧 선한 행동이 생기나니, 이같이 모든 법이 자성 가운데 있음이, 이는 마치 저 하늘이 항상 맑고, 해와 달이 항상 밝은데, 어느 순간 구름이 덮이면 위의 하늘은 밝지만 아래 하늘은 어둡게 되었는데, 문득 바람이 불어 이 구름을 흩어지게 하면, 위아래의 하늘이 함께 밝아, 만상이 모두 다시 나타나니, 세간 사람의 성품도 이와 같아 항상 들떠 있음이 마치 저 하늘의 구름과 같으니라.

"Miaj amikoj en la boneco, niaj malbonaj kutimoj estas kiel la nuboj, dum la sagaco kaj la saĝo (praĝna-o) kiel la suno kaj la luno. Kiam ni alkroĉiĝas al eksteraj objektoj, nia Vera Naturo estas nebuligita de malbonaj pensoj, kiuj malebligas al niaj sagaco kaj saĝo eligi sian lumon. Sed se ni estas sufiĉe feliĉaj trovi klerajn kaj piajn instruantojn, kiuj konigas al ni la Ortodoksan Darmon, tiam ni povas, per niaj propraj penoj, forigi la malkleron kaj la iluziitecon, tiel ke ni estas eklumigitaj interne kaj ekstere, kaj tiam la miriadoj da estaĵoj klare manifestiĝas interne de nia Vera Naturo. Tio signifas, ke ni jam vidas vizaĝ-kontraŭ-vizaĝe nian Veran Naturon. Jen kio estas nomata la Pura Darmakaja-o de Budho.

선지식아! 지(智)는 해와 같고, 혜(慧)는 달과 같아서 지혜가 항상 밝기에, 밖으로 일어나는 현상과 경계에 집착하여 망념의 뜬구름이 자성을 덮어버리면, 어두워져 빛을 잃게 되나니, 만약 선지식을 만나 참된 정법을 듣고 스스로 미망(迷妄: 어두워 갈피를 잡지 못하고 헤매는 상태)을 물리치면 안팎이 밝아져 자성 안에 만법이 훤히 드러나게 되느니라. 이렇게 모든 법이 스스로 갖추어져 있으며 원래 밝고 깨끗한 성품을 청정 법신불(법계의 이치와 일치하는 부처의 몸 또는 그 부처가 설한 정법)이라고 하느니라.

§ 6-14

"Miaj amikoj en la boneco, preni rifuĝon en sia Vera Naturo estas preni rifuĝon en la vera Budho. Tiu, kiu prenas tian rifuĝon, devas forigi el sia Vera Naturo la malbonan menson, la envian menson, la flatan kaj malhonestan menson, la egoismon, la trompemon kaj la mensogemon, la malestimon, la malhumilecon, la erarajn kaj herezajn opiniojn, la arogantecon, kaj ĉiuj aliajn malbonojn, kiuj povas estiĝi en ĉiu momento de la pasinteco, la nuno kaj la estonteco. Preni rifuĝon en si mem estas ĉiam resti observema por siaj propraj eraroj, kaj sin deteni de kritikado de alies meritoj kaj malmeritoj. Tiu, kiu estas humila kaj modesta en ĉiuj okazoj kaj estas ĝentila kaj respektema al ĉiuj homoj, jam plene konas sian Veran Naturon, tiel plene, ke lia Vojo estas libera de pluaj obstakloj. Jen kio estas maniero preni rifuĝon en ni mem.

선지식아, 자심이 귀의함이란 곧 자성에 귀의함이며, 곧 진불(真佛)에 귀의함을 말하느니라. 스스로 귀의함이란, 자성 가운데 선하지 않은 마음, 질투심, 교만심, 아집과 허황된 마음과 남을 업신여기는 마음과 삿된 소견과 아만(我慢)심과, 모든 경우의 일체 착하지 않은 행동, 이 모두를 버리는 것이니라. 항상 자기 스스로의 허물을 보며 남의 호오(좋고 싫음)를 말하지 않음이 곧 스스로가 귀의하는 것이며, 또한 항상 하심(下心)하고 널리 공경하면 곧 성품으로 보아 일체에 통달하여 다시는 막힘이나 걸림이 없나니 이것이 스스로 귀의하는 것이니라.

§ 6-15

"Kio estas la Perfekta Sambogakaja-o? Ĝi estas kiel lampo, kies lumo povas rompi la mallumon, kiu regis tie mil jarojn. Eĉ unu sola sparko de la saĝo de unu persono povas fini la malkleron, kiu daŭris jam dek mil jarojn. Ni ne bezonas ĉagreniĝi pro la pasinteco, ĉar la pasinteco jam forpasis kaj estas neriparebla. Kio postulas nian atenton, estas la estonteco; sekve lasu al niaj pensoj de momento al momento esti klaraj kaj perfektaj, kaj lasu al ni vidi vizaĝ-kontraŭ-vizaĝe nian originan naturon. La bono kaj la malbono estas kontraŭaj unu al la alia, sed ilia substanco ne estas dueca. Tiu ĉi nedueca naturo estas nomata la efektiva naturo (t.e. la absoluta realeco), kiu povas esti nek makulita de malbono, nek infektita de bono. Jen kio estas nomata la Perfekta Sambogakaja-o de Budho.

다음으로 어떤 것을 원만보신(圓滿報身)이라 하는가? 하나의 등불이 천년의 어둠을 밝히고, 한 번의 지혜가 만년의 어리석음을 능히 없애느니라. 그러므로 지나간 일은 생각하지 마라. 이미 지나간 것이므로 가히 얻을 수 없음이라. 항상 나중을 생각하라. 생각 생각을 바르고 뚜렷이 하면서 스스로 본성을 보라. 산과 악이 비록 특수하나, 본성은 둘이 없는 성품, 즉, 실다운 성품이니라. 이 실다운 성품 가운데 선악에 물들지 않음을 일러 원만보신불이라 하느니라.

"Kiam unu sola malbona penso leviĝas en nia Vera Naturo, tiam estingiĝas la bonaj meritoj akumulitaj dum miloj da kalpa-oj; kiam unu bona penso estiĝas en nia Vera Naturo, tiam foriĝas la pekoj tiel multaj, kiel la sableroj en Gango, kaj reaperas la senegala bodio. Tial vidi nian propran Veran Naturon de momento al momento sen interrompo ĝis ni atingas la Subliman Eklumiĝon, kaj konstante esti en bona mensostato, estas la sambogakaja-o.

자성이 한 생각이라도 악을 생각하면 만겁 동안 쌓은 착한 선(善) 종자가 없어지고, 자성이 한 생각으로 선을 생각하면 항하의 모래의 숫자와 같은 악이 모두 없어져 곧 무상보리에 이르나니, 생각마다 자성을 보아 본념을 잃지 않음이 곧 보신(과거의 선행 공덕으로 얻은 부처의 몸)이니라.

§ 6-16

"Kio estas la Miriada Nirmanakaja-o? Se ni ne pensas pri iu ajn el la sennombraj estaĵoj, tiam nia menso estas malplena. Se nur unu sola penso estiĝas kaj tuj okazas transformiĝo. La pensado pri malbono transformas nian menson en inferon; la pensado pri bono ŝanĝas nian menson en ĉielon. Se ni estas malica kaj malamoplena, ni estas kiel malbona drako kaj serpento. Kompataj pensoj transformas nin en bodisatvon. La saĝo metas nin en la suprajn regnojn, dum la malklero sendas nin al la malsupraj regnoj. Nia Vera Naturo havas multajn transformiĝojn. La iluziitaj homoj ne scias pri tio. Ili konstante pensas malbonajn pensojn kaj ĉiam sekvas malbonan vojon. Se ili povas reveni al unu penso pri bono, praĝna-o (saĝo) tuj leviĝos en ili. Jen kio estas nomata la nirmanakaja-o de la Budho de nia Vera Naturo.

어떤 것을 천백억화신이라 하는가? 만약 만법을 생각하지 않으면 성품이 본래 허공과 같느니라. 한 생각을 헤아리면 이것이 즉시 변함이 일어나느니라. 악한 일을 생각하면 이로 인해 그 생각이 지옥이 되고, 착한 일을 생각하면 그로 인해 천당이 되고, 남을 해치려거나 독을 품은 마음은 그로인해 용이나 뱀 같은 축생이 되고, 자비의 마음을 내면 그로 인해 보살이 되니라. 지혜로움이 생겨나면, 상계(윗세계)인 천상계가 되고, 어리석음은 아래 세계인 지옥, 아귀, 축생이 되리다. 이렇게 자성은 마음먹기에 따라 그 모습이 여럿으로 변하느니라. 미혹한 사람은 이 도리를 깨우치지 못하고 나쁜 마음을 일으켜 나쁜 행동을 하게 되고 결국 악도(나쁜 세계)에 빠져들게 된다. 그러나 만약 한 생각을 선으로 돌이키면 곧 지혜가 생기느니, 이를 자성의 화신불(化身佛: 부처가 중생을 구제하기 위하여 여러 가지로 모습을 바꾸어 이 세상에 나타남)이라 하느니라.

§ 6-17

"Miaj amikoj en la boneco, la darmakaja-o estas propre memsufiĉa. Vidi vizaĝ-kontraŭ-vizaĝe de momento al momento nian Veran Naturon estas la nirmanakaja-o de Budho. Koncentri nian menson sur la sambogakaja-o (por ke la praĝna-o aŭ saĝo leviĝu) estas la nirmanakaja-o. Atingi la eklumiĝon per niaj propraj penoj kaj praktiki per si mem la bonecon esence propran en nia Vera Naturo estas vera “preno de rifuĝo” . Nia fizika korpo, kiu konsistas el karno, haŭto ktp, estas provizora loĝejo — ni ne povas preni rifuĝon en ĝi. Se ni nur konas la Tri Korpojn de la Budho de nia Vera Naturo, ni povos ekkoni la Budhon de nia Vera Naturo.

선지식아! 법신은 본래 갖추었기에, 생각과 생각마다 스스로 자성을 보는 것이 즉, 보신불이고, 보신이 사량하면 이것이 곧 화신불이니라. 자성이 자수하고, 자성이 공덕을 스스로 깨닫고 스스로 닦음이 곧 참된 귀의이니라. 가죽과 살로 된 이 육신(육체)가 곧 색신이고, 색신은 사택(우리가 살고 있는 집)이니 색신에 귀의한다고는 말할 수 없느니라. 다만 자성의 삼신(세 가지 몸체, 즉, 법신, 보신, 화신)을 깨달으면 자성불(자성의 큰 뜻)을 아느니라.

§ 6-18

“Mi havas ‘Senforman’ Ĉanton. La recitado kaj praktikado de ĝi tuj dispelos la iluziojn kaj estingos la pekojn akumulitajn dum sennombraj kalpa-oj. Jen ĝi estas:

이제 나에게 ‘무상송’ 이 있으니, 너희들은 능히 외우고 마음에 지녀라. 그러면 말이 떨어진 바로 그 때 누겁 동안 미혹되어 지은 죄가 일시에 소멸할 것이니라.” 하시고는 송을 이르셨다.

La iluziitaj homoj akumulas makulitajn meritojn sed ne sekvi la Vojon.
Ili estas sub la impreso, ke akumuli la meritojn kaj sekvi la Vojon estas la sama afero.

미혹한 사람이 복을 닦으면서 도를 닦지 않으면서, 복을 닦음이 또한 도라고 말하네.

Kvankam la farado de oferoj kaj la praktikado de malavareco donas senfinan meriton,
Tamen la tri venenaj elementoj (avido, kolero kaj iluzio) estiĝas interne de nia menso.

보시하고 공양함은 가이없는 복을 주지만, 마음속의 삼악(三惡: 탐, 진, 치)을 짓고 있으면

Ili esperas estingi siajn pekojn per akumulado de meritoj,
Ne sciante, ke la feliĉo akirota en la estontaj vivoj havas nenian rilaton al la estingitaj pekoj.

복을 닦아 장차 지은 죄를 없애려 해도, 후세에 복은 받지만, 죄는 여전히 남아 있네,

Kial ne forigi la pekojn interne de nia propra menso?
Ĉiu ja devas fari veran penton interne de sia Vera

Naturo.

다만 마음 가운데 죄의 인연을 없애면, 각자 성품에서 참된 참회가 되니

§6-19
Tiu, kiu subite atingas veran penton laŭ la Mahajana Skolo,
Kaj tiu, kiu ĉesas faradi malbonon kaj honeste agas, estas libera de malbona karmo.

대승(大乘: 공사상과 보살사상, 육바라밀 또는 십바라밀의 체계를 그 특징으로 함)법을 깨달아 참된 참회를 하면, 삿됨을 없애고 바르게 행하면 즉시 무죄(죄가 없음)이니,

La praktikanto de la Vojo, kiu konstante observas sian Veran Naturon,
Povas esti en la sama kategorio kiel ĉiuj budhoj.

학도자는 항상 자성을 관하면,
즉 일체의 불과 동일한 범주에 들어가리니.

Niaj Patriarkoj transdonis neniun alian instruon, ol tiun ĉi 'Subitan' Skolon.
Se nur ĉiuj sekvantoj de ĝi povus vidi sian Veran

Naturon kaj tuj esti kun la budhoj!

우리 조사 바라심은 돈법을 전하여, 모든 중생이 견성
하여 한 몸 됨이니.

Se vi intencas serĉi la darmakaja-on,
Apartigu vin de darmalakŝana-o (la formoj de darmo),
kaj tiam via menso estos pura.

만약 오는 세상에서 누구든지 법신을 보려면, 모든 법
상을 여의고 마음을 씻어라.

Penu por vidi vizaĝ-kontraŭ-vizaĝe la Veran Naturon,
kaj ne estu malrapidema,
Ĉar la morto povas subite veni kaj meti abruptan
finon al via vivo.

노력하라, 살펴보라, 노닐지 마라, 뒷생각이 끊어지면
한세상이 끝나게 되느니라.

Tiuj, kiuj komprenas la mahajanan instruon kaj sekve
kapablas ekkoni sian Veran Naturon,
Devas kunmeti la manplatojn sur la brusto (en signo
de respekto) kaj fervore serĉi la darmakaja-on."

만약 대승을 깨달아 견성하려면, 경건히 합장하고 지성

의 마음을 다하라.

§6-20
Poste la Patriarko aldonis:

조사께서 말씀하셨다.

"Miaj amikoj en la boneco, vi ĉiuj devas reciti tiun ĉi ĉanton kaj meti ĝin en praktikon. Se ĉe tio vi tuj vidas vian Veran Naturon, tiam ŝajnas, kvazaŭ vi estas ĉiam kun mi, kvankam efektive vi estas for de mi je mil lioj. Alie, eĉ se ni nin vidas vizaĝ-kontraŭ-vizaĝe, ni estas fakte apartigitaj unu disde la alia je mil lioj. Tiuokaze, kian utilon do havas la longa vojaĝo farita por veni ĉi tien de malproksime? Bone zorgu pri vi mem. Ĝis revido!"

선지식아, 누구나 모름지기 이 게송을 외워라. 이에 의지하여 수행하면 말이 떨어진 그때 견성할 것이니라. 이는 비록 내게서 천리를 떨어져 있더라도 항상 내 곁에 있음과 같으려니와, 만일 언하에 깨닫지 못하면 비록 나와 얼굴을 서로 맞대고 있어도 천리를 떨어져 있음이니, 어찌 힘들여 먼데서 찾아오랴. 자신들을 잘 살펴라. 모두 잘 가거라." 하였다.

Aŭdinte, kion la Patriarko diris, ĉiuj ĉeestantoj

eklumiĝis. Ĝojplene ili akceptis la instruon kaj estis pretaj meti ĝin en sian praktikon.

이에 함께한 대중이 대사의 법을 듣고 깨치지 않는 이가 없으니, 모두가 환희하여 받들어 행하였다.

ĈAPITRO 7. KELKAJ FAMAJ KONVERTIĜOJ

기연품(부처님의 가르침을 받을 만한 인연)

§ 7-01

Kiam la Patriarko revenis al la vilaĝo Caohou (kie estis la templo Nanhua) en Shaozhou post sia heredo de la Darmo en Huangmei, li estis ankoraŭ persono en obskureco. Tiam iu konfuceano-klerulo nomata Liu Zhilüe donis al li varman akcepton kaj apartajn konsiderojn. Zhilüe havis onklinon, kiu estis bikŝuino nomata Wujinzang (Neelĉerpebla Trezororejo). Ŝi kutime recitis la sutron Maha-Parinirvana.

대사께서 황매에서 법을 받고 소주의 조후 촌에 이르시니, 아무도 아는 이가 없었으나 다만 유지략이라는 유가의 선비가 있어 매우 후하게 예우하였다. 지략의 고모이자 비구니인 무진장이라는 이가 항상 『대열반경』을 지송하고 있었다.

Aŭdinte ŝian reciton dum nur mallonga tempo, la Patriarko jam ekkomprenis ĝian profundan signifon kaj komencis klarigi ĝin. Poste ŝi levis la libron kaj demandis lin pri la signifo de iuj ideografiaĵoj.

대사는 이 경 읽는 것을 잠시 듣고, 곧 그 오묘한 뜻을 아시고 그에게 해설을 해 주었더니, 그 비구니가 경을 들고 와서 글자를 물었다.

“Mi estas analfabeto,” li respondis, “sed se vi deziras scii la signifon, bonvolu demandi.”

대사는 말씀하시기를 “글자는 내가 모르니 뜻을 물어라” 하셨다.

“Kiel do vi povas kapti la signifon de la teksto,” ŝi redemandis, “se vi eĉ ne konas la ideografiaĵojn?”

비구니가 말하기를 “글자를 모르고서 어찌 뜻을 압니까?” 한다.

Al tio ĉi li respondis: “La subtilaj kaj profundaj instruoj de la budhoj havas nenian rilaton al la skribaĵoj.”

이에 대사께서 말씀하셨다. “모든 부처님의 묘한 진리는 문자에 상관이 없느니라.”

§ 7-02

Tiu ĉi respondo tre surprizis ŝin, kaj ŝi diris al ĉiuj piaj pliaĝuloj en la vilaĝo: “Tiu ĉi homo estas persono ne ordinara, sed sankta. Ni devas peti lin resti kaj konsenti ricevi ĉi tie liveratajn loĝon kaj nutron."

이에 그 비구니는 놀라고 이상하게 여겨 온 마을의 덕망있는 사람들에게 이 이야기를 퍼뜨렸다. 그리고 "이 분은 필시 도인이니 마땅히 잘 받들어 공양하여야 한다." 하였다.

Post tio, iu posteulo de la Imperiestro Wu de la dinastio Wei (t.e. Cao Cao, 155—220, la fondinto de la regno Wei, fama ŝtatisto kaj lirika poeto), nomata Cao Shuliang, kaj aliaj vilaĝanoj konkure venis fari omaĝon al la Patriarko. La malnova templo Baolin, ruinigita pro milito ĉe la fino de la dinastio Sui, estis rekonstruita de ili por la Patriarko. Post nelonge ĝi fariĝis fama templo.

그때 위(魏, 220~265: 삼국 시대 조조가 기반을 닦고 조비가 세운 나라) 무후의 현손되는 조숙량이 그곳에 살고 있었는데 주민들과 함께 다투어 찾아와서 예배를 드렸다. 그 무렵 보림이라는 옛절은 수나라 말엽의 전쟁으로 불타버려 빈터만 남아 있었는데 이 옛터에 다시 정사를 짓고 대사를 맞아 머무르시게 하니 얼마 안 되어 유명사찰이 되었다.

Post naŭ monatoj kaj iom pli da tagoj, la malamikoj de la Patriarko ree trovis lin. Li do rifuĝis sur proksima monto. La persekutantoj metis fajron al la arbaro. La Patriarko kaŝis sin inter rokoj kaj sukcese eskapis. Unu el tiuj rokoj, konata kiel "Roko de rifuĝo", havas la genu-postsignoj de la Patriarko kaj ankaŭ la premsignon de lia robo.

대사께서 이곳에 머무신 지 9개월 남짓하여 또 악당의 무리들이 쫓아왔다. 대사께서는 앞산으로 피하시니 저들이 그 산에 불을 질러 초목이 모두 타버렸다. 대사께서는 바위틈을 밀고 들어가, 몸을 숨기어 난을 면하였다. 지금 그 바위에는 대사께서 가부좌를 하고 앉으신 무릎의 흔적과 옷자락 무늬가 남아 있어 '피난바위'라고 부르고 있다.

Sekvante la instrukcion de sia majstro, la Kvina Patriarko, ke li devas halti ĉe Huai kaj sin kaŝi ĉe Hui (vd. §1-19), li faris tiujn ĉi du distriktojn (Huaiji kaj Sihui) lokoj de sia retiriĝo kaj de sia predikado.

대사는 오조께서 '회(懷)를 만나면 머물고 회(會)를 만나면 숨으라' 하신 당부의 말씀을 상기하고는 두 고을에 몸을 숨기셨던 것이다.

§7-03

Iu bikŝuo nomata Fahai, indiĝeno de Qujiang de Shaozhou, ĉe sia unua intervidiĝo kun la Patriarko demandis pri la signifo de la fama diro "akiri la menson, akiri la budhecon" .

승 법해(法海)라는 이는 소주 곡강 사람이다. 처음 조사께 참례하고는 물었다. "즉심즉불(卽心卽佛: 마음을 얻음이 곧 불성을 얻는다)이라는 말의 뜻을 가르쳐 주십시오."

La Patriarko respondis: "Lasi neniun pasintan penson reaperi estas "akiri la menson" , lasi neniun venontan penson neniiĝi estas "akiri la budhecon" . Povi prezenti al si ĉiujn formojn estas "akiri la menson" ; esti libera de ĉiuj formoj estas "akiri la budhecon" . Se mi donus al vi detalan klarigon, la temo ne povus elĉerpiĝi eĉ se mi uzus la tempon de unu tuta kalpa-o. Do aŭskultu mian gata-on.

조사께서 말씀하셨다. "전념(前念)이 나지 않은 것이 마음에 즉함(마음을 얻음)이요, 후념(後念)이 멸하지 않는 것이 불에 즉함(불성을 얻음)이느니라. 일체상을 이룸이 마음에 즉함이요, 일체 상을 여읨이 불에 즉함이다. 내가 이를 다 말하자면 겁을 다하여도 다 말하지 못 하느리라. 내 게송을 들어라.

Praĝna-o estas "akiri la menson,"
Samadi-o estas "akiri la budhecon" .

마음에 즉함(마음을 얻음)을 혜라 하고
불에 즉함(불성을 얻음)이 정이라 하니

En praktikado, praĝna-o kaj samadi-o devas funkcii kune;
Tiam niaj pensoj estos puraj.

정과 혜가 서로 같아 그 뜻은 항상 청정하느니라.

Tiu ĉi instruo povas esti komprenata
Nur per via "kutimo de praktiko".

나의 이 법문은 너의 실행 습성을 통해서만 이해가 될 지니

Samadi-o funkcias, sed esence ĝi ne fariĝas.
Kune uzi praĝna-on kaj samadi-on estas la ĝusta praktiko."

작용이란 본래 생김이 없고,
정과 혜를 쌍으로 닦음이 곧 바름이라.

Aŭdinte kion la Patriarko diris, Fahai tuj eklumiĝis. Li laŭdis la Patriarkon per la jena gata-o:

법해가 그 말이 떨어진 그때 대오하고는 게송을 지어

찬탄하였다.

Vera estas “akiri la menson, akiri la budhecon”!
Sed mi blindigus min, se mi ĝin ne komprenus.

이 마음이 원래 부처임을 깨닫지 못하고
스스로 눈을 가렸네.

Nun mi konas la principan kaŭzon de praĝna-o kaj samadi-o;
Ilin ambaŭ mi praktikos por min liberigi de ĉiuj formoj.

내 이제 정과 혜의 원인을 알았으니,
이들을 쌍으로 닦아서 모든 상을 여읠 터이다.

§ 7-04

Ankoraŭ unu bikŝuo Fada, indiĝeno de Hongzhou, kiu aliĝis al la Budhana Ordeno en sia frua aĝo de sep jaroj. Li kutime recitis la sutron Lotuso de Bona Leĝo (sanskrite: Saddharma Pundarika Sutra, unu el la plej gravaj sutroj de la mahajana budhismo). Kiam li venis por esprimi sian respekton al la Patriarko, li ne malaltigis sian kapon ĝis la tero.

승 법달(法達)이라는 이는 홍주 사람이다. 7세에 출가하여 항상 『법화경』(기원 전후에 진보적이면서도 믿음이 두터운 대승의 불교도들에 의해 성립되기 시작하여 여러 차례에 걸쳐 증보되었는데, 예로부터 '대승경전의 꽃' 또는 '모든 경전 중의 왕'이라 한다.『법화경』은 전반부와 후반부로 나눌 수 있는데, 전반부는 회삼귀일(會三歸一)을, 후반부는 세존의 수명이 무량함을 밝히고 있음)을 외워왔다. 조사를 뵈옵고 예배할 때 머리가 땅에 닿지 않으니 조사께서 꾸짖었다.

La Patriarko riproĉis lin dirante: "Se salutante vi ne malaltigas vian kapon al la tero, tiam estus preferinde por vi tute ne fari saluton. Devas sin trovi io en via menso. Ĉu vi povas diri al mi, kion vi faras en via ĉiutaga praktikado?"

"절을 하여도 머리를 땅에 붙이지 않음은 절을 아니함만 같지 않느냐? 네 마음속에 반드시 한 물건이 있구나! 네가 익혀온 일이 무엇이냐?"

"Mi recitas la Lotusan Sutron," respondis Fada. "Mi jam legis la tutan tekston je tri mil fojoj."

법달이 답히기를 "『법화경』을 3천번 외웠습니다."

"Se, leginte la sutron je dek mil fojoj," rimarkis la

Patriarko, "vi jam vere kaptus la signifon sen esti aroganta pri via plenumitaĵo, tiam vi devus esti sur la sama vojo (al la Budha vero), kiel mi. Kaj tamen tio, kion vi plenumis, jam faris vin malmodesta, kaj plie, vi ŝajne ne scias, ke tio estas eraro. Aŭskultu do mian gata-on:

조사께서 이르셨다. "네가 만약 경을 1만번 외워 그 경의 뜻을 알았더라도 그것을 자랑으로 삼지 않으면 나와 함께 할 수 있겠으나, 네가 이제 그 일을 자부하여 도무지 허물이 되는 줄을 모르는구나! 내 게송을 들어라."

La celo de riverenco estas forigi arogantecon.
Kial do vi ne malaltigis vian kapon ĝis la tero?

예배란 본래 내 자만심을 꺾는 일인데
어찌하여 머리가 땅에 닿지 않는가?

Se vi havas "mi" -n en vi, vi jam havas pekon;
Se vi forgesas viajn meritojn, vi havas feliĉon senkomparan."

'아(我: 나)' 가 있다는 것이 곧 죄를 생기게 하고,
공(功)을 잊으면 복이 한량없네.

§ 7-05

Poste la Patriarko demandis: “Kia estas via nomo?”

조사께서 또 말씀하셨다. “네 이름이 무엇이냐?”

“Fada,” estis la respondo.

“법달이옵니다.”

“Via nomo estas Fada (kiu signifas ‘atingi la Darmon’), tamen vi efektive ne atingis ĝin.” Li do improvizis gata-on:

“네 이름이 법달이기는 하니, 아직 너는 법에는 도달하지 못했구나! 다시 내 게송을 들어라.”

Via nomo estas Fada (Darmo-atingo),
Kaj diligente kaj persiste vi recitas la sutron.

네 지금의 이름이 법달이라 하고
부지런히 외웠지만 아직 제대로 익히지 못하였네.

Lipa ripetado de la teksto nur sekvas la prononcadon,
Sed tiu, kies menso eklumiĝis kaptinte la signifon, ja estas budho.

공연히 외운다는 것은 소리만을 따를 뿐이니

그 뜻을 알고 마음을 밝혀야 보살이라 할 수 있다.

Ĉar vi kaj mi havas komunan karmon,
Nun mi klarigos al vi tion ĉi.

너는 나와 더불어 인연이 있으니
이제 내가 너를 위하여 말하노라.

Se vi kredas, ke la Budho senvorte parolas,
Tiam la Lotuso floros en via buŝo. (T.e.: vi povos diri la signifon aŭ la mesaĝon de la sutro Lotuso de Bona Leĝo.)

부처님은 말없이도 말하고 있음을 오직 믿어라.
그러면 연꽃이 네 입에서 피어나리라.

Aŭdinte la gata-on, Fada sentis konsciencan riproĉon kaj petis pardonon. Li aldonis: "De nun mi estos humila kaj respektema en ĉiuj okazoj. Ĉar mi ne bone komprenas la signifon de la sutro, kiun mi recitis, mi ofte konfuziĝas pri ĝia ĝusta interpreto. Kun via granda saĝo, ĉu Via Sankteco volus esti afabla kaj doni al mi mallongan klarigon?"

법달이 이 게송을 듣고 깊이 뉘우치고 사과를 하며 말하기를, "이제부터는 마땅히 겸손하고 일체를 공경하겠습니다. 제가『법화경』을 외워도 아직 그 경의 뜻을 알지 못하였기에 마음 한구석에 항상 의심이 있었습니다. 화상께서는 지혜가 광대하시니 바라옵건대 이 경의 뜻을 간략히 말씀하여 주십시오."

§7-06

La Patriarko respondis: "Ĉar via nomo estas 'Fada' aŭ 'Darmo-atingo', mi do diras ion pri la Darmo kaj vi. la Darmo estas tre klara, kaj estas nur via menso, kiu ne estas klara. La sutro estas libera de dubaj paragrafoj, kaj estas nur via menso, kiu faras ilin dubaj. Recitante la sutron, ĉu vi scias ĝian ĉefan celon?"

"법달아, 네 이름이 법달이니, 이는 법에 도달해 있다는 뜻인데, 내가 법과 너에 대해 말할 터이니, 법이란 아주 명확하느니라. 다만 네 마음은 아직 명확함에 도달하지 못하였구나. 경이란 본래 의심할 여지가 없는데, 네 마음이 스스로 의심하는구나! 네가 이 경을 외운다니 이 경은 무엇을 주요 목적으로 삼는다고 생각하는가?

"Mi estas tiel mensobtuza kaj stulta," respondis Fada, "ke mi scias nur laŭvorte reciti la tekston. Ĝia ĉefa mesaĝo ja estas super mia komprenpovo."

“배우는 이가 근성이 어둡고 둔하여 이제까지 다만 겉으로 글자만 따라 외웠을 뿐이니 어찌 주요 목적을 아오리까?”

La Patriarko respondis: “Bonvolu do reciti la sutron por mi, ĉar mi ne kapablas mem legi. Poste mi klarigos al vi ĝian signifon.”

“그렇다면 나는 아직 글자도 모르니 네가 경을 한 번 외워보아라. 네 마땅히 너를 위하여 해설을 해주리라.”

Fada recitis la sutron, sed kiam li venis al la ĉapitro titolita “Paraboloj”, la Patriarko haltigis lin, dirante: “La ĉefa temo de tiu ĉi sutro estas ekspliki la kaŭzon de enkarniĝo de la Budho en tiu ĉi mondo. Kvankam paraboloj kaj ilustroj estas sennombraj en tiu ĉi libro, tamen neniu el ili transpasas tiun ĉi centran punkton. Nu, kio do estas tiu kaŭzo? La sutro diras: ‘Estas pro la sola granda kaŭzo kaj por la sola celo, ke la respektegindaj budhoj aperas en tiu ĉi mondo’. La sola granda kaŭzo, kiu estas menciita ĉi tie, estas nenio alia, ol la Budho-Saĝo.”

이에 법달이 큰 소리로 경을 외우니 비유품에 이르니 조사께서 말씀하셨다. “그만 그쳐라. 이 경은 원래 인연 출세를 주제로 삼는 것이니, 비록 많고 많은 비유를 들어 말씀하시나 모두 이 점을 넘지 않느니라. 인연이라 함은 무엇인가? 경에 이르기를 '제불 세존이 이 세상에 출현하심은 오직 일대사 인연 때문이니라' 하였으니, 일대사라고 함은 부처님의 지견(知見)이다.

§ 7-07

"La ordinaraj homoj alkroĉiĝas al la eksteraj objektoj; kaj interne, ili falas en la eraran ideon pri la 'malpleneco'. Kiam ili povas liberigi sin de la alkroĉiĝo al objektoj en kontakto kun ili kaj liberigi sin de la erara opinio pri la 'malpleneco', tiam ili estos liberaj de iluzioj interne kaj ekstere. Tiu, kiu ekkomprenas tion ĉi kaj kies menso sekve eklumiĝas dum momento, estas konsiderata kiel jam malferminta siajn okulojn por la vido de la Budho-Saĝo.

세상 사람들이 밖으로 미혹하여 상(相)에 집착하고 안으로는 미혹하여 공에 집착하니 만약 능히 상에서 상을 여의고 공(空)에서 공을 여의면, 즉시 내외로 미혹하지 않을 것이니, 만약 이 법을 깨달으면, 한 생각 한 마음이 열리게 되고 이를 불지견(佛知見: 부처님 지혜)을 열었다 하느니라.

"La vorto 'budho' estas ekvivalenta al 'eklumiĝo', kiu povas esti komprenata (kiel en tiu

ĉi sutro) sub kvar kategorioj:
Malfermi la okulojn por la vido de la Budho-Saĝo.
Montri la eklumiĝon pri la Budho-Saĝo.
Vekiĝi al la eklumiĝo pri la Budho-Saĝo.
Identiĝi kun la eklumiĝo pri la Budho-Saĝo.

여기서 '불(佛)' 이란 깨달음을 뜻하니 이를 나누면 4 가지가 되느니라. 깨달음의 지견을 열고, 깨달음의 지견을 보이며, 깨달음의 지견을 깨닫고, 깨달음의 지견에 들어감이란다.

"Se ni povas, instruate, identiĝi kun la vero, tiam vi estas jam vekita al la Budho-Saĝo, kaj via Vera Naturo sin manifestas."

만약 깨달음의 지견을 열어서 보임을 알고서 문득 능히 깨달음에 들어가면 이것이 곧 깨달음의 지견이자 본래의 참 성품으로 나타나게 되느니라.

§ 7-08

"Vi ne devas misinterpreti la tekston kaj veni al la konkludo, ke la Budho-saĝo estas io speciala al la budho kaj ne komuna al ni ĉiuj pro tio, ke vi okaze trovis en la sutro tiujn ĉi vortojn 'malfermi', 'montri', 'vekiĝi' kaj 'identiĝi'. Tia misinterpreto egalus kalumnion al budho kaj blasfemon al la sutro.

Ĉar la budho jam estas dotita per tiu ĉi Saĝo, kian bezonon do li havas malfermi siajn okulojn por ĝi. Tial vi devas kredi, ke la Budho-Saĝo estas la Budho-Saĝo de via propra menso kaj ne tiu de iu ajn alia budho.

너는 경의 뜻을 그릇 알지 않도록 삼가라. 경에 '열어 보이고 깨달음에 들어간다' 이르심을 보고 만일 '이것은 부처님의 지견일 뿐 우리 분수에는 맞지 않는다' 라는 이런 견해를 가진다면 이는 바로 부처님을 비방하고 경전을 훼손하는 것이니라. 저가 이미 불이며, 이미 지견을 갖추었으니 어찌 다시 열 것이 있으랴? 마땅히 너는 불지견이라는 것은 다만 너 자신의 마음일 뿐 다시 다른 불이 없음을 믿어라.

"Fermante sin for de sia propra lumo pro sia forta enamiĝo al sensobjektoj, ĉiuj sentohavaj estaĵoj, turmentate de la eksteraj cirkonstancoj kaj internaj ĉagrenoj, agas volonte kiel sklavoj de siaj propraj deziroj. Vidante tion ĉi, nia Sinjoro Budho estas devigita leviĝi de sia samadi-o (medito) por admoni ilin per diversmaniera, senlaca predikado, ke ili subpremu sajn dezirojn kaj detenu sin de serĉado de feliĉo de ekstere, por ke ili povu fariĝi egaluloj de budho. Jen kial la sutro diras: 'Malfermu viajn okulojn por la vido de la Budho-Saĝo.'

대개 일체 중생이 스스로 자기광명을 가지고 육진 경계를 탐애하며 밖으로 반연하고 안으로 흔들면서 온 생애를 쫓고 쫓기며 시달림에도 도리어 달게 여기니, 이에 세존께서 삼매에서 일어나시어 여러 가지 간곡한 말씀으로 저들에게 권하여 편안히 쉬도록 짐짓 수고하시는 것이다. 부디 밖을 향해 구하지 말라. 불(부처)과 더불어 둘이 아니기 때문이니, 이 까닭에 '불지견을 열라' 하신 것이며, 나 또한 모든 사람에게 권하기를 '자기 안에서 항상 불지견을 열라' 하는 것이다.

§ 7-09

"Mi ankaŭ konsilas al ĉiuj homoj konstante teni siajn okulojn al la Budho-Saĝo interne de sia menso. Sed en sia perverseco la homoj en la mondo kutime faras pekojn en iluziiteco kaj malklero. Ili estas afablaj en siaj vortoj, sed estas malicaj en sia menso. Ili estas avidaj, malamemaj, enviaj, trompemaj, flatemaj, arogantaj, egoismaj, ofendemaj al aliaj homoj kaj detruemaj al senanimaj objektoj, kaj sekve ili malfermas siajn okulojn kutime por la saĝo de 'ordinaraj homoj'. Se ili povas ĝustigi sian koron, tiel ke la saĝo konstante leviĝos, la menso estos sub introspekto, kaj la malbonfaroj estos anstataŭitaj de bonfaroj, tiam ili inicos sin en la Budho-saĝon.

세간 사람이 마음이 삿되고 어리석으며 미혹하여 죄를

짓되 입으로는 선하고 마음은 악하며 탐심과 진심, 치심과 아첨과 거만함으로 남을 침해하고 일을 해쳐서 스스로 중생지견을 여나니, 만약 능히 마음을 바르게 하고 항상 지혜를 내어 자기 마음을 비추어 보아 악한 짓을 그치고 착한 일을 행한다면 이것이 스스로 불지견을 여는 것이니라.

"Kaj tial vi devas de momento al momento malfermi viajn okulojn, ne por la saĝo de 'ordinaraj homoj', sed por la supertera Budho-saĝo, kiu estas super la vulgareco, dum la unua estas de la homa mondo. Aliflanke, se vi alkroĉiĝas al la arbitra ideo, ke la nura recitado de la sutro kiel la ĉiutaga praktikado estas sufiĉe bona, tiam vi estas simila al la poefago, kiu enamiĝas al sia propra vosto." (La poefago estas kredata havi narcisman amon al sia vosto.)

너는 모름지기 생각마다 불지견을 열되 중생지견을 열지 않도록 애써라. 불지견을 열면 이것이 즉 세간에서 뛰어남(출세함)이요, 중생지견을 열면 이것이 즉 세간임이니라. 네가 만약 다만 힘들여 경을 외우고 그것으로 공과를 삼는다면 얼룩소가 제 꼬리를 사랑하는 것과 무엇이 다르랴!"

§ 7-10

Fada do diris: "Se estas tiel, ni nur devas koni la

signifon de la sutro kaj tiam ne estos necese por ni reciti ĝin. Ĉu prave?"

법달이 여쭈었다. "만약 그러하오면 다만 뜻만 알도록 하고 수고롭게 경을 외울 필요는 없겠습니까?"

"En la sutro sin trovas nenio malutila," respondis la Patriarko. "Kio do en ĝi malhelpus al vi ĝin reciti? Ĉu la sutro-recito lumigos vin aŭ ne, aŭ ĉu profitigos vin aŭ ne, tute dependas de vi. Kiam vi recitas la sutron per via lango kaj metas ĝian instruon en efektivan praktikon, tiam vi 'turnas', se oni povas tiel diri, la sutron per via menso; kiam dum vi recitas ĝin sen meti ĝin en praktikon, tiam vi estas 'turnata' de la sutro. Aŭskultu do mian gata-on:

조사께서 말씀하셨다. "경에 무슨 허물이 있건대 너는 경을 외우는 것을 못하게 하랴. 대개 어리석음과 깨달음이 사람에게 있고 손해되고 이익이 되는 것이 모두 자신에게 달렸으니 입으로 외우고 마음으로 실행하면 곧 이것이 경전을 '굴리는' 것이요, 입으로 외우고서도 마음으로 실행하지 않으면 이것은 곧 경이 너를 '굴리는' 것이니 다시 내 게송을 들어라.

Kiam nia menso estas sub iluzio, la Lotuso (t.e. la sutro Lotuso de Bona Leĝo) 'turnas' nin.

Kun eklumigita menso ni 'turnas' la Lotuson anstataŭe.

마음이 미혹하면 『법화경』이 나를 굴리고. 마음이 깨치면 내가 『법화경』을 굴리네.

Recitadi la sutron de tempo al tempo sen scii ĝian ĉefan instruon,
Indikas, ke vi estas nekonato al ĝia signifo.

아무리 경을 외워도 자성을 못 밝히면
뜻과는 달리 원수같이 등을 지네

La ĝusta maniero estas sen alkroĉiĝo al pensoj;
Alie, la maniero estas erara.

무념으로 경을 외우면 바른길이 뚜렷하고
유념으로 경을 외우면 그릇된 길에 헤매는구나

Tiu, kiu estas super 'alkroĉiĝo' kaj 'ne-alkroĉiĝo',
Konstante veturas en la ĉaro de Blanka Bovo (t.e. la Veturilo de Budho)."

유념과 무념 모두 견주어 따져보지 않으니. 길이길이 백우거(白牛車: 부처님의 수레)를 타고 노니네.

§7-11

Aŭdinte tiun ĉi gata-on Fada eklumiĝis kaj kortuŝiĝis ĝis larmoj. “Estas tre vere,” li ekkriis, “ke ĝis nun mi ne povis ‘turni’ la sutron. Kontraŭe, estis la sutro, kiu ‘turnis’ min.”

법달이 이 게송을 듣고 곧 크게 깨치고 자신도 모르게 슬피 울면서 조사께 여쭈었다. “법달은 이제까지 실로 한번도 『법화경』을 굴리지 못하고 『법화경』이 저를 굴려 왔습니다.” 하고는 다시 여쭙기를,

Li do metis ankoraŭ unu demandon: “La sutro diras, ke ‘ekde la sravaka-oj (sanskrite: sravaka-oj; la aspirantoj al la arahanteco) kaj pratjekabuda-oj (sanskrite: Pratyekabuddhas; tiuj, kiuj atingis eklumiĝon per sin-kulturado) ĝis la bodisatvoj, eĉ se ili spekulativadus per kunaj penadoj, ili ne povus kompreni la Budho-saĝon.’ Sed nun vi instruas, ke se ordinara homo ekkonas sian propran menson, li certe povos atingi la Budho-saĝon. Mi timas, Via Santeco, ke escepte de tiuj dotitaj per neordinara menskapablo, oni povos dubi kaj kalumnii tiun ĉi instruon. Krome, tri specoj de ĉaroj estas menciitaj en la sutro, nome, ĉaroj tirataj per kaproj (t.e. la veturiloj de sravaka-oj), ĉaroj tirataj per cervoj (t.e. la veturiloj de pratjekabuda-oj), kaj ĉaroj tirataj per ordinaraj bovoj (t.e. la veturiloj de bodisatvoj). Kiel do tiuj ĉi estas distingitaj disde la ĉaroj tirataj de blankaj bovoj? Volu do, Via Sankteco, esti afabla kaj doni al mi klarigon."

"경에 이르기를 '모든 대성문들과 보살들이 다 함께 생각을 다해 헤아리더라도 부처님의 지혜를 측량하지 못하다' 하였사온데 이제 범부가 다만 자기 마음만 깨달으면 불지견을 이루는 것이라 하시니 스스로 상근기가 아닌 자는 의심하거나 비방하지 않을 수 없을 것이옵니다. 또 경에는 삼거(三車: 세 수레)를 말씀하셨사온데 양거(羊車: 양이 끄는 수레)와 녹거(鹿車: 사슴이 끄는 수레)와 백우거(白牛車: 하얀 소가 끄는 수레)를 어떻게 구별하올지 바라옵건대 화상께서는 다시 가르쳐 주십시오."

§ 7-12

La Patriarko respondis: "La sutro estas tre klara rilate tiun ĉi punkton; estas vi, kiu miskomprenas ĝin. La kaŭzo, kial la sravaka-oj, la pratjekabuda-oj kaj la bodisatvoj ne povas eklumiĝi al la Budho-saĝo estas ĝuste pro tio, ke ili spekulativas pri ĝi. Ili vane kunigas siajn penojn por spekulativi, sed ju pli ili spekulativas, des pli fore ili estas de la vero. Malgraŭ ĉio, la Budho Gotamo predikis tiun ĉi sutron al la ordinaraj homoj, ne al aliaj budhoj. Koncerne tiujn, kiuj ne povis akcepti la doktrinon, kiun Li eksplikis, Li lasis al ili forlasi la kunvenon. Ili ŝajne ne sciis, ke veturante sur la ĉaro tirata de blanka bovo (t.e. la Veturilo de Budho), ili tamen nenecese serĉas la aliajn tri veturilojn post eliro el sia ĉaro. Cetere, la sutro klare diras al vi, ke sin trovas nur la unusola Budha Veturilo; kaj ke ekzistas neniu alia, kiu povus esti la budha, kia estas dua aŭ tria. Tiuj ĉi estas estas uzataj, kiel la aliaj sennombraj oportunaj rimedoj, kaŭzo-kaj-efikaj klarigoj, paraboloj ktp, por prediki la veron pri la sola Budha Veturilo. Kial do vi povas ne kompreni?

조사께서 말씀하셨다. "경에는 뜻이 분명한데 네가 스스로 미혹하여 모르는구나. 모든 삼승인이 부처님 지혜를 측량하지 못함은 그 허물은 헤아리고 짐작하는데 있나니, 비록 저들이 있는 힘을 다하여 생각하고 함께 추구하더라도 더욱더 멀어지느라. 부처님은 본래 범부를 위하여 말씀하신 것이지, 결코 부처님 자신을 위해 말씀하신 것이 아니니 이 도리를 믿지 않는 자 모두를 자리에서 물러나도록 내버려 두었거니와, 이들은 또한 스스로 백우거(부처님 수레)에 앉아 있으면서 다시 문밖으로 삼거(세 수레)를 찾아 헤매는 것임을 알지 못하는구나. 하물며 경에는 분명히 너희에게 이르기를 '오직 일불승(一佛乘: 부처님의 수레)이 있을 뿐 다른 승인 이승이나 삼승은 없다 하였고, 더구나 경에서는 '내지 무수한 방편과 가지가지 인연과 비유의 말씀이 모두 일불승(부처님 수레)인 이 법을 위함이라' 말씀하지 않았더냐?

§ 7-13

"La aliaj tri veturiloj estas neefektivaj, sed oportunaj rimedoj por la instruado en la pasinteco, dum la Veturilo de Budho estas efektiva, la absoluta, uzata por la instruado en la nuna tempo. La sutro instruas al vi senigi vin je la neefektivaĵoj kaj vin apogi nur sur la Vero. Kaj vin apogante sur la Vero, vi trovos, ke eĉ la Vero havas nenian nomon. Vi devas scii, ke vi estas la sola posedanto de tiuj ĉi valoraĵoj kaj ke ili ĉiuj estas tute sub via dispono. Kiam vi estas libera de la arbitra ideo, ke ili estas por la bono de viaj gepatroj aŭ de viaj filoj, aŭ ke ili povas esti sub la dispono de iu alia, tiam vi jam ellernos la ĝustan manieron por praktiki la Lotusan Sutron. Tiuokaze, de kalpa-o al kalpa-o la sutro estos en via mano, kaj de mateno ĝis nokto vi ĉiam recitados la sutron."

너는 어찌하여 삼거(三車: 세 수레)가 거짓이고 예전을 위함이고, 일승(부처님 수레)이 실질이며, 이것이 지금을 위한 것임을 살피지 못하느냐? 이는 다만 너로 하여금 거짓을 버리고 실질(실제)에 돌아오게 하려 함이니 실질(실제)에 돌아와서는 실질(실제)라는 이름조차 또한 없는 것이니라. 마땅히 알라. 있는바 모든 보물 모두가 네게 속하고 네 마음대로 쓰일 것이요. 다시는 네 아버지니 아들을 위함이라는 생각도 할 필요가 없으며 또한 다른 이들을 위해 쓰일 거라는 생각도 하지 말라. 그렇게 하면 이것이 『법화경』을 수지하는 것이니 겁과 겁이 다하도록 손에서 경을 놓지 않을 것이며, 낮과 밤이나 외우지 않는 때가 없는 것이 되느니라."

Profunde inspirite de la instruo de la Patriarko, Fada estis plena de ĝojego. Li laŭdis la Patriarkon per la jena gata-o:

이에 법달은 가르침을 받고 환희와 기쁨으로 가득했기에 용기를 내어 게송을 지어 찬양하였다.

La iluzio, ke mi atingis grandajn meritojn per trimil-foja recitado,
Estis dispelita nur per unu frazo de la Majstro el Caoxi (t.e. la Patriarko, kies templo estis en Caoxi).

『법화경』 삼천 번 읽음이 조계의 한 마디에 자취를 감추었네.

Tiu, kiu ne komprenas la celon de la enkarniĝo de la Budho en tiu ĉi mondo,
Ne povas subpremi la pasiojn akumulitajn en siaj multaj vivoj antaŭaj.

부처님 오신 뜻을 알지 못하였으니,
수많은 삶 동안 미쳐온 열정을 어찌 쉬오리.

La tri veturiloj respektive tirataj de kaproj, cervoj kaj ordinara bovo, estas nur oportunaj metaforoj,
Per kiuj la Darmo de la tri stadioj, la Prepara, la Intera, kaj la Fina, estas lerte eksplikita.

양의 수레, 사슴의 수레, 소의 수레가 제각각 방편이 됨을 초(준비)-중(내부)-후(결론), 3단계로 잘도 설하셨네.

Kiu povus scii, ke interne de la brulanta domo mem (t.e. tiu ĉi mondo suferoplena)
Ja povas esti trovita la Reĝo de Darmo!

누가 있어 알았던가, 이 화택(고통의 세상) 속의 이 몸이 원래부터 법왕인 것을.

La Patriarko do diris al li, ke de nun li povos nomi sin 'sutro-recitanta bikŝuo'. Post tiu intervidiĝo Fada kapablis kapti la profundan signifon de la budhismo, kaj tamen li ankoraŭ daŭrigis la recitadon de la sutro kiel antaŭe.

조사께서 말씀하셨다. "너는 바야흐로 경을 외는 중(스님)이라 할 수 있으리라." 법달은 이때부터 깊은 뜻을 이해하고는 경을 암송하기를 쉬지 않았다.

§ 7-14

La bikŝuo Zhitong, indiĝeno de Anfeng de Shouzhou, jam legis la sutron Lankavatara preskaŭ mil fojojn, sed li ankoraŭ ne komprenis la signifon de la Tri Korpoj kaj la Kvar Praĝna-oj (Saĝoj). Tial li venis al la Patriarko por peti la klarigon.

승 지통(智通)이라는 이는 수주 안풍 사람이다. 처음에는 『능가경』을 천여 편 보았으나 삼신사지(三身四智)를 알 수 없었다. 그래서 조사께 예배하고 그 뜻을 물었다.

"Koncerne la Tri Korpojn," klarigis la Patrikarko, "la Pura Darmakaja-o estas via naturo, la Perfekta Sambogakaja-o estas via saĝo kaj la Miriada Nirmanakaja-o estas viaj agoj. Se vi povas trakti tiujn Tri Korpojn, kiuj estas apartaj de la Vera Naturo, tiam sin trovos 'korpoj sen saĝo'. Se vi ekscias, ke Tiuj ĉi Tri Korpoj havas neniun sian propran pozitivan esencon (ĉar ili estas nur la ecoj de la Vera Naturo), vi jam atingos la bodion de la Kvar Praĝna-oj. Aŭskultu do mian gata-on:

조사께서 말씀하셨다. "삼신이라 함은, 청정법신이 너의 성품이요, 원만보신이 너의 지혜요, 천백억화신이 너의 행이니, 만약 본성을 여의고 따로 삼신을 말한다면 이것은 몸이 있어도 지혜가 없다 할 것이요. 만약 삼신이 제각각의 성품이 없음을 깨달으면 곧 사지 보리(4가지 지혜 보리)에 밝을 것이다. 나의 게송을 들어라.”

“La Tri Korpoj estas esence propra en nia Vera Naturo,
Dank’ al kies disvolviĝo la Kvar Praĝna-oj sin manifestas.

자성이 삼신을 갖추었으니,
이를 밝혀 알면 사지(四智: 4가지 지혜)를 이루나니

Sekve, sen fermi viajn okulojn kaj orelojn por deteni vin de la ekstera mondo,
Vi povos atingi rekte la budhecon.

보고 듣는 인연을 여의지 않고, 단번에 불지에 뛰어오르리.

Nun ke mi jam klarigas tion ĉi al vi,
Firme kredu ĝin, kaj vi estos por ĉiam libera de iluzioj.

내 이제 너를 위해 말하노니 밝게 믿어 길이길이 미혹

되지 말고

Ne sekvu tiujn, kiuj serĉas la eklumiĝon de ekstere
Kaj ĉiam vane parolas pri la bodio (sen meti ĝin en praktikon)."

마음을 밖으로부터 구하는 자를 따르지 말고,
늘 입으로만 헛되이 말하는 보리 도를 배우지 말라.

§ 7-15
"Ĉu mi povus scii ion pri la kvar praĝna-oj?" demandis Zhitong?

다시 지통이 여쭈었다. "사지의 뜻을 더 자세히 알고자 하옵니다."

"Se vi komprenas la Tri Korpojn," respondis la Patriarko, "vi devos kompreni ankaŭ la Kvar Praĝna-ojn; sekve via demando ne estas necesa. Se vi parolas pri la Kvar Praĝna-oj, kiuj estas apartaj de la Tri Korpoj, tiam sin trovus praĝna-oj sen korpoj, kaj tiuokaze ili ne estus praĝna-oj." La Patriarko do donis ankoraŭ alian gata-on:

대사께서 말씀하시기를, "네가 이미 삼신을 알았다면 곧 사지(4가지 지혜)에도 밝을 터인데 어찌하여 다시 묻느냐? 만약 삼신을 여의고 따로 사지를 논한다면 이것은 지혜는 있어도 몸이 없다 할 것이니, 이 지혜가 있음이 도리어 지혜의 없음과 같으니라." 하시고는 다시 게송으로 이르셨다.

La Saĝo de Ronda Spegulo nature estas pura.
La Saĝo de Egaleco liberigas la menson de ĉiuj malsanoj.

대원경지(大圓鏡智)라 함은 성품의 청정함이요,
평등성지(平等性智)라 함은 마음에 병이 없음이라.

La Ĉiopercepta Saĝo vidas estaĵojn intuicie, sen distingi kialon,
La Ĉioplenuma Saĝo estas identa kun la Ronda Spegulo de Saĝo.

묘관찰지(妙觀察智)라 함은 봄이 공이 아님이요,
성소작지(成所作智)라 함은 지혜의 둥근 거울과 같음이라.

La kvin viĝnana-oj (sanskrite: Vijnana; kondiĉa konscio; la kvin viĝnana-oj: konscioj dependantaj respektive de la kvin sensorganoj) kaj la oka viĝnana-o, kune kun la sesa kaj la sepa, estas transformitaj pere de rezultoj kaj kaŭzoj. Tiuj transformoj estas ŝanĝiĝoj nur en nomo, ne en esenco.

다섯 인식과, 여덟째, 여섯째, 일곱째의 인식이 과(果)와 인(因)으로 인해 전하나 다만 말과 이름이 있을 뿐 실재성은 없나니

Se vi povas esti libera de la alkroĉiĝo al la sensobjektoj dum tiuj transformiĝoj okazas,
Vi por ĉiam restos en la ripetataj leviĝoj de Naga-Samadi-o (tre ekstaza stato kvazaŭ de gaje saltanta drako).

만약 변함이 있는 동안 뜻을 두지 않으면
번거로이 오고감이 나가정(那伽定: 아주 흥분된 상태)의 반복적인 즐거움일 뿐이느라.

(Originala noto: La supraj apartenas al la transformiĝoj de viĝinana-o en praĝna-o. Laŭ la instruoj, la unuaj kvin viĝnana-oj estas transformitaj en la Ĉioplenuman Saĝon, la sesa viĝnana-o en la Ĉioperceptan Saĝon; la sepa viĝnana-o en la Saĝon de Egaleco; la oka viĝnana-o en la Saĝon de Ronda Spegulo. Kvankam la sesa kaj la sepa viĝnana-oj estas transformitaj en la stadio de kaŭzo, la unuaj kvin kaj la oka viĝnana-oj estas transformitaj en la stadio de rezulto. Tio, kio estas transformita, estas nur iliaj nomoj, sed la substanco restas la sama.)

원전에는 위에서 언급한 것은 '지혜' 의 상태에서 '인식' 으로의 변화됨을 말하는 것이다. 가르침에 따르면, 먼저 다섯 가지의 식(五識: 오식)은 모든 것을 만들어내는 지혜로 바뀜을 말하고, 여섯째 식은 모든 인지의 지혜로 바뀜이요, 일곱째 인식은 평등의 지혜로의 바뀜을, 여덟째 인식은 원경의 지혜로 바뀜을 말한다. 비록 여섯째와 일곱째 인식이 인(원인)의 상태에서 바뀜이 이뤄진다면 첫 다섯 가지 인식과 여덟째 인식은 과(결과)의 단계에서 바뀜을 발하는 것이다. 이 변화하는 것(바뀜)이란 그 이름일 뿐 실재는 모두 같음을 말한다.

§7-16

Aŭdinte tion ĉi Zhitong subite ekkonis la praĝna-on de sia Vera Naturo kaj submetis al la Patriarko la jenan gata-on:

이에 지통이 즉시 성지를 깨닫고 드디어 게송을 지어 올렸다.

La tri Korpoj origine estas interne de nia Vera Naturo. Kiam nia menso estas eklumigita, la kvar praĝna-oj aperas en ĝi.

"삼신(三身)은 원래 내 몸이요,

사지(四智)는 원래 본 마음의 밝음이라.

Kiam la Korpoj kaj Praĝna-oj estas absolute identaj unuj kun la aliaj,
Ni povas konformiĝi al la objektoj de ĉiaj formoj.

삼신 사지 온전히 걸림 없으니
상황에 맞게 만 가지로 변할 수 있네.

Se vi volas praktiki la Tri Korpojn kaj la Kvar Praĝna-ojn, tiu ĉi volo estas iluzio.
Se vi volas teni ilin, tiu ĉi teno ne estas la vera esenco.

수행을 일으키는 모두가 망동이요,
머물러 지킴도 또한 진실의 참이 아니라.

Dank' al via mirinda instruo mi nun povas kapti la profundecon de ilia signifo,
Kaj de nun mi neniam plu estos makulita de iliaj falsaj kaj arbitraj nomoj.

스승으로 인해 묘한 뜻 이제 밝혀지니
마침내 오염된 망념이란 말조차 없어지니."

§ 7-17

La bikŝuo Zhichang, indiĝeno de Guixi de Xinzhou, aliĝis al la Budhana Ordeno en sia infaneco kaj estis fervora en sia penado ekkoni la Veran Naturon. Iun tagon li venis por fari omaĝon al la Patriarko.

승 지상(智常)은 신주 귀계 사람이다, 어려서 출가해 견성하기를 뜻하더니 하루는 조사를 찾아와 예배드렸다.

La Patriarko demandis lin: "De kie vi venas kaj kion vi volas?"

조사께서 물으셨다. "너는 어디서 왔으며 무슨 일을 하고자 하느냐?"

"Lastatempe mi vizitis la monton Blanka Kresto en Hongzhou," li respondis, "por intervidiĝi kun la Majstro Datong, kiu sufiĉe bone instruis al mi kiel koni la Veran Naturon kaj atingi per tio la budhecon. Sed ĉar mi ankoraŭ havas kelkajn dubojn, mi vojaĝis de malproksime por esprimi al vi mian respekton kaj petas vian Sanktecon favori min per klarigo."

"학인이 근래 홍주 백봉산으로 대통 화상을 찾아뵙고 견성 성불의 뜻을 배웠사오나 아직도 의심이 끊이지 못해 이제 멀리서 찾아뵙습니다. 바라옵건대 화상께서 자비로 가르쳐 주십시오."

§ 7-18

"Kiajn instruojn li donis al vi? Diru al mi iom," demandis la Patriarko.

"그곳에서 어떻게 배웠는가? 나에게 말해보라."

"Post trimonata restado tie sen ricevi ian ajn instruon, mi, fervora por la darmo, iris sola al lia ĉambro iun nokton kaj demandis lin, kia estas mia Vera Naturo."

"저, 지상이 그곳에 도착해 석달이 되어도 가르침을 받지 못하였기에 법을 위한 생각이 간절하여 어느 저녁에 홀로 방장실에 찾아가 여쭈었습니다. '어떤 것이 저의 본심이며 저의 본성입니까?' 하니,

"Ĉu vidas la malplenan spacon?" li demandis.

대통 화상 말씀이 '네가 허공을 보았느냐?' 하시니,

"Jes, mi vidas," mi respondis.

제가 보았다고 하자,

"Ĉu la malplena spaco havas ian formon?"

‘너는 허공을 보았다고 하는데 형상이 어떠하냐?’ 고 하여

“La malplena spaco estas senforma, sekve ĝi havas nenian formon.”

제가 ‘허공은 아무 형상이 없사온데, 어찌 무슨 모양이 있겠습니까?’

“Via Vera Naturo estas ĝuste kiel la malplena spaco. Konstati, ke nenio povas esti vidata, estas ‘Ĝusta Opinio’ kaj konstati, ke nenio estas sciebla, estas ‘Vera Scio’. Kiam vi vidas nek verdon nek flavon, nek longon nek mallongon, tiam via bodio estas perfekta kaj klara kaj vi jam ‘ekkoni la Veran Naturon kaj per tio atingi la budhecon’ aŭ jam atingis la Budho-saĝon. Kvankam mi aŭdis tiun ĉi instruon, mi tamen havas ankoraŭ kelkajn dubojn. Mi petas, ke Via Sankteco estu tiel afabla kaj eklumigi min.”

화상이 말씀하시길 ‘너의 본성은 마치 저 허공과 같아서 마침내 한 물건도 가히 볼 수 없는 것이니, 이것이 참으로 아는 것이며, 이는 청색과 황색이 없고, 길고 짧음이 없고 다만 본원이 청정하고 각체가 뚜렷이 밝은 것을 보면 이것을 견성성불(見性成佛)이라 하며 또한

여래지견(如來知見)이라 하느니라.' 라고 하셨습니다. 학인이 비록 이 말씀을 들었사오나 아직도 알지 못하오니 바라옵건대 화상께서는 가르쳐 주십시오."

§ 7-19
"Lia instruo indikas," diris la Patriarko, "ke li ankoraŭ konservas la arbitrajn koncepton pri 'opinioj' kaj 'scioj'. Tio klarigas, kial li ne sukcese plene komprenigis vin. Aŭskultu do mian gata-on.

조사께서 말씀하셨다. "그 스님의 말씀에는 아직도 봄과 앎이 있었으므로 네가 알지 못하였구나. 내가 너에게 게송 하나를 주리라."

Konstati, ke nenio povas esti vidata, sed konservi la koncepton pri 'nevidebleco',
Estas kiel la supraĵo de la suno obskurigita de pasantaj nuboj.

한 법도 보이지 않는 무견(無見: 못봄)을 둠이
흡사 뜬 구름이 해를 가림과 같고,

Konstati, ke nenio estas sciebla, sed konservi la koncepton pri 'nesciebleco',
Povas simili klaran ĉielon, kiu estigas ekbrilon de

fulmo.

한 법도 모르게 되는 공지(空知: 모름)를 지킴이
허공에서 도리어 번개를 때림과 같아.

Lasi tiujn ĉi arbitrajn konceptojn spontanee leviĝi en via menso,
Indikas, ke vi miskomprenas vian Veran Naturon kaj ke vi ankoraŭ ne trovis la lertan rimedon ekkoni ĝin.

이 같은 지견(知見)이 잠시라도 마음에서 일어나면,
그릇된 앎이거니 어찌 방편을 다 알겠는가.

Se vi ekscias, eĉ dum momento, ke tiuj ĉi arbitraj konceptoj estas eraraj,
Via propra spirita lumo povos daŭre brili."

너는 마땅히 일념에서 이 지견이 자신의 잘못임을 알면, 자기의 신령한 빛이 언제나 드러나리.

§ 7-20
Aŭdinte tion ĉi, Zhichang tuj sentis, ke lia menso estas eklumigita. Li do submetis al la Patriarko la jenan gata-on:

지상이 게송을 듣고 마음이 확 열려 곧 게송을 지었다.

Lasi la konceptojn pri “nevidebleco” kaj “nesciebleco” spontanee leviĝi en la menso
Estas serĉi bodion sen liberigi sin de la arbitraj konceptoj pri fenomenoj.

‘못봄과 모름’의 지견을 무단히 일으켜 현상에 집착해서 보리를 구하였네.

Tiu, kiu havas la plej malgrandan impreson “mi nun estas eklumigita”,
Estas neniel pli bona, ol kia li estis tiam, kiam sub iluzio.

마음에 한 생각의 깨달음을 두면 미혹했던 옛날보다 무엇이 나으리.

La Vera Naturo estas la fonto de la eklumiĝo;
Ĝi vane drivos (t.e. suferos de la senĉesa ciklado de morto kaj renaskiĝo), se vi sekvas la ŝanĝiĝantan fluon de perceptoj.

자성이 깨달음의 본원체인 고로, (만일 그 개념의 변화하는 흐름을 따라간다면)그것이 경계를 따라 헛되이 떠돌게 되니,

Se mi ne metus min sub la sanktecon de la Patriarko

por ricevi ties instruon,
Mi estus konfuzita ne konante la ĝustan vojon irendan.

만약에 조사실에 들지 않았던들 아득히 두 갈림길에서 헤매었으리.

§ 7-21
Iun tagon Zhichang demandis la Patriarkon: “La Budho predikis la doktrinon pri ‘Tri Veturiloj’ kaj ankaŭ tiun pri ‘Plejsupera Veturilo’. Ĉar mi ne komprenas tion ĉi, bonvolu fari por mi klarigon.”

지상이 하루는 조사에게 여쭈었다. “부처님은 삼승법을 말씀하셨사온데, 이제 조사께서는 또 최상승법을 말씀하시니 제자는 알 수 없습니다. 바라옵건대 가르쳐 주십시오.”

La Patriarko respondis: “Vi devas introspekti vian propran menson kaj agi sendepende de la ekstera darmalakŝana-o (objektoj kaj fenomenoj). La distingo de tiuj kvar veturiloj ekzistas ne en la Darmo mem, sed en la diferencigo de homaj mensoj. Vidi, aŭdi kaj reciti la sutron estas la Malgranda Veturilo. Koni la Darmon kaj kompreni ĝian signifon estas la Meza Veturilo. Meti la Darmon en efektivan praktikon estas la Granda Veturilo. Funde kompreni ĉiujn doktrinojn, havi ilin ĉiujn sub sia dispono, esti libera de ĉiaj infektoj kaj ĉia alkroĉiĝo, esti super darmalakŝana-o kaj esti en posedo de nenio, estas la Plejsupera Veturilo.

조사께서 이르시길 "네 스스로 본심을 볼 것이요. 바깥의 경계에 집착하지 말라. 법에는 사(4)승이 없는 것인데 사람 마음이 스스로 등차를 두는 것이다. 보고 듣고 마냥 외우는 것이 소승(小乘)이고, 법을 깨달아 뜻을 아는 것이 중승(中乘)이고, 법에 의지하여 수행하는 것이 대승(大乘)이고, 만법을 다 통하여 만법을 다 갖추어 일체에 물 안 들고 모든 법상을 여의어 하나의 얻음도 없음이 최상승(最上乘)이니라.

"Ĉar la vorto 'cheng' (乘) signifas 'veturilon', kiu sugestas "moviĝi", nome 'meti ion en praktikon, tial diskuto pri tiu ĉi punkto estas tute nenecesa. Ĉio dependas de mempraktikado, sekve vi ne bezonas min plu demandi. Sed mi devas atentigi vin, ke la Vera Naturo ĉiam estas en la stato de 'tatata-o' (tieleco)."

'승(乘)' 이라 함은 움직인다는 말을 품은 '수레' 라는 말이니, 이 말에 다툼이 있음이 아니니라. 너는 모름지기 스스로 닦을 것이요 나에게 묻지 마라. 언제나 자성은 스스로 여여하니라.

Zhichang profunde riverencis kaj dankis la Patriarkon. Ekde tiu tempo li servis ĉe la Patriarko ĝis ties morto.

이에 지상이 깊이 예배드리고 조사께서 세상을 떠나실 때까지 항상 곁에서 모셨다.

§ 7-22

La bikŝuo Zhidao, indiĝeno de Nanhai de Guangzhou, venis al la Patriarko por instruo. Li diris: "De kiam mi aliĝis al la Budhana Ordeno, mi legadis la sutron Maha Parinirvana dum pli ol dek jaroj, sed mi ankoraŭ ne kaptis ĝian esencan signifon. Ĉu vi povus bonvole doni al mi instruon, Via Moŝto?"

승 지도(志道)라는 이는 광주 남해 사람이다. 조사께서 청익하여 말씀드렸다. "학인은 출가하면서 『열반경』을 보아 이제 10여년이 되었사온데 아직 대의를 밝게 알지 못하옵니다. 바라옵건대 화상께서는 가르쳐 주십시오."

"Kiun parton de ĝi vi ne komprenas?" demandis la Patriarko.

대사가 말씀하셨다. "네가 어느 대목을 모르느냐?"

"Estas tiu ĉi parto: 'Ĉiuj estaĵoj estas

nepermanentaj, kaj sekve ili apartenas al la Darmo de Estiĝo kaj Malestiĝo. Kiam la Estiĝo kaj la Malestiĝo ambaŭ ĉesas funkcii, la feliĉego de Perfekta Kvieteco (t.e. Nirvano) leviĝas.' "

그가 말하기를 "모든 행은 무상하니 이것은 생멸하는 법이라, 생멸이 없어지니 적멸이 낙(樂: 즐거움)이 된다고 하는 곳에 의심이 있습니다."

"Kio do dubigas vin?" demandis la Patriarko.

조사께서 말씀하셨다. "네가 어떻게 의심이 드느냐?"

§ 7-23

"Ĉiuj vivaj estaĵoj havas du korpojn —la fizika korpo kaj la darmakaja-o (la darmo-korpo)", respondis Zhidao. "La unua estas nepermanenta, kaj ĝi ekzistas kaj mortas. La dua estas permanenta, kaj ĝi ne scias, nek sentas. La sutro diras: 'Kiam la Estiĝo kaj la Malestiĝo ambaŭ ĉesas funkcii, la feliĉego de Perfekta Kvieteco leviĝas.' Mi ne scias, kiu korpo ĉesas ekzisti kaj kiu korpo ĝuas la feliĉegon. Ĝi ne povas esti la fizika korpo, kiu ĝuas, ĉar kiam ĝi mortas, la Kvar Elementoj (la materialaj elementoj, el kiuj ĉiuj ekzistaĵoj estas faritaj, t.e. la tero, la akvo, la fajro kaj la aero; tiu ĉi esprimo iafoje uzata por aludi la homan fizikan korpon) diseriĝas, kaj la diseriĝo estas pura suferado, la rekta malo de feliĉego. Se ĝi estas la darmakaja-o, kiu ĉesas ekzisti, ĝi estos en la sama stato kiel 'senanimaj' objektoj, kiaj estas la herboj, la arboj, la ŝtonoj ktp; tiam kiu do estos la ĝuanto?

지도가 답하기를 "제가 알기에는, 일체중생은 두 몸이 있는데 이는 색신과 법신이옵니다. 색신은 무상하여 생기기도 하고 멸하기도 하지만 법신은 유상하여 앎도 없고 깨달음도 없다고 하옵는데, 경에 이르기를 '생멸이 제 기능을 멈추면 적멸의 낙이 일게 된다' 하였으니, 이는 어느 몸이 적멸이며, 어느 몸이 낙을 받게 되는 것이온지 모르겠습니다. 만약 색신(色身)이라 할진대 색신은 멸할 때는 4대(흙, 물, 불(火)과 공기의 기본 요소, 이는 인간의 신체적인 몸을 암시하기도 함)로 분산하는 것이오니 이것은 온전히 고통이 있을 뿐 낙이라 할 수 없사옵니다. 또, 만약 법신(法身)이라 한다면 법신은 적멸하여 곧 초목이나 기왓돌과도 같사옵거늘 누가 있어 낙을 받겠사옵니까?

"Cetere, la naturo de la darmo estas la enkorpiĝo de 'Estiĝo kaj Malestiĝo', kio manifestiĝas kiel la kvin skanda-oj (t.e. formo, percepto, konscio, ago, kaj scio). Alivorte, kun enkorpiĝo sin trovas kvin funkcioj. La procezo de 'Estiĝo kaj Malestiĝo' estas eterna. Kiam la funkcio 'leviĝas' el la enkorpiĝo, ĝi estiĝas;

kiam la funkcio estas 'sorbita' returne en la enkorpiĝon, ĝi ĉesas ekzisti. Se la reenkarniĝo estas lasita fariĝi, tiam sin trovos nenia fino al la ŝanĝiĝo, kiel en la okazo de la sentohavaj estaĵoj. Se la reenkarniĝo ne estas ebla, tiam la estaĵoj restos por ĉiam en la stato de senviva substanco, kiel la senanimaj objektoj. Se estas tiel, tiam ĉiuj darmoj estos limigitaj de Nirvano kaj eĉ la ekzistado neeblos al ĉiuj estaĵoj; kia feliĉego tiam povus sin trovi?"

또한 법성이 생멸의 본체요, 오온이 생멸의 작용이오니 한 본체에 다섯 작용(5用)으로 생멸은 떳떳(영원)할지니, 생이란 본체에서 작용을 일으킴이요, 멸이란 작용을 거두어 본체로 돌아감이옵니다. 만약 다시 생겨난다고 한다면 유정의 무리 경우에서처럼 변화의 끊임이 없어 멸하지 않을 것이요, 만약 다시 생겨나지 않는다고 한다면 영영 적멸로 돌아가 무정지물과 같은 것입니다. 이러하온즉 일체 제법이 열반에 묶이게 되어 오히려 생겨나지도 못하거늘 어찌 낙이라 할 수 있사옵니까?"

§ 7-24

"Vi estas filo de la Budho, bikŝuo," diris la Patriarko, "kial do vi adoptas la erarajn opiniojn de la herezuloj pri la eterneco kaj neniiĝo kaj kuraĝas kritiki eĉ la doktrinon de la Plejsupera Veturilo?

조사께서 말씀하셨다. “너는 부처님의 제자인데, 어찌 외도의 법을 배워 단상의 그릇된 견해를 가지고 최상승 법의 교리에 대해 의논하려 하느냐?

“Via argumento sugestas, ke krom fizika korpo sin trovas ankaŭ darma korpo (darmakaja-o); kaj ke ‘Perfekta Kvieteco’ povas esti serĉata ekster “Estiĝo kaj Malestiĝo’. Kaj plie, el la aserto ‘Nirvano estas eterna feliĉego’ vi induktas, ke devas sin trovi iu homo ĝin spertanta.

네 주장에 따른다면, 색신 바깥에 따로 법신이 있고, 생멸을 여의고서(의 바깥에서) 적멸을 구한다는 것이며, 또한 네 주장이 열반이 항상 있는 낙(즐거움)이라는 것으로 짐작하기에 몸에 있어 수용한다고 말하니,

“Tiuj ĉi ja estas la eraraj opinioj, kiuj faras la homojn avidaj je sensata ekzisto kaj dronigas homojn en teraj plezuroj. Estas tiuj homoj, la viktimoj de iluzio, kiuj identigas la kuniĝon de la kvin skanda-oj kiel la ‘memon’ kaj rigardas ĉion alian kiel ‘ne-memon’ (laŭvorte: eksteraj sensobjektoj); kiuj avidas je la individua ekzistado kaj havas malinklinon al la morto; kiuj drivas en la senfina fluo de falsaj pensoj sen koni la malplenecon de la surtera ekzistado, kiu estas nur songô aŭ iluzio; ili devigas sin elporti nenecesajn suferojn ligante sin al la rado de renaskiĝado; kiuj erare prenas la staton de la eterna ĝojo de Nirvano por ia maniero de suferado; kaj kiuj ĉiam serĉas sensajn plezurojn. Estas ĝuste por tiuj homoj, ke la kompatema Budho instruas pri la vera feliĉego de Nirvano.

이것은 곧 생사에 집착하고 세간의 낙에 탐하고 집착하는 것이다. 너는 이제 마땅히 알라. 부처님께서 세간의 모든 미혹한 사람들이 오온이 화합한 모양을 가져 자기 참됨의 모양으로 삼고, 일체 법을 분별하여 바깥 모양을 삼아 생을 좋고 죽음은 싫어하여 끊임없는 생각 생각으로 흘러가며, 이곳이 모두가 몽환이며 허무한 거짓임을 알지 못하고 부질없이 윤회를 받아서 상락인 열반을 도리어 괴로운 것으로 잘못 알고, 종일 밖을 향해 달리며 구하고 해매고 있으므로 부처님은 이를 불쌍히 보시고 마침내 열반의 진정한 낙을 보이신 것이다.

"En iu ajn momento, Nirvano havas nek la fenomenon de Estiĝo, nek tiu de Malestiĝo, nek eĉ la ĉeson de la funkcio de Estiĝo kaj Malestiĝo. Ĝi estas la manifestiĝo de 'Perfekta Kvieteco' ; sed en la tempo de tiu manifestiĝo ne sin trovas eĉ koncepto pri ia manifestiĝo, kaj tial tio estas nomata 'Eterna Feliĉego' , kiu havas nek ĝuanton, nek neĝuanton, kaj sekve sin trovas neniu afero tia, kia estas 'unu substanco kaj kvin funkcioj' (kiel vi asertas). Vi ja kalumnias la Budhon kaj blasfemas la darmon tiam, kiam vi diras, ke sub la limigo de Nirvano la ekzisto estas neebla al ĉiuj estaĵoj.

찰나 동안의 나는 상(생상: 生相)도 없으며, 찰나 동안의 없어진 상(멸상: 滅相)도 없으며, 다시 가이 없앨 생멸도 없는 것, 이것이 적멸이 현전한 것이다. 현전하였을 때 또 현전하였다는 헤아림도 없으니 이것이 이른바 상락이니라. 이 낙을 받을 자도 없고, 또한 받지 않은 자도 없으니 어찌 하나의 체에 다섯 가지 용이라 이름이 있으랴. 그렇거늘 하물며 다시 열반이 모든 법을 묶어서 영영 나지 못하게 한다고 하랴. 이런 말은 부처님을 비방하고 법을 허무는 것이 되느니라. 내 게송을 들어라."

§ 7-25
"Aŭskultu do mian gata-on:

나의 게송을 들어보라.

La superega (sutro) Maha Parinirvana
Estas perfekta, permanenta, kvieta, kaj lumiganta.

위 없는 대 열반이 뚜렷이 밝아
언제나 고요히 항상 비침을

Homoj ordinaraj kaj malkleraj nomas ĝin "morto",
Dum herezuloj arbitre opinias, ke ĝi estas "neniiĝo".

범부는 이를 들어 죽음이라 하고
외도는 집착하여 단멸을 삼고

Tiuj, kiuj apartenas al la veturilo de sravaka-oj aŭ la veturilo de pratjekabuda-oj
Rigardas ĝin kiel "Ne-agadon".

이승(二乘)을 구하는 모든 이들은
이를 가르켜 무작용(無作用)이라 하나

Ĉiuj ĉi tiuj konceptoj estas nur spiritaj spekulativoj
Kaj formas la bazon de la sesdek du eraraj opinioj.

뜻으로 헤아리는 이들 모두는
62사견을 일으키는 근본이 되며

Ĉar ili estas nur fikciaj nomoj elpensitaj por la okazo,
Ili havas nenian rilaton al la Absoluta Vero.

망령스레 거짓 이름을 세우는 것이 되니,
이를 어찌 진실한 뜻이라 하랴.

§ 7-26

Nur tiuj, kiuj havas super-eminentan menson,
Povas funde kompreni, kio estas Nirvano, kaj preni la sintenon nek de alkroĉiĝo, nek de indiferenteco kontraŭ ĝi.

오직 하나 과량인(過量人)이 여기에 있어 통달하여
취함이나 버림이 없이

Ili konas "la kvin skanda-ojn"
Kaj la tiel nomatan "egoon" leviĝantan el la kuniĝo de tiuj kvin skanda-oj.

오온(五蘊)법의 오온의 그 속의 나와,

Ili rigardas ĉiujn eksterajn objektojn kaj formojn,
Kaj la diversajn fenomenojn de sono kaj voĉo,

밖으로 나타나는 온갖 색상과
여러 가지 낱낱의 음성의 상이

Kiel egalajn al songôj aŭ iluzioj.
Ili faras nenian distingon inter la homo saĝa kaj la homo ordinara,

모두가 평등한 몽환임을 알아
범부니 성인이니 견해를 내지 않고

Nek havas arbitran koncepton pri Nirvano.
Ili estas super la du ekstremoj (la eterneco kaj la nenieso) kaj rompas la obstaklon inter la tri tempoj (la pasinteco, la nuno kaj la estonteco).

열반이란 알음알이 짓지 않고서 이변(二邊: 중도(中道)의 바름을 여읜 양극단, 영원함과 없음) 삼제(三際: 과거 현재, 미래)를 모두 다 끊어

§7-27
Ili uzas siajn sensorganojn kiam la okazo postulas,
Sed la koncepto pri la "uzo" ne leviĝas en ili.

모든 근에 응하여 항상 쓰지만,
쓴다는 생각을 아니 일으키며

Ili povas fari distingon inter ĉiuj darmoj,
Sed la koncepto pri "distingo' ne leviĝas.

일체 법을 낱낱이 분별하면서
분별하는 생각을 내지 않으니

Eĉ dum la kataklisma fajro en la fino de kalpa-o, kiam oceanfundo brulsekiĝas,
Aŭ, dum la blovado de la katastrofaj ventoj, kiam unuj montoj ŝancelas aliajn,

겁화로 바다 밑이 불태워지고
폭풍이 불어닥쳐 산끼리 부딪쳐도

La vera kaj eterna feliĉego de "Perfekta Silento"
De Nirvano restas en la sama stato kaj ne ŝanĝiĝas.

이것이 진상이며 적멸의 즐거움이라,
열반의 모양이 이러하니라.

Ĉi tie, mi provas priskribi ion, kio estas neesprimebla,
Por ke vi povu senigi vin je viaj eraraj opinioj.

내 이제 억지로 말을 지어
너에게 삿된 소견 버리게 하니,

Se vi ne interpretas miajn parolojn laŭlitere,
Vi eble povos lerni iom el la signifo de Nirvano."

말을 따라 알음알이를 내지 않으면
조금이나마 알았다 허락하리라."

Aŭdinte tiun ĉi gata-on, Zhidao estis ege eklumigita. Plena de ĝojo li riverence salutis la Patriarkon kaj foriris.

지도가 게송을 듣고는 크게 깨치어, 기쁨으로 충만된

그는 조사께 참배하고는 떠나갔다.

§7-28

La bikŝuo Xingsi, zenisma majstro, naskiĝis al Liu-familio en Ancheng de Jizhou. Aŭdinte, ke la predikado de la Patriarko jam eklumigis grandan nombron da homoj, li tuj alvenis al Caoxi por prezenti sian omaĝon al la Patriarko kaj demandi lin:

행사(行思) 선사는 성이 유씨이고 길주 안성 사람이다. 조계의 법석이 성황함을 듣고는 곧바로 와서 참례하면서 조사에게 물었다.

"Kion ni devus praktiki, por ke nia progreso ne estu limigita al certa stadio?"

"마땅히 어떻게 힘써야 계급에서 떨어지지 않습니까?"

"Kiaspecan praktikon do vi faris?" demandis la Patriarko.

조사께서 말씀하시길 "너는 이제까지 어떻게 힘써 왔느냐?"

"Mi ne bone praktikis eĉ la Noblajn Verojn (t.e. la

plej gravaj kaj fundamentaj doktrinoj de Ŝakjamunio).”

“석가모니의 가장 중요하고 기본이 되는 교리도 또한 제대로 힘 쓰지 않았습니다.”

“En kia stadio de progreso vi nun estas?” demandis la Patriarko.

“그렇다면 너는 무슨 계급에 떨어졌느냐?”

“Ĉar mi ne bone praktikis eĉ la Noblajn Verojn, kiu stadio do sin trovus, en kiu mi povus esti?” li replikis.

그가 답하기를 “성제(聖帝)를 아직 실행하지 못하였기에 제가 지금 어느 계급에 있는지 모르겠사옵니다.”

Profunde impresita de lia respondo, la Patriarko faris lin la ĉefbonzo.

이에 조사께서 그가 가진 법 그릇의 됨됨이를 깊이 인정하시고는 그를 대중의 상주(스님 우두머리)로 삼았다.

Iun tagon la Patriarko diris al li, ke li devos disvastigi la Darmon en sia propra regiono, por ke la instruo ne venu al fino.

그 후, 어느 날 조사께서 행사에 이르시기를 "너는 이제부터 마땅히 일방을 나누어 맡아 교화하여 이 법이 끊어지지 않게 하라." 하였다.

Kun la Darmo transdonita de la Patriarko li revenis al la monto Qingyuan en sia naskiĝregiono. Li disvastigis ĝin kaj eternigis la instruon de la Sesa Patriarko. Post sia morto li ricevis la titolon "Zenisma Majstro Hongji (kies signifo estas "helpi disvastigi la Darmon").

행사는 법을 받고는 드디어 길주 청원사에 들어가 법을 펴고 크게 교화하였다. 그가 죽은 후 법을 널리 폈다는 의미의 '홍제선사(弘濟禪師)' 라는 호를 얻게 되었다.

§ 7-29

La bikŝuo Huairang, zenisma majstro, naskiĝis al Du-familio en Jinzhou. Ĉe sia unuafoja vizito al la Imperia Instruisto Hui' an en la Song-monta regiono li estis kondukita de tiu al Caoxi por intervidiĝi kun la Patriarko. Alveninte tien li faris kutiman saluton al la Patriarko, kiu demandis lin:

회양선사(懷讓禪師)는 금주의 두씨라는 사람의 아들이다. 처음에 숭산 안국사를 찾아 갔더니 안국사는 회양을 조계로 인도하여 조사에게 참배하게 하였다. 조사께서 물었다.

"De kie (vi venas)?"

"어디서 왔는가?"

"De la monto Song," li respondis.

"숭산(嵩山)에서 왔습니다"

"Kio (venas)? Kaj kiel?" demandis la Patriarko.

"어떤 물건이 이와 같이 왔는가?"

"Diri, al kio similas tiu 'kio', estas ĝuste eraro," li respondis.

"설사 한 물건이라 하셔도 맞지 않습니다."

"Ĉu ankoraŭ pruvebla per praktikado?" daŭrigis la Patriarko.

조사께서 말씀하기를 "가이 닦아서 증득할 수 있는 것이냐?"

“Pruveblo neas Neniecon; makuliĝo kaj infektiĝo malebligas atingon,” estis la respondo.

“닦고 중득함이 없지는 않사오나 때묻거나 물들여지지는 않았습니다.”

§ 7-30

Ĉe tio la Patriarko rimarkis: “Ĝuste tiu ĉi seneco de makuliĝo kaj infektiĝo estas gardata kaj protektata de ĉiuj budhoj. Tiele estas por vi, kaj ankaŭ por mi. La hinda patriarko Prajnatara antaŭdiris: ‘El inter viaj disĉiploj aperos iu similanta fortikan ĉevalon, kiu trete tragalopos la tutan mondon.’ Vi ne bezonos interpreti tiun ĉi orakolon tro baldaŭ, ĉar la respondo devos esti trovita interne de via menso.”

조사께서 말씀하셨다. “때 묻지도 물들지도 않는 이것이 모든 부처님께서 두호하여 생각하시는 바이시니라. 네가 이미 이러하고 내가 또한 이러하다. 인도의 반야다라 존자가 예언하시기를 ‘네 발 밑에 망아지 하나가 나와서 천하 사람을 밟아 죽이리라’ 하였으니 너는 마땅히 명심하고 속히 법을 펴려 서두르지 말라.”

Eklumiĝinte Huairang tuj kaptis la signifon de tio, kion diris la Patriarko. De tiam li restis kaj servis ĉe la Patriarko dek kvin jarojn. Dum tiu tempodaŭro lia atingo en la praktikado pliprofundiĝis kun ĉiu tago. Poste li ekloĝiĝis apud la monto Hengshan, kie li disvastigis la instruon de la Patriarko. Post sia morto li estas titolita "Zenisma Majstro Dahui" (kies signifo estas "Granda Saĝo") per imperiestra dekreto.

이에 회양이 그 뜻을 밝게 이해하고는 조사를 좌우에서 모시기를 15년에 이르면서 나날이 그 수행이 깊고 오묘한 경지를 더하여 갔다. 후에 남악으로 가서 선종을 크게 드날렸다. 그가 죽은 후 큰 지혜를 갖추었다는 뜻으로 대혜선사(大慧禪師)로 불렸다.

§ 7-31

La zenisma majstro Xuanjue de Yongzhou, naskiĝis al Dai-familio en Wenzhou. En sia juneco li studis sutrojn kaj ŝatra-ojn (sanskrite: Shatras; la aŭtentikaj komentoj aŭ traktaĵoj klarigantaj la signifon de la instruoj de la Budho Ŝakjamunio) kaj estis tre sperta pri la metodo de Ŝamata-o (sanskrite: Shamatha; kvieteco) kaj Vipaŝjana-o (sanskrite: Vipashyana; kontemplado) de la Skolo de Tiantai. Dum la legado de la sutro Vimalakirti Nirdesa li venis al klara ekkono de sia propra menso.

영가의 현각선사(玄覺禪師)는 온주 재씨의 아들이다. 어려서부터 경론을 배워 천태지관(天台止觀: 천태(종)의 고요함과 맑은 슬기, 불교의 중요한 수도 방법으로, 어지럽게 흐트러진 망상을 쉬고 마음을 한곳에 집중하여 고요하고 맑은 슬기로써 만법을 비추어 보는 일) 법문에 정통하였는데 『유마경』을 보다가 심지를 밝혔다.

Iu disĉiplo de la Patriarko, kiu estis nomata Xuance, okaze vizitis Xuanjue. Dum la longa diskutado Xuance rimarkis, ke ĉiu diro de lia amiko konformas al la instruoj de la diversaj Patriarkoj.

마침 조사의 제자 현책(玄策)이 현각을 만나 법을 담론하니 그가 하는 말이 은근히 여러 조사의 뜻에 맞음을 보고는 현책이 말하였다.

Li do demandis: "Ĉu mi povus demandi la nomon de la majstro, kiu transdonis al vi la Darmon?"

"그래, 인자(현각)의 법사는 누구입니까?"

"Mi ricevis instruojn de diversaj majstroj dum mi studis la sutrojn kaj la ŝatra-ojn," respondis Xuanjue. "Poste dank' al la legado de la sutro Vimalakirti Nirdesa mi ekkomprenis la instruojn de la Skolo de Budho-koro (skolo, laŭ kiu ĉiu individuo havas rektan aliron al la Budho per meditado), kaj tamen ĉi-rilate mi ankoraŭ ne havas instruanton, kiu konfirmus mian sciadon.

"제가 방등경론(方等經論)을 배울 때는 각각 스승이 계셨으나, 뒤에 『유마경』에서 불심종(佛心宗: 모두가 명상을 수행하면 부처님께 직접 다다를 수 있다는 종파)을 깨치고는 아직 증명하신 분이 없습니다."

§ 7-32

"Antaŭ la tempo de (la unua) Budho Bhismagarjitasvara Raja (la Reĝo kun Impona Voĉo)," rimarkis Xuance, "estis eble senigi sin je la helpo de instruanto, sed ekde tiu tempo ĉiu intuicia vekiĝo sen la helpo kaj konfirmo de instruanto estas nur natura herezo."

현책이 말하길, "위음왕불(威音王佛) 이전에는 그럴 수도 있었지만, 위음왕불 이후에는 스승 없이 혼자 깨친 것은 모두가 천연 외도라 하였습니다."

"Ĉu do vi, via moŝto, volus esti afabla kaj fari konfirmon por mi?" demandis Xuanjue.

"그렇다면 인자(현책)가 나를 위해 증거하여 주십시오."

"Miaj vortoj portas nenian pezon," respondis lia amiko. "En Caoxi sin trovas la Sesa Patriarko, al kiu vizitantoj en grandaj nombroj venas de ĉiuj flankoj. Li estas la ortodoksa heredinto de la Darmo. Se vi volos iri tien, mi volonte akompanos vin."

현책이 말하기를 "나의 말로는 경솔하오. 지금 조계에서는 육조대사가 계셔서 사방에서 학자가 운집하여 법을 받고 있는데 만약 인자(현각)가 가겠다고 하면 함께 가리다."

Ili do alvenis en Caoxi kaj intervidiĝis kun la Patriarko. Trifoje ĉirkaŭirinte la Patriarkon, Xuanjue eklevis sian kakara-on (sanskrite: Khakkhara; bonza bastono kun ringoj, ĉefe el stano kaj fero, uzata por anonci per la ringa sono ĉe ekskuo la alvenon de la portanto kaj por elpeli demonojn) kaj frapis per ĝi la plankon. Poste li nur staris tie sen riverenco.

이에 현각이 드디어 현책과 함께 와서 조사께 참예하였는데 현각은 조사를 세 번 돌고는 자신의 석장을 들어 바닥을 두드리고는 서 있을 뿐이었다.

§ 7-33

La Patriarko diris: "Kiel ŝramano, vi estas la enkorpiĝo de la tri mil reguloj de etiketo kaj la okdek mil detalaj disciplinaj reguloj. Mi do volus scii, de kie vi venas kaj kio faras vin tiel malmodesta."

그때 대사께서 말씀하셨다. “대개 사문(沙門: 출가승)이라는 자는 3천의 위의(예의)와 8만의 세행(세부적인 규율)을 갖추어야 하는데 대덕은 어디에서 왔기에 이와 같은 큰 아만(자신을 뽐냄)함을 보이는가?”

“La afero pri la renaskiĝo kaj la morto estas gravega (kompare kun la kutima ĝentileco),” li respondis, “kaj la morto povas veni en iu ajn momento (tial mi havas nenian tempon por malŝpari pro ceremonia etiketo).”

현각이 대답하였다. “생사의 일은 크고 무상(죽음)은 신속합니다.”

“Kial vi ne penas ekkoni la ‘sennaskiĝecon’, kaj per tio solvos la problemon pri la efemereco de la vivo?” demandis la Patriarko.

조사께서 말씀하시기를 “어찌하여 생겨남이 없음을 모르는데 이로써 생애의 짧음(신속한 죽음)을 해결하려하는가?”

Xuanjue rimarkis: “Tiu ekkono neebligas la renaskiĝojn, kaj tiu solvo neniigas la efemerecon.”

“체(体)달한 즉, 생겨남이 없고, 요(了)달한 즉, 본래 빠름이 없습니다.”

“Prave, prave!” konsentis la Patriarko.

조사께서 “옳다, 옳다” 하셨다.

Nur tiam Xuanjue faris riverencon en plena ceremonio kaj, post mallonga tempo, adiaŭis la Patriarkon.

이때 현각이 위의를 갖추어 예배하고는 하직인사를 드리니 조사께서 말씀하셨다.

§7-34
“Ĉu ne tro rapide vi foriras,” demandis la Patriarko.

“너무 이르지 아니한가?”

“Kiel povas sin trovi ‘rapido’ kiam movo propre ne ekzistas?” li respondis.

“본래 스스로 동함이 없거니, 어찌 이름이 있겠습니까?”

“Kiu scias, ke movo ne ekzistas?” demandis la Patriarko.

“누가 동함이 않음을 아는가?”

"Estas vi, granda Majstro, kiu estas tiel distingema."

"스님께서 스스로 분별을 내십니다."

La Patriarko do diris: "Vi jam plene kaptis la sencon de 'sennaskiĝeco'."

"네가 참으로 무생(無生)의 뜻을 알았구나!"

"Kiel la 'sennaskiĝeco' havas sencon?" demandis Xuanjue.

"무생에 어찌 뜻이 있겠습니까?"

"Sen senco, kiu do povas fari la distingon?" demandis la Patriarko siavice.

"뜻이 없는데 누가 분별(分別)한다는 말이냐?"

"Ankaŭ 'fari la distingon' ne havas signifon," respondis Xuanjue.

"분별 또한 뜻이 아닙니다."

"Prave dirite!" ekriis la Patriarko. Li do petis Xuanjue prokrasti sian foriron kaj pasigi la nokton tie.

De tiam Xuanjue estis konata al siaj samtempuloj kiel "eklumiĝinto, kiu pasigis unu nokton kun la Patriarko". Poste li skribis la faman verkon "Kanto pri Eklumiĝo", kiu estis vaste akceptita. Lia postmorta titolo estis "Granda Majstro Wuxiang" (Senformeco), kaj li ankaŭ estis nomata de siaj tiamuloj kiel "Zenisma Majstro Zhenjue (Vera Eklumiĝinto).

조사께서 "좋다! 하룻밤 쉬어 가거라.' 이르셨다. 이로부터 사람들은 현각을 '일숙각(一宿覺: 하룻밤새 깨우침)' 이라 하였으며, 현각은 후에 〈증도가(證道歌)〉를 지었는데 세상에 크게 성행하였다. 그는 죽은 뒤에는 무상대사(無相大師)라 불리웠고, 당시 사람들은 그를 진각(眞覺)으로도 불렀다.

§ 7-35

La bikŝuo Zhichang, sekvanto de la Zenisma Skolo, iam vizitis la Kvinan Patriarkon kaj pretendis, ke li jam atingintan samadi-on. Dum dudek jaroj li enfermis sin en malgranda templo kaj ĉiam tenadis la pozicion de sido kun la kruroj krucitaj.

선을 따르는 지황(志隍)이라는 이는 처음 오조께 참예하고는 스스로 삼매를 얻었다고 생각하여 암자에서 20년 동안 장좌를 하고 있었는데,

Xuance, disĉiplo de la Sesa Patriarko, en sia ekskurso al la norda bordo de la Flava Rivero, aŭdis pri li kaj vizitis lian templeton.
"Kion vi faras ĉi tie?" demandis Xuance.

조사의 제자 현책이 황하강 북쪽에 이르러서는 지황의 이름을 듣고는 암자를 찾아가 물었다. "당신은 여기서 무엇을 하고 계시오?"

"Praktikon de samadi-o," Respondis Zhihuang.

지황이 답하였다.
"입정(入定: 선정에 들어감)에 있어요."

"Ĉu vi diras, ke vi estas en samadi-o?" diras Xuance. "Mi deziras scii, ĉu vi faras tion konscie aŭ nekonscie. Ĉar se vi faras tion nekonscie, tio signifas, ke ĉiuj senanimaj objektoj, kiaj estas herboj, arboj, argilaĵoj kaj ŝtonoj, devus havi la eblecon atingi samadi-on. Aliflanke, se vi faras tion konscie, tiam ankaŭ ĉiuj sentohavaj povus eniri en tiun staton."

"당신이 정(定)에 들 때는 유심(有心)으로 들어가는가요, 아니면 무심(無心)으로 들어가는가요? 만약 무심으로 정에 든다 할진대 생각 없는 일체 초목이나 쓸모없는 돌까지 모두 마땅히 입정에 들어 있음이여, 만약 유심으로 정에 들어 있다 함은 일체 생명 있는 것이 모두 정에 들어 있음이 아니오?"

"Kiam mi estas en samadi-o," rimarkis Zhihuang, "mi konas nek konscion, nek nekonscion."

지황이 답하기를 "내가 바로 정에 들 때는, 있다없다 하는 마음이 있는 것을 보지 못합니다."

"Se estas tiel," diris Xuance, "tio estas nur konstanta kvieteco, en kiu sin trovas nek eniro, nek eliro; kaj tiu stato, al kiu vi povas fari eniron aŭ eliron, ne estas Granda Samadi-o."

현책이 말하기를 "있다없다 하는 마음이 있음을 보지 못함이 바로 항상 변함없이 있는 정인데, 여기에 어찌 출입이 있다고 하겠소? 만약 출입이 있다면 그것은 참으로 큰 정은 아닌 것이 아니겠소?"

§ 7-36

Zhihuang senparoliĝis pro mirego. Post longa tempo li demandis:

"Ĉu mi povus scii, kiu estas via instruanto?"

지황이 이에 이르러서 아무 대답을 하지 못하고, 한참 있더니 현책에게 물었다. "스님의 스승은 뉘신지 알 수 있을까요?"

"Mia instruanto estas la Sesa Patriarko de Caoxi," respondis Xuance.

현책이 답하길 "우리 스승은 조계의 육조이십니다."

"Kiel do li difinas la djano-samadion?" demandis Zhihuang.

지황이 묻기를 "육조는 무엇으로 선정을 삼습니까?"

"Laŭ lia instruo," respondis Xuance, "ĝi estas profunda, perfekta kaj serena; ĝia substanco kaj ĝia funkcio estas en stato de Tieleco. La kvin skanda-oj estas esence malplenaj kaj la ses sensobjektoj estas neefektivaj. Sin trovas nek eniro, nek eliro. Sin trovas nek kvieteco, nek malkvieteco. La naturo de la djan-o estas ne-restadema, tial ni devas nin deteni de restado en la kvieteco de djan-o. La naturo de la djan-o estas nekreiva, tial ni ne devas alkroĉiĝi al la ideo pri 'kreo de stato de djan-o'. La stato de la menso povas esti simila al malplena spaco, sed ni ne devas lasi leviĝi la ideon pri 'malplena spaco'."

현책이 답하기를 "우리 스승이 말씀하시는 바에 따르면

이는 묘하고 맑고 뚜렷하고 고요하여 본체와 작용이 여여하고 5온(색, 수, 상, 행, 식)의 성질이 본래 공(空)하며 6진(색, 성, 향, 미, 촉, 법)이 있는 것이 아니며 드나듦도 아니며, 정도 어지러움도 아니니 선정의 성질이 머묾이 없으므로, 우리는 머묾을 여의어 선(禪)이 고요하며, 선정의 성질이 생겨남이 없음으로 그 생겨남을 여의어 선(禪) 생각이 나게 됩니다. 그러하니 마음이 허공과 같되 또한 허공의 크기를 헤아림도 없습니다."

§ 7-37

Aŭdinte pri tio, Zhihuang tuj iris al Caoxi por intervidiĝi kun la Patriarko.

지황이 이 말을 듣고 곧 바로 조사에게 와서 뵈오니, 조사께서 물으셨다.

"De kie vi venas?" demandis la Patriarko.

"인자(자네)는 어찌 왔는가?"

Li detale rakontis al la Patriarko la konversacion, kiun li havis kun Xuance.

지황이 앞서의 인연을 자세히 말씀드리니 조사께서 말씀하셨다.

“Tio, kion Zhihuang diris, estas prava,” diris la Patriarko. “Se vi nur tenas vian menson malplena kiel spaco, sen alkroĉiĝo al la ideo pri malpleneco, via menso libere funkcios sen ajna malhelpo, tiel ke vi estos ĉiam senmensa kiel en moviĝo, tiel ankaŭ en senmoveco, forgesos la distingon inter la ordinaruloj kaj la saĝuloj, ignoros la distingon inter la subjekto kaj la objekto. Tiam via origina naturo kaj ĉiuj fenomenaj objektoj estos en la stato de Tieleco, kaj vi estos ĉiam en samadi-o.

“참으로 그 말과 같다. 다만 네 마음을 허공과 같이 하되 공했다는 견해에도 집착하지 아니하면 사물에 응하고 씀에 걸림이 없으며, 동정에도 무심하여 범부니 성인이나 하는 생각이 없어지니 능소(能所: 어떤 행위의 주체와 그 행위의 목표가 되는 객체)가 다 함께 없어지며 성품과 모양이 여여하여 정이 아닌 때가 없게 되리라.”

Ĉe tio Zhihuang estis plene eklumigita, kaj tio, kion li konsideris kiel atingon dum la pasintaj dudek jaroj, nun tute malaperis. Tiunokte la loĝantoj de Hebei (la norda bordo de la Flava Rivero) aŭdis la voĉon en la ĉielo dirantan: “Hodiaŭ la zenisma majstro Zhihuang jam atingis eklumiĝon.”

이에 지황이 크게 깨달으니 20년 동안 닦아 얻은 마음이 도무지 그림자조차 없었다. 그날 밤, 하북에 살던 선비와 백성들이 공중에서 소리가 나기에 들으니, "지황선사가 오늘 도를 얻었다" 하였다 한다.

Poste Zhihuang forlasis la Patriarkon kaj revenis al Hebei, kie li disvastigis la Darmon al la kvar kategorioj de la budhanaro (bonzoj, bonzinoj, laikoj, kaj laikinoj).

그 뒤 지황은 조사를 하직하고 다시 하북으로 돌아가 4중(4衆: 불문(佛門)에 있는 네 가지 종류의 제자. 곧 비구(比丘), 비구니(比丘尼), 우바새(優婆塞), 우바니(優婆尼)를 아울러 이름)을 교화하였다.

§ 7-38

Iu bikŝuo foje demandis la Patriarkon, kiu speco de homo havas la eblecon akiri la esencan instruon de Huangmei (nome de la Kvina Patriarko).

한 승이 조사께 물었다. "황매(黃梅: 제5조 홍인)의 뜻을 어떤 사람이 얻었습니까?"

"Tiu, kiu komprenas la Darmon de la Budho," respondis la Patriarko.

조사께서 말씀하셨다. "불법을 안 사람이 얻었느니

라."

"Ĉu vi, Via Moŝto, jam akiris ĝin?" demandis la bikŝuo?

그 스님께서 말씀하셨다. "화상께서는 불법을 이미 얻으셨는지요?"

"Estas al mi fremda la Darmo de la Budho," estis la respondo.

"나는 불법을 알지 못하느니라." 하셨다.

§ 7-39

Iun tagon la Patriarko volis lavi la robon, kiun li heredis, sed li povis trovi neniun rivereton taŭgan por tiu celo. Li do marŝis al iu loko ĉirkaŭ kvin liojn malantaŭe de la templo, kie li trovis la arbojn dense kreskantaj kaj la medion tre bonaŭgura. Li ekskuis sian bastonon kaj pikis per ĝi la teron. Akvo tuj ŝprucis el la tero kaj tre baldaŭ formiĝis lageto.

조사께서 어느 날 받으신 법의를 세탁하려 하였으나, 마땅한 샘이 없었다. 절 뒤로 5리쯤 가시니 숲이 우거지고 서기가 감도는 곳이 있었다. 조사께서 그곳에 이르러 석장을 떨쳐 땅을 찍고 손을 드시자, 샘이 솟구쳐 나와 삽시간에 못을 이루었다.

Kiam li genuiĝis sur roko por lavi la robon, iu bikŝuo subite aperis antaŭ li kaj faris al li omaĝon.

"Mia nomo estas Fangbian," li diris. "Mi estas indiĝeno de Sichuan. Kiam mi estis en la sudo de Hindio, mi renkontiĝis kun la Patriarko Bodidarmo, kiu instrukciis min reveni al Ĉinio. 'La tuta Ortodoksa Darmo (laŭvorte: la okulo de la Ortodoksa Darmo),' li diris, 'kiun mi heredis de la Mahakasjapa (la unua Patriarko de la Djan-a Skolo en Hindio) kune kun la robo, nun jam estas transdonita al la Sesa Patriarko, kiu nun estas en Caoxi de Shaozhou. Iru tien do por fari omaĝon al la Patriarko'. Post longa vojaĝo mi nun alvenas. Ĉu mi povus vidi la robon kaj la bovlon, kiujn vi heredis?

조사께서 무릎을 꿇고 바위 위에서 옷을 빠시는데 이때 홀연히 한 승이 와서 예배하고 말씀드렸다. "제자는 이름이 방변(方辯)이라 하옵는데 서촉(쓰촨)사람이옵니다. 어제 남천축국(남인도)에서 달마대사를 뵈었더니 저에게 말씀하기를 '속히 당의 땅으로 돌아가거라. 내가 전한 대가섭(大迦葉: 마하가섭(摩訶迦葉)은 고타마 붓다의 십대제자 중 한 사람이다)의 정법안장(正法眼藏: 석가모니가 세상의 이치를 깊이 깨달은 후, 혼자서 명상을 하며 깨달음의 기쁨을 맛보던 묘법)과 승가리(僧

伽梨: 법의, 법복)가 현재 소주 조계의 제6대조에 전하여져 있으니 너는 가서 참배하라' 고 하시기에 이제 제가 멀리서 왔습니다. 바라건대 우리 조사가 전한 의발을 보여주십시오."

Montrinte al li la du relikvojn, la Patriarko demandis lin:
"Kian specialan lertecon vi havas?"
"Mi estas lerta en skulptado," li respondis.

조사께서 이를 곧 내보이셨다. 그러고는 물었다. "그대는 무슨 일을 특별히 익혔는가?"
"소상(塑相: 흙으로 빚어 만든 형상)을 잘합니다."

"Montru do al mi, kion vi kapablas fari," diris la Patriarko kun serioza mieno.

조사가 정색하여 말씀하시기를 "너는 내 모양을 만들어 보라."

Tiu ĉi peto ĵetis Fangbian en konfuzon, ke li ne sciis, kiel respondi, sed post kelkaj tagoj li finis vivoveran statuon de la Patriarko, alta je sep cun-oj (cun-o: tradicia ĉina mezurunuo de longo, egalanta 3.33 centimetrojn), kiu meritis esti majstroverko de skulptarto.

방변은 잠시 망설이다가 며칠 만에 조사의 생생한 모습을 만들어 오니, 높이가 약 7촌(약 23센티미터)인데 묘하기가 곡진하였다. 조사에게 바치니 조사는 웃으면서 말씀하셨다,

§ 7-40

La Patriarko ekridetis kaj diris: "Ŝajnas, ke vi konas la naturon de la skulptarto, sed ne tiun de la budho." Li do etendis la manon kaj bene frotis la kaposupron de Fangbian deklarante: "Vi estu por ĉiam 'kampo de meritoj' por la homoj kaj la ĉielaj estaĵoj."

"너는 다만 흙을 빚는 도리만 알고 불성을 모르는구나." 하시고는 손을 펴, 방변의 이마를 만지시면서 말씀하셨다. "길이 인간과 천상의 복전이 되게 하라."

Krome la Patriarko rekompencis lian servon per robo, kiun Fangbian dividis en tri partojn: unu por vesti la statuon, unu por si mem kaj unu por enmeto en la teron post envolviĝo en palmajn foliojn. Poste li faris voton: "Kiam la robo estos elterigita, mi reenkarniĝos kiel abato de la templo kaj ĝin rekonstruigos."

조사께서 그의 애쓴 일에 법의로서 보답하자, 방변은 이 법의를 셋으로 나누었다. 그 중 하나는 그 소조 상을 입히고, 또 하나는 자신을 위해 남기고, 그러고 다

른 하나는 종려나무의 잎으로 싼 뒤에 땅 속에 묻어 두었다. 나중에 그는 서원을 세웠다. "이 법의를 다시 얻는 때에는 나는 환생해서 이 절을 지키고 또 이 절을 중건할 것이로다."

(Origina noto: En la regperiodo Jiayou de la dinastio Song, t.e. 1064, aŭ pli ol 300 jarojn poste, iu bonzo nomata Weixian, dum la fosado de fundamento por templo, elterigis la robon kaj trovis ĝin tiel nova, kiel ĝi siatempe estis enterigita. Li konservis ĝin en la templo Gaoquan, kie la preĝantoj trovis ĝin reagema al ĉiu el la petoj.)

(*원주; 송나라 영우 8년(1064년)에, 또 그로부터 300년 뒤에, 유선이라는 스님이 절을 짓기 위해 절터의 바닥을 파다가 그 법의를 발견하고는 이것이 묻힌 때의 것과 같이 온전한 상태로 있음을 보고는 이를 고천사에 보관하였는데, 그곳에서 기도하는 이들이 이를 보고는 그 서원 중 모든 것이 실현되었다고 하였다.)

§7-41

Iu bikŝuo citis la jenan gata-on komponitan de la zenisma majstro Wolun:

어떤 승이 와륜 선사(臥輪禪師)의 게송을 외우는데, 이를 이르기는,

Wolun havas lertan rimedon
Por izoli la menson de ĉiaj pensoj.

와륜은 기량이 있어, 능히 백가지 생각을 끊네

Fronte al situacio la menso ne leviĝas,
Tamen la bodio kreskas kun ĉiu tago. (La bodiarbo estas simbolo de saĝo.)

경계를 대하여도 마음이 일지 않으니
보리가 나날이 자라는구나.

Aŭdinte tion ĉi, la Patriarko diris: "Tiu ĉi gata-o indikas, ke la komponinto ankoraŭ ne plene konas sian Veran Naturon. Sekvi ĝin en praktiko signifus, ke per ĝi oni sin ligas. Li do montris al la bikŝuo la jenan gata-on:

하였기에, 조사께서 이를 듣고 물었다. "이 게송은 아직 마음자리를 밝히지 못한 것이니 만약 이에 의지하여 행하면 더욱 결박만 더하리니." 하시고 이에 한 게송을 보이셨다.

Huineng trovas nenian lertan rimedon,
Por izoli sian menson de ĉiaj pensoj.

혜능은 기량이 없고, 온갖 생각이 끊이지 않네.

Kiam situacio leviĝas, la menso reagas.
Mi miras, kiel povas kreski la bodio. (Estante konstanta, la bodio ne estiĝas nek malestiĝas, nek kreskas nek malkreskas.)

경계를 대함에 마음이 자주 일어나니,
보리가 어찌 자라랴!

ĈAPITRO 8. LA SUBITA SKOLO KAJ LA LAŬGRADA SKOLO

돈점품(단박에 깨닫는 가르침과 점차 깨닫는 가르침)

§8-01

Dum la Patriarko vivis en la templo Baolin, la Granda Majstro Shenxiu predikis en la templo Yuquan en Jingnan. Tiutempe la du skoloj, nome tiu de Huineng en la sudo kaj tiu de Shenxiu en la nordo, paralele prosperis. Ĉar la du skoloj estis distingitaj unu de la alia per la nomo "Subita" (la Suda) kaj "Laŭgrada" (la Norda), tial la demando, kiun skolon oni devos sekvi, konfuzis iujn tiamajn budhismajn praktikantojn.

조사께서 조계의 보림사에 계셨고, 당시 두 종(宗)이 크게 교화하니 사람들이 모두 말하기를 '남쪽에는 혜능이, 북쪽에는 신수' 이 두 종이 평행하게 번성하고 있다고 하였다. 당시 두 종은 서로를 구분하기를 '돈'(頓: 남종: 단박에 깨닫는 가르침)과 '점'(漸: 북종: 점차 깨닫는 가르침)으로 나뉘어 있기에, 배우는 이들은 그 종지(宗旨)의 취향을 알지 못하였다.

Sciiĝinte pri tio, la Patriarko alparolis siajn disĉiplojn: "La Darmo origine havas nur unu skolon, sed la homoj distingiĝas unu de la alia per sudo kaj nordo.

La Darmo havas nur unu specon, kiun iuj disĉiploj ekkonas pli rapide, ol la aliaj. La kaŭzo, kial la nomoj 'Subita' kaj 'Laŭgrada' estas donitaj, kuŝas en tio, ke iuj disĉiploj estas superaj al aliaj en la mensa dispozicio. Koncerne la Darmon mem, la distingo pri 'Subita' kaj 'Laŭgrada' propre ne ekzistas.

조사께서는 대중에게 이르시기를 "법이란 본래 한 종류이건만 사람이 남과 북으로 나누고 있구나. 그 '돈'과 그 '점'이라는 깨달음은 사람에겐 영특함과 우둔함이 있기에 기인하는 것이다. 그러니 법 자체는 '돈'과 '점'이 따로 존재하지는 않는구나."

Kaj tamen, malgraŭ la diro de la Patriarko, la sekvantoj de Shenxiu de tempo al tempo kritikis la Patriarkon. Ili difektis lian reputacion dirante, ke li, kiel analfabeto, neniel povas distingiĝi per siaj kvalitoj.

그러나 신수의 문도들은 수시로 남종 조사를 비방하기를 "글 한 자도 모르는데 무엇이 그리 대단한 것이 있으랴." 하였으나,

Shenxiu mem, siaflanke, konfesis, ke li estas malsupera al la Patriarko, kiu havas intuician saĝecon kaj plene komprenas la instruon de la Mahajana Skolo. "Cetere," li aldonis, "Mia majstro, la Kvina Patriarko, ne sen ĝusta kaŭzo transdonis al li la robon kaj la bovlon. Mi bedaŭras, ke pro la patronado de la ŝtato —kiun mi tute ne meritas— mi ne povas fari longan vojaĝon por persone lerni de li. Ĉiuj el vi devas iri al Caoxi por havi lian aŭdiencon kaj aŭskulti lian instruon."

신수 대사는 말하기를 "그분은 스승 없는 지혜를 얻고 깊이 상승의 법을 깨달았으나 나는 그러하지 못하였는데, 또한 내 스승이신 오조께서 그분에게 친히 의법을 전하신 것이 어찌 공연히 한 일이랴! 내가 먼 길이라 직접 찾아가서 서로 친하게 가까이 지내지 못하고 헛되이 국은(國恩: 나라의 후원)을 받으니 한스러울 뿐이다. 너희들은 여기에 머물러 있지 말고 조계에 가서 배워 의심을 끊도록 하라" 하였다.

Iun tagon li diris al sia disĉiplo Zhicheng: "Vi estas inteligenta kaj sagaca. En mia nomo, vi povos iri al Caoxi por aŭskulti liajn predikojn. Faru vian plejeblon por enmemorigi, kion vi lernis, por ke reveninte vi povu ripeti ĉion al mi."

그러고 어느 날 자신의 문하에 있던 지성(志誠)에게 명하기를 "너는 총명하고 지혜가 많으니 나를 위하여 조계에 가서 법을 들어라. 네가 법문을 듣고 모두 잘 기억해 두었다가 돌아와서는 나에게 일러 달라." 하였다.

§ 8-02

Agante laŭ la instrukcio de sia majstro, Zhicheng iris al Caoxi kaj, sen diri al iu ajn de kie li venis, li aliĝis al la aŭskultantaro.

지성이 명을 받고 조계에 이르러 대중을 따라 참여하여 들었으나, 자신이 온 곳을 밝히지는 않았다.

Tiam la Patriarko diris al la aŭskultantaro: "Hodiaŭ iu kaŝiĝas ĉi tie por ŝteli mian instruon." Zhicheng tuj elpaŝis, kotois kaj rakontis al la Patriarko, kio estas lia komisio.

그때 조사께서 대중에게 이르기를 "지금 법을 훔치러 온 자가 이 모임 가운데 숨어 있다." 하시니 지성이 곧 나와 예배하고는 사실을 갖춰 말씀드렸다.

"Vi venas el la Templo Yuquan, ĉu ne?" demandis la Patriarko. "Sekve vi devas esti spiono."

조사께서 말씀하셨다. "네가 옥천에서 왔다니 필시 염탐꾼이겠구나."

"Ne, mi ne estas spiono," respondis Zhicheng.

지성이 대답하였다. “아니올시다.”

“Kial ne?” demandis la Patriarko.

“어찌하여 그렇지 않다고 하느냐?”

“Se mi ne dirus al vi, kiu mi estas,” diris Zhicheng, “mi estus spiono. Nun mi jam diris, sekve mi ne estas.”

“말씀드리기 전에는 그러하였습니다. 그러나 이미 말씀드렸으니 그러하지 않습니다.”

“Kiel via majstro instruas siajn disĉiplojn?” demandis la Patriarko.

“너의 스승은 어떻게 대중에게 가르치느냐?”

“Li ofte instruas al ni mediti pri pureco de la menso, kaj konservi ĉiam la pozicion de sido kun la kruroj krucitaj sen kuŝiĝo,” respondis Zhicheng.

“항상 대중에게 이르시기를 ‘마음을 마음에 머물고 고요를 관하되 눕지 말고 항상 앉아 지어 가라’ 고 하십니다.”

“Mediti pri pureco,” diris la Patriarko, “estas pli malsano ol djan-o. Longatempe sidadi kun la kruroj krucitaj antaŭ si signifas kateni sian korpon, kio estas ne profita por la vero-atingo. Aŭskultu do mian gata-on:

조사께서 말씀하시기를, “마음에 머물고 고요를 관하는 이것은 병이지 선은 아니다. 마냥 앉아 있음은 몸을 구속함이니 무슨 이익이 되랴. 내 게송을 들어라.”

Kiam ni vivas, ni sidas kaj ne kuŝiĝas.
Post kiam ni mortas, ni kuŝas kaj ne sidas.

살아서는 앉아서 눕지 아니하고,
죽어서는 누워서 앉지 못하네.

Nia korpo estas nur rako por stinka karno.
Kial do ni devus trudi al ĝi la sido-taskon?

한 구의 냄새 나는 빼다귀로 어찌 공과를 세운다 하랴.

§ 8-03

Ree kotointe al la Patriarko, Zhicheng rimarkis: “Kvankam mi studis naŭ jarojn sub Granda Majstro Shenxiu, mia menso estis ankoraŭ ne estis vekita al eklumiĝo. Sed tuj kiam vi parolis al mi, mia menso eklumiĝis. Ĉar la demando pri la ciklo de renaskiĝoj estas afero gravega, volu do esti kompatema kaj doni al mi pluan instruon."

지성이 게송을 듣고 조사께 재배하고는 말씀드렸다. "제자는 신수 대사 휘하에서 9년 동안 배웠사오나 깨치지 못하옵더니 이제 화상의 한 말씀을 듣고 문득 깨달아 마음에 닿는 바가 있습니다. 제자에겐 생사의 일이 크오니 화상께서는 큰 자비로 다시 가르쳐 주십시오."

"Mi aŭdis," diris la Patriarko, "ke via majstro donas al siaj disĉiploj instruojn pri ŝila-o (bona konduto), samadi-o (medito) kaj praĝna-o (saĝo), sed mi ne scias, kion li diras pri la trajtoj aŭ la ecoj de ĉi tiuj tri elementoj. Bonvolu do informi min pri tio."

조사께서 말씀하셨다. "내가 듣건대 너의 스승은 학인에게 계정혜(戒定慧: 계율-선정-지혜)의 법을 가르친다고 하니 너의 스승은 계정혜를 어떻게 말씀하는지 말해 보라."

"Laŭ la instruo de mia majstro," respondis Zhicheng, "deteni de ĉiaj malbonaj agoj estas ŝila-o, praktiki ion ajn bonan estas praĝna-o, kaj purigi sian propran menson estas samadi-o. Jen kion li instruas al ni. Ĉu mi povus scii kiel vi instruas?"

지성이 말하기를 "신수 대사께서 말씀하시길 '모든 악한 일을 하지 않음이 계(戒)이고, 모든 착한 일을 받들어 행함이 혜(慧)이며, 스스로 그 뜻을 깨끗이 함을 정(定)이다' 라고 하십니다. 그곳에서의 가르치심은 이러하옵거니와 화상께서는 어떠한 법으로 학인을 가르치시옵니까?"

§ 8-04

"Se mi diros al vi," diris la Patriarko, ke mi havas ian metodon por proponi al aliaj, mi trompos vin. Tio, kion mi faras al miaj disĉiploj, estas nenio alia, ol liberigi ilin de ilia propra ligiteco per rimedoj konvenaj al la okazoj. Por uzi iun nomon pruntitan, tiu ĉi liberigo povas esti nomata samadi-o. La maniero, en kiu via majstro instruas ŝila-on, samadi-on kaj praĝna-on, estas eksterordinara, sed mia kompreno estas iel malsama."

"내가 만약 사람에게 줄 법이 있다고 말한다면 그것은 곧 너를 속임이 되리라. 나는 다만 잠시 경우를 따져 얽힘을 풀뿐이니 이것을 거짓 이름하여 삼매(三昧)라고 한다. 너의 스승이 말씀하시는 계정혜가 실로 생각으로 헤아릴 수 없으나, 내가 보는바, 계정혜는 또한 다르니라."

"De kie do venas la diferenco," demandis Zhicheng, "dum sin trovas nur unu speco de ŝila-o, samadi-o kaj praĝna-o?"

"화상이시여, 계정혜는 다만 한가지인데 어찌하여 다르다고 하십니까?"

"La instruo de via majstro estas por helpi la sekvantojn de la Mahajana Skolo, dum la mia estas por tiuj de la Plejsupera Skolo. La fakto, ke iuj ekkonas la Darmon pli rapide kaj pli profunde ol la aliaj, klarigas la diferencon en la interpreto. Bonvolu aŭskulti kaj vidi, ĉu mia instruo estas la sama kiel la lia. Instruante la Darmon, mi neniam devias de la Vera Naturo, t.e. mi parolas nur pri tio, kion mi intuicie konstatas. Interpreti la Darmon alimaniere indikus, ke la Vera Naturo de la instruanto estas obskurigita, kaj ke lia interpreto estas nomata formala interpreto. La vera instruo pri ŝila-o, samadi-o kaj praĝna-o devas esti bazita sur la principo, ke la funkcio de ĉiuj estaĵoj devenas el nia Vera Naturo. Aŭskultu do mian gata-on:

"너의 스승이 말하는 계정혜는 대승인(大乘人: 큰 탈 것(마하야나), 즉, 대승은 공사상과 보살사상 그리고 6바라밀 또는 10바라밀의 체계를 그 특징으로 함)을 따르는 이들을 돕기 위함이지만, 나의 계정혜는 최상승인(最上乘人: 『금강경』의 가르침을 통해 이름과 형상을 넘어 그 근본을 보도록 가르친다. 그리하여 근본인 궁극적 진리 진여의 몸체와 작용을 깨닫도록 가르침)을 따르는 이들을 돕는 것이니라. 사람에게는 깨달음과 앎이 같지 않기에 지견(해석)에 빠름과 더딤이 있느니라. 내가 말하는 법이 네 스승이 말하는 바와 같은지 다른지를 들어보아라. 내가 설하는 법은 자성을 여의지 않느니라. 너희가 말하는, 체를 여의고 법을 설하는 것을 일컬어 '상설(相说)'이라 하는데 이는 항상 자성을 어둡게 하느니라. 모름지기 일체 만법 모두가 자성으로부터 일어남임을 알라. 이것이 참된 계정혜의 법이니라. 내 게송을 들어라.

Liberigi la menson de ĉia malpureco estas la ŝila-o de la Vera Naturo.
Liberigi la menson de ĉia iluzio estas la praĝna-o de la samo.

마음 바탕에 잘못(非)이 없음이 자성의 계(戒)이며,
마음 바탕에 어리석음이 없으면 자성의 혜(慧)이며

Liberigi la menson de ĉia konfuzo estas la samadi-o de la samo.

마음 바탕에 어지러움이 없음이 자성의 정(定)일세.

Tio, kio nek kreskas, nek malkreskas, estas vaĝra-o (sanskrite: Vajra; diamanto, uzata kiel la simbolo de la Vera Naturo).
La korpo, libera veni kaj foriri, estas la samadi-o mem.

늘지도 줄지도 않음이 자성 금강(金剛)이며,
몸이 오고 몸이 감이 본래 삼매이니라."

§ 8-05
Aŭdinte tion ĉi Zhicheng petis pardonon kaj dankis la Patriarkon pro ties instruo. Li do prezentis al li la jenan gata-on:

지성이 이 게송을 듣고 깊이 뉘우치고 곧 한 게송을 지어 바쳤다.

La kvin skanda-oj (formo, percepto, konscio, ago, kaj scio) estas nur iluzioj,
Kiel do ili povus esti realaĵoj?

오온인 이 몸이 바로 환상이니
환상을 어찌 구경(究竟: 어떤 과정의 마지막이나 막다른 고비)이라 하랴.

La penso pri reveno al la tatata-o

Estas propre malpura darmo.

그렇다고 진여로 돌이켜 나아가면
법이 도리어 다시 부정(不净)함일세.

Aprobante lian gata-on la Patriarko diris: “La instruo de via majstro pri ŝila-o, samadi-o kaj praĝna-o estas ĉefe por homoj de malsupera saĝeco, dum la mia estas por tiuj de supera saĝeco. Tiu, kiu konas la Veran Naturon, povas senigi sin je tiaj terminoj, kiaj estas bodio, nirvano kaj ‘Scio akirita pri la Atingo de Liberiĝo’. Nur tiuj, kiuj atingis la staton de nenia darmo, povas starigi dek mil darmojn, kaj nur tiuj, kiuj povas kompreni la signifon (de tiu ĉi paradokso) povas uzi tiajn terminojn. Se oni komprenas la signifon de tio ĉi, tiam ĝi povas esti nomata la budha korpo, ‘Bodi-Nirvano’ aŭ ‘Scio akirita pri la Atingo de Liberiĝo’. Estas tute egale por tiuj, kiuj jam vidas sian Veran Naturon, ĉu ili starigas darmon aŭ ne. Ili estas liberaj “veni” kaj “foriri” (t.e. ili povas resti en tiu ĉi mondo aŭ ĝin forlasi laŭ sia libera volo), tute sen obstakloj kaj malhelpoj. Ili prenas konvenajn agojn kiel la cirkonstancoj postulas kaj donas konvenajn respondojn al la demandoj. Ili povas aperi en malsamaj nirmanakaja-oj (enkarniĝo-korpoj). Ili atingis liberecon, supernaturan psikan povon kaj samadi-on, kiuj ebligas al ili plenumi la malfacilan taskon de universala savo tiel senpene kvazaŭ ludante. Jen kiaj estas la homoj, kiuj konas la Veran Naturon.

조사께서 '그렇다' 고 하시고는 다시 지성에게 말씀하시기를 "너의 스승이 말하는 계정혜는 작은 근기의 지혜를 지닌 사람에게 권하는 것이요, 내가 말하는 계정혜는 큰 근기의 지혜를 지난 사람에 관한 것이니라. 만약 자성을 깨달으면 보리 열반도 세우지 않아도 되고 또한 해탈지견도 세우지 않게 되느니라. 가히 한 법도 얻음이 없기에 바야흐로 능히 만법을 세우는 것이니. 만약 이 도리를 안다면 이를 일컬어 곧 불(佛)의 몸이요, 보리 열반이요, 해탈지견이라 할 것이니라. 견성한 사람은 세워도 되고 세우지 않아도 되니 오고 감이 자유롭고 막힘도 없으며 걸림도 없어, 경우에 응하여 짓고 물음에 응해서 대답하니, 널리 화신을 나투되, 자성을 여의지 아니하고, 곧 자재 신통력으로 유희 삼매를 얻나니, 이것이 견성이니라."

§8-06

Zhicheng refoje kotois kaj metis duan demandon: "Per kia principo do ni estas gvidataj en nia seniĝo je ĉiuj sistemoj de la darmo?"

지성이 재배를 하고는 다시 조사께 말씀드렸다. "어떠한 것이 세우지 않는다는 것입니까?"

"Kiam nia Vera Naturo estas libera de malpureco, malklero kaj konfuzo," respondis la Patriarko, "kiam ni introspektas de momento al momento per praĝna-o (saĝo), kaj kiam ni ne alkroĉiĝas al objektoj kaj fenomenoj, tiam ni estas liberaj. Kial do ni devus starigi ian sistemon de darmo dum nia celo povas esti atingita tute egale, ĉu ni nin turnas dekstren aŭ maldekstren?

"자성에는 어떠한 그름도 없고, 어리석음도 없고, 어지러움도 없음이니, 생각마다 반야로 관조하니 항상 법상을 여의고 자유자재하여 종횡으로 모두가 통하니, 어찌 세움이 있으리요!

"Ĉar per niaj propraj penoj ni povas ekkoni nian Veran Naturon kaj ĉar tiu ekkono kaj la sinkulturo ambaŭ estas faritaj pli dum momento, ol en maniero laŭgrada aŭ laŭstadia, la starigo de ĉia ajn sistemo de darmo estas nenecesa. Ĉar ĉiuj darmoj estas esence nirvanecaj (liberaj de estiĝo kaj malestiĝo), kiel do povas sin trovi laŭgradeco en ili?"

자성을 스스로 깨달아, 돈오 돈수하므로 또한 점차가 없나니 이 까닭에 일절 법을 세우지 않는 것이며, 제법이 적멸하기에 무슨 차례가 있으랴!"

Ĉe tio Zhicheng ankoraŭ unu fojon kotois al la Patriarko. Li volonte faris sin lia akompananto kaj servis lin tage kaj nokte.

이에 지성이 예배하고 시자가 되기를 원하고 밤낮으로 게으르지 않았다.

§8-07

La bikŝuo Zhiche, kies laika nomo estas Zhang Xingchang, estis indiĝeno de Jiangxi. En sia juneco li tre emis agi brave kaj bataleme.

승 지철(志徹)은 강서 사람이고 성은 장씨이고 이름은 행창이며 젊었을 때는 용맹하였다.

De kiam okazis la splitiĝo inter la du zenismaj skoloj, nome tiu de Huineng en la Sudo kaj tiu de Shenxiu en la Nordo, ia forta sekteca sento leviĝis kaj disvolviĝis inter iliaj disĉiploj malgraŭ la tolerema spirito montrita de la du majstroj, kiuj tute ne konis egoismon kaj sindone laboris. La sekvantoj de la Norda Skolo senrajte nomis sian majstron Shenxiu la Sesa Patriarko kaj, pro envio kontraŭ la rajta posedanto de la robo, kiu estis tro fame konata por esti ignorata, ili sendis Zhang Xingchang, kiu tiam estis laiko, murdi la Patriarkon.

조사와 신수가 남과 북, 둘로 나뉘어 교화하면서부터 비록 두 종주는 저편과 이편이 없었지만, 그 문도들은 서로 다투어 편당심을 품고 미워하였다. 그때 북종의 문인들은 스스로 신수 대사를 세워서 제6조로 삼았지만, (남종의) 조사가 법의를 전수하였음이 천하에 알려짐을 꺼리어, 행창을 조사에게 위해를 가하려고 행창을 조사께 보냈다.

La mensa povo de la Patriarko ebligis al li antaŭsciiĝi pri la komploto. Li metis dek taelojn da oro apud sian sidlokon. Tiunokte, kiam Zhang glitis en la ĉambron de la Patriarko, li elstreĉis sian kolon, proponante ĝin al Zhang. Zhang frapis lin trifoje per sia glavo, sed faris nenian vundon al li.

조사께서는 타심통(他心通: 다른 사람이 마음에 생각하고 있는 선악(善惡)을 모두 알아내는 신통력)으로 미리 이를 아시고는, 돈 10냥을 자리 밑에 미리 준비하고 계셨다. 밤이 깊어지자 행창이 조사실에 뛰어들어 조사를 해치려고 달려들었다. 조사가 목을 내미시니 행창이 칼을 휘둘러 세 차례나 조사의 목을 내리쳤다. 그러나 조금도 다치지는 아니하였다. 오히려 조사께서 말씀하셨다.

§ 8-08

Tiam la Patriarko diris:

"La glavo rekta ne estas malrekta,

Dum la malrekta ne estas rekta.
Mi ŝuldas al vi monon,
Sed la vivon tute ne."

"바른 칼은 삿되지 않고 삿된 칼은 바를 수 없나니, 나는 네게 다만 돈을 빚졌을지언정 목숨 빚은 지지 않았느니라."

La surprizo estis tro granda por Zhang. Li subite falis en svenon, el kiu li revenis al la vivo nur post paso de konsiderinde longa tempo. Kiam li retrovis sian konscion, li estis plena de konsciencriproĉo kaj petis pardonon. Li demandis la Patriarkon, ĉu li povus fariĝi bonzo. La Patriarko donis la oron al li kaj diris: "Vi devas tuj forlasi tiun ĉi lokon, ĉar miaj disĉiploj povos fari al vi malutilon. Venu alivestita vidi min en iu alia tago kaj mi plenumos vian deziron."

행창은 놀라 쓰러졌다가 한참 만에 깨어나 슬피 울며 허물을 뉘우치고 출가를 원하였다. 조사는 행창에게 돈을 내어 주시면서 "너는 우선 가거라. 대중이 너를 해칠까 두렵구나. 뒷날 모양을 바꾸어서 오너라. 내 너를 마땅히 받아들이리라." 하시니, 행창은 조사의 뜻을 받고 밤중에 달아났다.

Obeante la instrukcion, Zhang foriris sub la kovro de

la nokto. Poste li aliĝis al la Budhana Ordeno kaj fariĝis tre pia kaj diligenta bonzo.

그 후 행창은 출가하여 승이 되었다.

§ 8-09

Iun tagon, ekmemorinte kion la Patriarko diris al li, li faris longan vojaĝon por vidi lin kaj fari al li omaĝon. "Kial vi venas tiel malfrue?" demandis la Patriarko. "Mi ĉiam pensis pri vi."

하루는 조사의 말씀을 다시 떠올리고는 행창이 멀리서 다시 찾아뵈오니, 조사께서 말씀하시기를 "내가 너를 기다린 지 오래니라. 어찌하여 이다지도 늦었는가?" 하시며 반가워하셨다.

"Ekde tiu tago, en kiu vi bonvole pardonis mian krimon," diris Zhang, "mi fariĝis bikŝuo kaj diligente studas la budhismon. Tamen mi trovis malfacila pagi al vi la dankoŝuldon, krom se mi povos montri mian dankemon per disvastigo de la Darmo por la bono de la sentohavaj estaĵoj. En la studo de la sutro Maha Parinirvana, kiun mi legadas tre ofte, mi ne povas kompreni la signifon de "permanenta" kaj "nepermanenta". Volu do, Via Sankteco, esti afabla kaj doni al mi koncizan klarigon."

행창이 여쭙기를 "전날에 화상께서 죄를 용서하여 주신 은덕은 비록 지금 출가하여 고행으로 갚는다 하더라도 마침내 갚을 길이 없사옵니다. 다만 은혜에 보답하는 길은 법을 전하여 중생을 제도할 뿐인가 하옵니다. 제자가 일찍부터 『열반경』을 지송하오나 아직 상(常)과 무상(無常)의 뜻을 알지 못하오니, 바라옵건대 화상께서 자비로 베풀어 간략히 가르쳐 주십시오." 한다.

"Kio estas nepermanenta, estas la budho-naturo," respondis la Patriarko, "kaj kio estas permanenta, estas la distingikapabla menso kune kun ĉiuj ĝiaj bonaj kaj malbonaj darmoj."

조사께서 말씀하셨다. "무상(無常)이라 함은 곧 불성을 말함이요, 유상(有常)이라 함은 곧 선악의 제법과 분별심이니라."

§8-10

"La klarigo de Via Sankteco, mi timas, estas kontraŭa al kio estas dirita en la sutro," diris Zhang.

"화상께서 하신 말씀이 경문과는 크게 어긋납니다."

"Kiel mi kuraĝas, ĉar tio, kion mi predikas, estas la Koro-Sigelo de la Sinjoro Budho?" respondis la Patriardo?"

조사께서 말씀하셨다. “나는 부처님의 심인(心印: 선종에서 글로나 말에 의지 아니한 불타 내심의 실증)을 전하거니 어찌 불경을 어길까 보냐?”

“Laŭ la sutro,” diris Zhang, “la budho-naturo estas permanenta, dum ĉiuj bonaj kaj malbonaj darmoj inkluzive de la Bodi-Koro estas nepermanentaj; kaj tamen, malgraŭ tio, vi opinias male! Ĉu tio ne estas kontraŭdiro? Via klarigo ja intensigas mian dubon.”

“경에는 불성, 이것이 상(常)이라 하였사온대, 화상께서는 도리어 무상(無常)이라 하시며, 선악제법과 또 보리심까지도 이것이 무상이온데 화상께서는 도리어 상이라 말씀하시니, 이것은 경문과 다르므로 학인의 의혹은 더하기만 하옵니다.”

“En iu okazo,” respondis la Patriarko, “mi aŭdis la bikŝuinon Wujinzang reciti al mi la tutan libron de la sutro Maha Parinirvana, kaj poste mi klarigis ĝin al ŝi. Ĉiu vorto kaj ĉiu signifo, kiujn mi klarigis al ŝi, konformis al la teksto. La klarigo, kiun mi nun donis al vi, estas ne diferenca de tio, kion mi diris tiam.”

“『열반경』은 지난날 무진장 비구니가 한편을 독송하는 것을 듣고 곧 그에게 설한 적이 있느니라. 나의 말은 한 글자나 한 뜻도 경문에 어긋남이 없었으니, 이제 또한 네게도 두 말이 있을 리 만무하구나.”

“Mia komprenkapablo estas malbona. Ĉu Via Sankteco povus esti afabla kaj fari al mi iom pli detalan klarigon?” petis Zhang.

“학인은 아는 바가 얕고 지혜가 어둑하오니 바라옵건대 화상께서 자세히 말씀하여 주십시오.”

§ 8-11

“Ĉu vi ne komprenas?” diris la Patriarko. “Se la budho-naturo estus permanenta, tiam kia neceso sin trovus priparoli darmojn bonajn kaj malbonajn? Ĉar tiuokaze, de kalpa-o al kalpa-o, neniu inklinus veki sian Bodi-Koron. Tial, kiam mi diras ‘nepermanenta’, tio estas ĝuste kion la Sinjoro Budho intencis esprimi per ‘vere permamenta’. Plie, se ĉiuj darmoj estus nepermamentaj, tiam ĉiuj ekzistaĵoj havus sian propran Veran Naturon por suferi morton kaj naskiĝon. Tiuokaze, tio signifus, ke la Vera Naturo, kiu estas vere permamenta, ne trapenetras ĉien. Tial, kiam mi diras ‘permanenta’, tio estas ĝuste kion la Sinjoro Budho intencis esprimi per ‘vere nepermamenta’.

조사께서 말씀하셨다. “네가 아느냐? 불성이 만일 상이라면 다시 어떻게 선악 제법을 설명할 것이며, 또한 겁을 다하더라도 한 사람도 보리심을 발할 사람이 없으리라. 이런 까닭에 내가 무상이라고 말하는 것이니, 이것이 바로 부처님이 말씀하신 참된 상의 도리이니라. 또 일체 제법이 무상일진대 사물 하나하나가 제각각 자성이 있어서 생사를 받아들인 것이니 그렇다면 참된 상의 성품은 두루 하지 않는 곳이 있으리라. 그러므로 내가 말하는 상, 이것이 바로 부처님께서 말씀하신 참된 무상의 뜻이니라.

"Ĉar ordinaruloj kaj herezuloj kredas je la 'hereza permanenteco' kaj ĉar sravaka-oj (la aspirantoj al la arahanteco) kaj pratjekabuda-oj (tiuj, kiuj atingis eklumiĝon per sin-kulturado) miskomprenas la permanentecon de la nirvano kiel ion ne permanentan, tial ok inversigitaj opinioj leviĝas. Por refuti tiujn ĉi erarajn opiniojn, la Sinjoro Budho ortodokse predikis la sutron Maha Parinirvana, kiu eksplikas 'la plejsupran doktrinon' de la budhismaj instruoj, t.e. la vera permanenteco, la vera feliĉo, la vera memo kaj la vera pureco.

평소에 범부와 외도는 그릇된 상에 집착하고, 모든 이승인(二乘人: 아라한이 되기를 원하는 자와 혼자서 깨달음을 얻어 수행하는 사람)들은 상(常)에서 도리어 무상을 계교하여 함께 팔도(8道)를 이루기 때문에, 부처님께서는 『열반요의교』가운데서 그들의 그릇된 편견을 타파하여 참된 상, 참된 복, 참된 나, 참된 청정을 밝혀 말씀하셨느니라.

"Ĉar vi alkroĉiĝas al la vortoj de la sutro, vi ignoras la spiriton de la teksto. Supozante, ke tio, kio estas pereama, estas nepermamenta, kaj ke tio, kio estas fiksa kaj neŝanĝebla, estas permanenta, vi misinterpretis la lastan instruon de la Sinjoro Budho, kiu estas subtila, profunda kaj perfekta. Kun tia miskompreno, eĉ se vi legos tiun ĉi sutron milfoje, vi ricevos nenian utilon."

너는 이제 말에만 의지하고 참뜻을 모르니, 단멸의 무상과 죽은 상으로써 부처님의 원묘하고 가장 깊은 최후의 가르침을 그릇 알아들었으니, 그러고서 비록 천 편을 독송한들 무슨 소득이 있겠는가?"

§ 8-12

Zhang subite atingis grandan eklumiĝon kaj komponis la jenan gata-on:

이에 행창이 홀연히 대오하고 게송으로 말씀드렸다.

Ĉar oni alkroĉiĝas al la ideo pri "nepermanenteco",
La Budho predikis pri la "permanenteco".

무상(無常)한 마음을 지킴으로 인해
부처님은 유상(有常)인 성품을 말씀한 바를

Tiu, kiu ne komprenas, ke tio estas nur vort-lertaĵo,
Povas simili la infanon, kiu kolektas ŝtonetojn kaj nomas ilin gemoj.

이것이 방편임을 알지 못하는 이가
봄날 못에서 조약돌을 주워
이를 보석이라고 이름하는 아이와 같구나.

Sen penoj de mia flanko
La budho-naturo mem sin manifestas.

나는 이제 공을 들이지 않고
불성이 이렇게 지금 내 앞에 나타났으니,

Tio estas ŝuldata nek al la instruado de mia majstro, nek al mia propra atingo.

이는 스승께서 알려주심도 아니고,
나도 또한 얻은 바 없네.

"Nun vi jam kompletiĝis," diris la Patriarko. "De nun vi devas esti nomata Zhiche (plena ekkompreno). Zhiche dankis la Patriarkon, kotois kaj foriris.

조사께서 말씀하시기를 "네가 이제 투철하였구나. 마땅이 이름을 지철(志徹)이라 하라" 하셨다. 지철이 절을 하고는 감사히 물러갔다.

§8-13

Iu dektri-jara knabo nomata Shenhui, kiu estis membro de la Gao-familio de Xiangyang, alvenis de la templo Yuquan (kie predikis la majstro Shenxiu de la Norda Skolo), por fari omaĝon al la Patriarko.

한 동자가 있었는데, 이름은 신회(神會)라 하였는데, 양양의 고씨의 자손이다. 나이 13세에 옥천사에 와서 참례를 하였다.

"Mia amiko," diris la Patriarko, "vi devis fari longan kaj malfacilan vojaĝon. Sed, ĉu vi povus diri al mi, kio estas via fundamenta (principo)? Se vi povas, vi certe jam konas ĝian posedanton (nome la Veran Naturon). Do bonvole diru ion."

조사께서 말씀하셨다. "네가 먼 곳에서 고생하며 왔으나, 근본을 갖고 왔는가? 만약 근본이 있다면 곧 주인을 알 것이다. 말해 보라."

"Mi prenas 'ne-alkroĉiĝon' kiel mian fundamentan, kaj 'vidon' (t.e. ekkono) kiel ĝian 'posedanton'."

respondis Shenhui.

신회가 대답하였다. "머무름이 없음을 근본으로 삼으니 봄이 곧 주인입니다."

"Vi, novico-bonzo, taŭgas por nenio krom tiele parolaĉi!" riproĉis la Patriarko kun miro.

조사께서 말씀하셨다. "이 사미(沙彌: 불교에서 출가하여 10계를 받고 나서부터 250계를 받는 비구가 되기 이전까지의 견습 승려)가 어찌 경솔하게 말을 하는가?"

Shenhui do demandis la Patriarkon:
"Ĉu vi, Via Sankteco, vidas aŭ ne en via meditado?"

신회가 물었다. "화상께서는 좌선하실 때 보는 것이 있습니까?"

§ 8-14
La Patriarko frapis lin trifoje per sia bastono kaj demandis: "Ĉu vi sentas doloron aŭ ne?"
"Doloron kaj ne doloron," respondis Shenhui.

주장자를 3번 내리친 조사께서 말씀하셨다. "내가 너를 때렸으니 아프냐, 아니 아프냐?" "아프기도 하고 아니 아프기도 합니다."

“Mi do vidas kaj ankaŭ ne vidas,” respondis la Patriarko.

조사께서 말씀하시길 “나는 또한 보기도 하고, 보지 못하기도 하느니라.”

“Kial do vi vidas kaj ne vidas?” demandis Shenhui.

“어떤 것을 보기도 하고 또 보지 못하기도 하는 겁니까?”

“Tio, kion mi vidas, kaj ofte vidas,” respondis la Patriarko, “estas miaj kulpoj en mia menso. Tio, kion mi ne vidas, estas la bono kaj malbono de aliaj. Jen kial mi vidas kaj ne vidas. Nu, bonvolu diri al mi, kion vi volas diri per ‘doloron kaj ne doloron’. Se vi sentas nenian doloron, vi similus pecon de ligno aŭ ŝtono. Aliflanke, se vi sentas doloron, vi estas la sama kiel ordinara persono, kiu havas koleron kaj malamon en la sama tempo.

“La ‘vido’ kaj ‘nevido’, pri kiuj vi demandas, estas du ekstremoj, dume la ‘doloro kaj ne doloro’ apartenas al tio, kio ‘estiĝas kaj malestiĝas’. Sen vidi vian propran Veran Naturon, vi aŭdacas eĉ artifike trompi aliajn.”

"내가 보는 것은 항상 자심의 허물을 보는 것이요, 타인의 시비호오를 보지 않나니, 이런 고로 또는 보기도 하고 또는 보지 못한다고 하는 것이다. 너는 말하기를 아프기도 하고 아프지 않다고도 하니 이것은 어떤 것이냐? 네가 만약 아프지 않다면 이는 목석과 같음이요, 만약 아프다면 이는 범부와 같으니, 곧 성이 나고 원통한 생각이 나리라. 내가 앞서 말한 보기도 하고 보지 않기도 함은 이것은 즉, 생멸이니, 네가 자성을 아직 보지 못하고 감히 그런 희롱을 하려는가?"

Kotoante al la Patriarko, Shenhui petis lian pardonon kaj dankis lin pro la instruo.

신회는 다시 예배하고 깊이 뉘우치며 사과드렸다.

§8-15

La Patriarko ree alparolis lin dirante: "Se via menso estas iluziita kaj vi ne povas vidi vian Veran Naturon, tiam vi devas serĉi instruon de bona kaj klera amiko. Se, aliflanke, vi atingos eklumiĝon, vi vidos vian Veran Naturon. Tiam vi povos fari vian praktikadon laŭ la Darmo. Nun ke vi estas sub iluzio kaj ne vidas vian Veran Naturon, vi aŭdacas eĉ veni demandi, ĉu mi vidas aŭ ne (mian Veran Naturon). Mi kompreneble scias, kion mi mem vidas, sed tio neniel helpas al vi liberiĝi de via iluziiteco. Simile, se vi vidus vian Veran

Naturon, via vido estus senutila al mi. Tial, anstataŭ demandi aliajn, kial vi ne penas ĝin vidi kaj koni por vi mem?”

조사께서 다시 말씀을 이으셨다. “네가 만약 마음이 미혹하여 자성을 보지 못하였다면 마땅히 선지식(善知識: 불도를 잘 알고 덕이 높아 사람들을 교화할 능력이 있는 승려)에게 물어서 길을 찾아야 할 것이요, 만약 마음을 깨쳤다면 곧 스스로 견성한 것이니 마땅히 법답게 수행하여야 할 것이다. 그런데 너는 스스로 미혹하여 자심을 못 보았음에도 도리어 나에게 와서 봄과 보지 않음을 물으니, 내가 보는 것은 내 스스로 아는 것이거늘 어찌 너를 따라 내가 미혹할까 보냐. 또 너는 만약 스스로 자심을 보았다면 어찌 나의 미혹을 네가 대신하랴. 그런데 너는 어째서 스스로 보지도 못하고 알지도 못한 채 나에게 봄과 보이지 않음을 묻는 것인가?”

Foj-refoje kaj senhalte kotoante, Shenhui sin kulpigis kaj denove petis pardonon de la Patriarko. De tiam li diligente servis ĉe la Patriarko kaj ĉiam eskorte akompanis lin.

신회는 다시 일어나 백여 번을 절을 한 다음 허물을 사죄하고는, 지성을 다해 조사를 모시며 좌우를 떠나지 않았다.

§ 8-16

Iun tagon la Patriarko alparolis al siaj disĉiploj dirante: “Mi havas objekton, kiu havas nek kapon, nek voston, nek nomon, nek vorton, nek antaŭon, nek malantaŭon. Kiu do el vi scias, kio ĝi estas?”

하루는 조사께서 대중에게 으르셨다. “나에게 한 물건이 있으니, 머리도 없고, 꼬리도 없고, 이름도 없고 글자도 없으며, 앞도 없고 등도 없다. 너희들은 알겠느냐?”

Shenhui paŝis antaŭen kaj respondis: “Ĝi estas la origino de ĉiuj budhoj kaj ankaŭ la budho-naturo de Shenhui.”

그때 신회가 나와서 대답하였다. “그것은 모든 불(佛)의 본원이며 또한 신회의 불성입니다.”

“Mi jam klare diris al vi, ke ĝi havas nenian nomon, kaj tamen vi nomas ĝin ‘origino’ kaj ‘budho-naturo’. En la estonteco, eĉ se vi enfermos vin en malgranda kabano pajle tegmentita por asketeca praktikado, vi fariĝos ne pli bona ol disĉiplo kapabla nur fari interpretadon (anstataŭ de intuicia eklumiĝo).”

조사께서 말씀하셨다. “내가 너에게 ‘이름도 없고 글자도 없다’ 하였는데, 너는 곧 근본이니 불성이니 하니 앞으로 네가 종사가 되더라도 즉각적인 깨달음은 못하고 다만 지혜 종도(宗徒: 이를 해석하는 이) 밖에 되지 않겠구나.”

Post la morto de la Patriarko, Shenhui iris al Luoyang, kie li disvastigis la instruon de la “Subita” Skolo. Li skribis popularan verkon titolitan “Eksplicita Traktaĵo pri Instruo de Dhyana” . Li estas ĝenerale konata per la titolo “Zenisma Majstro Heze” (la nomo de lia templo).

조사가 입적하신 후, 신회는 서울(낙양)에 들어가 크게 조계의 돈교를 넓혔고, 또한 『현종기』를 지으니 세상에 유행하였다. 나중에 하택 선사(荷澤禪師)로 불렸다.

§8-17

Vidante, ke multaj demandoj metitaj al li de disĉiploj de aliaj skoloj, plejparte kun malbonaj intencoj, kaj ke granda nombro da tiaj demandantoj jam amasiĝas ĉirkaŭ li, la Patriarko alparolis al ili, el kompatemo, dirante la jenon:

조사께서는 여러 종문들이 자신에게 어려운 질문들을 들고 오는데, 대개 악한 의도를 품고 회 하에 많이 모이는 것을 보시고는, 이들을 불쌍히 여기시어 말씀하셨다.

"Tiu, kiu praktikas la budhismon, devas forigi el si ĉiajn pensojn, bonajn kaj malbonajn. Kiam sin ne trovas plu nomoj, tia stato estas ĝuste via Vera Naturo; ĝi efektive ne povas esti nomata per ia nomo. Tiu 'nedueca naturo' estas nomata la 'efektiva naturo', sur kiu ĉiuj sistemoj de budhismaj instruoj estas bazitaj, kaj kiun vi devas ekkompreni ĝuste nun, kiam ĝi estas klarigita al vi."

"도를 배우는 사람들은 일체의 착한 생각이나 악한 생각을 모두 마땅히 없애야 하느니라. 이름을 무엇이라고 붙일 수 없는 것을 이름하여 자성이라고 하느니라. 둘도 아닌 성, 이를 실성(實性: 실제의 성품)이니, 이 실성 위에 일체의 교문(敎門)이 건립되는 것이니라. 너희들은 모름지기 말이 떨어진 그때 스스로 보아야 하느니라."

Aŭdinte tion ĉi, ili ĉiuj faris la budhanan saluton al la Patriarko kaj petis lin akcepti ilin kiel siajn disĉiplojn.

모든 사람이 이 말씀을 듣고는 모두가 절을 하며 조사를 스승으로 섬기기를 청하였다.

ĈAPITRO 9. IMPERIESTA FAVORO

호법품(당조에서 초청하다)

§ 9-01

Je la dekkvin-a tago de la unua lunmonato de la unua jaro de la regperiodo Shenlong (705—707) la Imperiesta Patrino Zetian kaj la Imperiestro Zhongzong eldonis edikton, kiu diris:

신룡(神龍: 705-707) 원년 일월 15일에 측천 왕후와 중종이 조서를 보내어 이르기를,

"De kiam ni invitis la du grandajn majstrojn Hui' an kaj Shenxiu resti en la palaco por ricevi niajn oferojn, ni studis la "Budhan Veturilon" sub ili en iu ajn tempo, kiam ni povis trovi tempon post la plenumo de niaj imperiaj devoj. Tute el modesteco tiuj ĉi du majstroj rekomendis, ke ni devu peti konsilojn de la zenisma majstro Huineng de la Suda Skolo, kiu esotere heredis kiel la Darmon kaj la robon de la Kvina Patriarko, tiel ankaŭ la Koro-Sigelon de la Sinjoro Budho.

"짐이 (숭악) 혜안 국사와 신수 대사를 궁중에 모시고 공양하며 정사를 살피는 겨를에 매양 일승(一乘: 부처님의 수레)를 연구하는 바, 두 대사가 사양하며 추천하

기를 "남방에 계시는 혜능 선사가 홍인 대사의 의법을 비밀리에 전수하여 부처님 심인(心印)을 전해 받았으니 그분을 초청하여 묻는 것이 좋다' 하시니,

"Ni do sendis la eŭnukon Xuejian kiel kurieron de tiu ĉi edikto por inviti Lian Sanktecon veni al ni, kaj esperas, ke Lia Sankteco grace favoros nin per baldaŭa vizito al la ĉefurbo."

이에 내시 설간(薛簡)을 보내어 조서를 전하고 초청하오니 바라건대 스님께서는 자비로 살피시어 속히 상경하여 주소서" 하였다.

Pretekstante malsaniĝon la Patriarko sendis respondon por rifuzi la imperiestran inviton kaj peti imperiestran favoron permesi al li pasigi siajn restantajn jarojn ĝis la morto en la monta arbaro.

황제의 초청에 조사께서는 아프다고 사양하시며 표를 올리면서 산속에서 종신하기를 원하시니

§ 9-02

Intervidiĝante kun la Patriarko, Xuejian diris: "La eminentaj zenismaj majstroj en la ĉefurbo havas la ĝeneralan opinion, ke por atingi la budhecon oni devas sidadi en medito kun la kruroj krucitaj antaŭ si kaj praktiki samadi-on. Ili diris, ke tio estas la sola metodo por efektivigi la Liberiĝon, kaj ke agante alie neniu akiris la Liberiĝon. Ĉu mi povus scii pri via metodo ĉi-rilate, Majstro?”

설간이 여쭙기를 “서울의 선덕들이 모두 말씀하기를 ‘도를 알려고 하거든 반드시 좌선하여 선정을 익혀라. 선정에 기인하지 않고 해탈을 얻으려 함은 있을 수 없는 일이다’ 하옵는데 스님께서 설하시는 법은 어떠하십니까?” 한다.

“La Liberiĝo devas esti efektivigita per la menso,” respondis, “kaj ne dependas de la pozicio de sido. La sutro diris: ‘Estas hereza la aserto, ke la Tatagata-o estas kiel sido aŭ kuŝo’. Kial do? Ĉar la ‘Djan-o de Pureco” implicas nek venon de ie ajn, nek foriron ien ajn, nek estiĝon nek estiĝon. Ĉiuj darmoj (ekzistaĵoj) propre estas kvietaj kaj malplenaj, kaj tia estas ankaŭ la ‘pureca sidado’ de Tatagata-o. Precize dirite, sin trovas eĉ ne tia afero, nek ia ajn pruvo; kial do ni devus ĝeni nin per la pozicio de sido kun la kruroj krucitaj?”

조사가 말씀하셨다. “도는 마음으로 말미암아 깨치는 것인데 어찌 앉아 있음이 있겠는가? 『금강경』에 이르기를 ‘만약 여래를 혹은 앉는다, 혹은 눕는다고 말한다면 이것은 사도(邪道)를 행하는 것이니라. 왜냐하면, 따라올 곳도 없고 또한 갈 곳도 없는 까닭이라' 하지 않았더냐! 생도 없고 멸도 없는 것이 여래의 청정한 선이요, 모든 법이 공하고 고요한 것이 여래의 청정한 앉음인데, 구경에는 어떤 증명도 얻음이 없거니 어찌 하물며 앉음에 있겠느냐!"

§ 9-03

"Post kiam mi revenos", diris Xuejian, "iliaj Majestoj certe volos, ke mi faru raporton. Ĉu Via Moŝto povus esti tiel afabla kaj doni al mi iajn sugestojn pri la esenco de via instruo, por ke mi povu konigi ilin ne nur al Iliaj Majestoj, sed ankaŭ al ĉiuj budhismaj studantoj en la ĉefurbo? Tio estas kiel unu brulanta lampo, kiu povas ekbruligi centojn aŭ milojn da aliaj, tiel ke la tuta mallumo lumiĝos, kaj via lumo produktos lumon senfinan."

설간이 말씀드렸다. "제자가 서울로 돌아가면 주상께서 반드시 물으시리니, 바라건대 스님께서는 자비로써 심요(心要: 가르침의 핵심)를 가르쳐 주십시오. 그러하오면 제자가 양궁(兩宮)께 전하여 올리고 또한 서울에 있는 도를 배우려는 모든 사람에게도 미치게 함이 마치 한 등불이 수천 개의 등불에 옮겨붙는 듯하고 이로 인해 어둠을 다 밝혀 밝고 밝음에 다함이 없게 하겠습니다."

"La doktrino de la Budho havas nek lumon, nek mallumon," replikis la Patriarko. "La lumo kaj la mallumo signifas la ideon pri ŝanĝo kaj alterno, sekve estas ne ĝuste diri, ke 'lumo produktos lumon senfinan', ĉar efektive sin trovas fino. La terminoj en tiuj paroj da kontraŭoj ('la lumo kaj la mallumo', 'la senfineco kaj la finiteco') estas diritaj en rilato unu al la alia, nome en kontrasto. Jen kial la sutro Vimalakirti Nirdesa diras: 'La Darmo havas nenian analogiecon, ĉar ĝi estas dirita en rilato al nenio.' "

조사께서 말씀하셨다. "도에는 밝음도 어둠도 없느니라. 밝음과 어둠은 이것이 대사(代謝: 변화와 교대로 함)의 뜻이라, 설사 밝고 밝음이 다함이 없다고 하더라도 역시 다함이 있는 것이니, 이는 서로 상대하여 세운 까닭이니라. 『정명경』에 이르기를 '법은 견줄 바가 없으니, 상대가 없기 때문이다' 하시지 않았더냐!"

"La lumo estas saĝo," rezonis Xuejian, "kaj mallumo signifas kleŝon. Se la praktikanto de la budhisma doktrino ne rompas kleŝon per la forto de saĝo, kiel li povos liberigi sin de la senkomenca 'rado de naskiĝo kaj morto'?"

설간이 말씀드렸다. "밝음은 지혜에 비유되고 어둠은 번뇌에 비유되니, 수도하는 사람이 만약 지혜로 번뇌를 비춰 없애지 않으면 시작 없는 먼 옛날부터 내려온 생사의 굴레를 무엇에 의지하여 벗어나리까?"

§ 9-04

"La kleŝo estas bodio," replikis la Patriarko. "La du estas la sama kaj ne diferencas inter si. Rompi kleŝon per saĝo estas la instruo de la skolo de sravaka-oj (la aspirantoj al la arahanteco) kaj tiu de pratjekabuda-oj (tiuj, kiuj atingis eklumiĝon per sin-kulturado), kies disĉiploj estas la sekvantoj de la Kapra Veturilo kaj la Cerva Veturilo respektive. Por la homoj de supereca saĝo kaj granda kapableco, tia instruo estas havas nenian utilon.

대사께서 말씀하셨다. "번뇌가 곧 보리이니, 이는 둘도 아니고 다름도 없느니라. 만약 네 말과 같이 지혜로 번뇌를 없애버린다면 이것은 이승(二乘: 부처님의 가르치는 음성으로 깨달은 사람의 무리, 즉 성문승과, 혼자서 깨달음을 성취하는 수레, 즉 연각승을 말함; 깨달은 사람)의 견해요, 달리 말하면, 양거(羊車: 양이 끄는 수레, 즉 성문승을 말함)와 녹거(鹿車: 사슴이 끄는 수레, 즉 연각승)를 말하니, 상지(上智: 큰 지혜)와 대근(大根: 큰 능력)을 가진 이에겐 그런 가르침이 아무 소용이 없으리라."

"Kia do estas la instruo de la Mahajana Skolo?"

demandis Xuejian.

설간이 말씀드렸다. “그렇다면 어떤 것이 대승의 견해입니까?”

“El la vidpunkto de ordinaraj homoj,” respondis la Patriarko, “la eklumiĝo kaj la malklero estas du aferoj. Sed la saĝaj homoj, kiuj jam funde ekkonis la Veran Naturon, scias, ke ili estas de la sama naturo. Tiu ĉi sama naturo aŭ nedueca naturo estas kio estas nomata ‘efektiva naturo’, kiu ne malkreskas en la okazo de la ordinaraj kaj malkleraj personoj, nek kreskas en la okazo de la virtaj kaj saĝaj. Ĝi ne malordiĝas en stato de ĉagreniĝo, nek kvietiĝas en stato de samadi-o. Ĝi ne estas eterna, nek maleterna; ĝi ne venas, nek foriras; ĝi povas esti trovita nek en la ekstero, nek en la interno, nek en la spaco inter la du. Ĝi estas super la estiĝo kaj la malestiĝo; ĝia naturo kaj ĝiaj fenomenoj estas ĉiam en stato de ‘Tieleco’; ĝi estas permanenta kaj neŝanĝebla. Tia estas la Vojo.

“범부들은 명(明)과 무명(無明)을 둘로 본다. 그러나 지혜 있는 이는 그 성품이 둘이 아님을 요달하나니, 둘이 아닌 성품이 곧 실다운 성품이니라. 실다운 성품이라는 것은 어리석은 범부에게 덜하지 아니하며, 지혜로운 이에게도 더하지 않으며, 번뇌 속에서 어지럽지 않으며, 선정 가운데서도 고요하지 않으며, 끊임도 아니요, 항상도 아니며, 옴도 아니며, 감도 아니며, 중간이나 안과 밖에 있는 것도 아니며, 생겨남도 아니며 멸함도 아니니 본성과 형상이 여여하여 항상 머물러 변천함이 없는 것이니, 이를 이름하여 도라 하느니라."

§9-05

Xuejian do demandis: "Vi diras, ke ĝi estas super la estiĝo kaj la malestiĝo. Kiel do via instruo pri tio diferencas de similaj asertoj de la herezuloj?"

설간이 말씀드렸다. "스님께서 말씀하시는 불생불멸은 외도(外道)의 그것과 어찌 다릅니까?"

"Laŭ la herezuloj," respondis la Patriarko, "la 'malestiĝo' signifas la finon de la 'estiĝo', dum la 'estiĝo' estas uzata en kontrasto kun la 'malestiĝo', nome por reliefigi la lastan. Tio, kion ili volas diri per 'malestiĝo' efektive ne neniiĝas, kaj tio, kion ili nomas 'estiĝo', efektive ne estiĝas. En mia instruo tio, kion mi diras per 'esti super la estiĝo kaj la malestiĝo' estas tio ĉi: origine sin trovas nenia 'estiĝo', kaj en la nuna momento, kompreneble, sin trovas ankaŭ nenia 'malestiĝo'. Jen la diferenco inter mia instruo kaj tiu de la herezuloj.”

조사께서 말씀하셨다. “외도에서 말하는 불생불멸이란, 멸을 생겨남이 멈춤이라 하고, 또 생겨남을 멸과 대비해서 쓰였는데, 이는 멸을 드러내기 위함이니라. 그들이 멸로써 말하고자 하는 바는 실제로는 아무것도 멸하지 아니하고, 그들이 말하는 생겨남이라 부르는 것은 실제로는 생겨남이 없는 것이니라. 내가 말하고자 하는 바는, 불생불멸이란, 본래 스스로 생겨남이 없는 것이기에 지금 또한 멸도 없으니, 이 까닭에 외도와 내가 말하는 바와 같지 않음이니라.

“Se vi deziras scii la esencajn punktojn de mia instruo, vi devas liberigi vin de ĉiaj pensoj, bonaj kaj malbonaj, tiam via menso nature estos en daŭra stato de pureco kaj kvieteco. Ĝiaj funkcioj estos tiel multaj, kiel la sableroj en Gango.

네가 만약 심요를 알고자 하면, 다만 일체 선악을 전혀 생각하지 말라. 그러면 자연히 청정의 심체에 들어가 맑고 항상 고요하며 그 작용이 항하(恒河)의 모래처럼 많으리라.”

La instruo de la Patriarko subite vekis Xuejian al granda eklumiĝo. Li diris adiaŭ al la Patriarko kun deca ĝentilaĵo. Reveninte al la palaco, li raportis al

Iliaj Majestoj kion la Patriarko diris.

설간이 가르침을 받고 활연 대오하고 조사께 예배하고 하직하였다. 대궐로 돌아가 조사의 말씀을 표로 사뢰었다.

§ 9-06

En tiu sama jaro, je la tria tago de la naŭa lunmonato, estis eldonita edikto laŭdanta la Patriarkon:

같은 해 9월 3일에 조서를 내리어 대사를 찬양하였는데 이르기를,

"Pro maljuneco kaj malsaniĝo la Patriarko malakceptis nian inviton al la ĉefurbo. Dediĉante sian vivon al la praktikado de la budhismo por nia bono li efektive estas la 'kampo de meritoj' de nia nacio. Li ja sekvas la ekzemplon de Vimalakirti, kiu, resaniĝante en la urbo Vaisali, disvastigis la Mahajanan Instruon, transdonis la doktrinon de la Skolo de Djan-o, kaj eksplikis la 'Neduecan' metodon.

"대사께서 늙고 병들었다 하여 짐의 청을 사양하고 짐을 위하여 도를 닦으시니 우리나라의 복전이옵니다. 대사께서는 마치 정명(淨名: 유마거사)께서 병을 얻은 뒤 병이 나아 비야라는 도시에서 대승(大乘)을 천양(闡揚: 감추어진 것을 드러내고 밝혀서 널리 퍼지게 함)하고

모든 부처님의 마음(불심)을 전하면서 '불이(不二)' 방법을 담론하시던 일과 같습니다.

"Pere de Xuejian, al kiu la Patriarko komunikis la Budho-saĝon, ni estas sufiĉe feliĉaj havi la okazon por kompreni por ni mem la instruon de la Pli Alta Budhismo. Tio devas esti ŝuldata al niaj akumulitaj meritoj kaj nia 'radikoj de boneco' plantitaj en la pasintaj vivoj; alie, ni ne povus esti la samtempuloj de Lia Sankteco.

설간으로부터 대사께서 여래지견을 가르쳐 주신 것을 전해 들으니, 이는 짐이 적선한 사람이며 숙세(전생)로 선근을 심은 인연으로 이 세상에 나신 대사를 만나게 되어 상승(上乘: 드높은 부처님의 가르침)을 돈오하였사오니,

"Kun alta taksado de la bonfaro de la Patriarko, al kiu ni apenaŭ povas sufiĉe esprimi nian dankemon, ni donacas al li, kiel signon de nia granda respekto, robon de Mo Na (speco de altkvalita bonza robo) kaj kristalan bovlon, kaj ordonas al la prefekto de Shaozhou renovigi lian templon kaj ŝanĝi lian malnovan loĝejon en templon kun la nomo 'Guo En' (Bonfaro al la Ŝtato)."

대사님 은혜에 감사하고 머리에 받들어 마지않습니다.” 하였다. 그러고 마납가사(법복)와 수정 발우를 하사하고 또한 소주 자사에게 명하여 사우(寺宇: 승려들이 불상을 모시고 불도를 닦는 집)를 중수 장엄케 하고 대사의 옛 거처에 ‘국은사(國恩寺)’라는 이름을 내렸다.

ĈAPITRO 10. LIAJ LASTAJ INSTRUOJ

부속품(법문을 대(對)로 보이다)

§10-01

Iun tagon la Patriarko venigis siajn disĉiplojn Fahai, Zhicheng, Fada, Shenhui, Zhichang, Zhitong, Zhiche, Zhidao, Fazhen, Faru kaj ceterajn, kaj alparolis ilin dirante la jenon:

조사께서 하루는 자신의 문인 법해, 지성, 법달, 신회, 지상, 지통, 지철, 지도, 법진(法珍), 법여(法如) 등을 불러 말씀하셨다.

"Vi homoj estas diferencaj de la ceteraj homoj. Post kiam mi eniros en parinirvana-on (sanskrite: Parinirvana; perfekta ripozo; estingiĝo de reenkarniĝo), ĉiu el vi estos zenisma majstro de iu aparta regiono, tial mi nun donos al vi iujn sugestojn pri predikado, por ke vi, kiam vi praktikos, ne perdu la tradicion de nia Skolo.

"너희들은 다른 사람과 같지 않으니, 내가 멸도(滅度: 입적)한 후에 각각 일방의 스승이 될 것이므로, 내 이제 너희로 하여 법을 설함에 있어 근본 종지를 잃지 않게 하리라.

§ 10-02

"Unue menciu la tri kategoriojn de darmoj kaj poste la tridek ses 'parojn da kontraŭoj' en la aktivecoj (de la Vera Naturo). Poste instruu kiel eviti la du ekstremojn de 'eniro' aŭ 'eliro'. En ĉiuj instruoj, neniam forvagu de via Vera Naturo. Kiam oni metos demandon al vi, respondu per antonimoj, por ke 'paro da kontraŭoj' povu formiĝi. La du kontraŭoj estas korelativaj kaj interdependantaj, kiel ekzemple, 'veni' kaj 'foriri' estas la reciproka kaŭzo unu de la alia. Kiam ĉiuj el tiuj kontraŭoj estas forigitaj, tiam nenio povos plu alkroĉita.

먼저 3과 법문(三科法門)과 동용(動容: 자성 작용)의 36 가지 대(對)를 들어 말하리니, 나고 듦에 있어 곧 양변을 여의고 일체 법을 설할 때 자성을 여의지 말라.

"La tri kategorioj de darmoj estas skanda-oj (la ĉefaj kapablecoj konsistigantaj sentohavan estaĵon), datu-oj (faktoroj de konscienco), ajatana-oj (sanskrite: Ayatana; loko aŭ sfero de kontakto; alirejo al mensa stato).

3과 법문이란 '음(陰)'과 '계(界)'와 '입(入)'을 말하는 것이니라.

"La kvin skanda-oj estas materio (Rupe), sensaĵo

(Vedana), percepto (Samjna), inklinoj de menso (Samskara) kaj konscio (Vijnana).

여기서 '음' 이란 5가지 '음' 이니, 색(色), 수(受), 상(想), 행(行), 식(識)이 이것이요,

"La dek du ajatana-oj estas ses sensobjektoj (eksteraj) kaj ses sensorganoj (internaj). La ses sensobjektoj estas la objektoj de vidado, de aŭdado, de flarado, de gustumado, de tuŝado kaj de pensado. La ses sensorganoj estas la organoj de vidado, de aŭdado, de flarado, de gustumado, de tuŝado kaj de pensado.

'입' 이라 함은 12가지 '입' 인데, 밖으로는 6진(六塵), 다시 말해 색(色: 봄), 성(聲: 들음), 향(香: 향기), 미(味: 맛), 촉(觸: 만짐), 법(法: 생각)과, 안으로 6문(六門), 다시 말해 안(眼: 눈), 이(耳: 귀), 비(鼻: 코), 설(舌: 혀), 신(身: 몸), 의(意: 생각)이요,

"La dek ok datu-oj estas ses sensobjektoj, ses sensorganoj kaj ses ricevantaj viĝnana-oj.

'계' 라 함은 18계이니, 6진과 6문과 6식을 말하니라."

§ 10-03

"Ĉar la Vera Naturo ampleksas ĉiujn darmojn (ekzistaĵojn kaj iliajn fenomenojn), ĝi estas nomata 'Ampleksanta Konscio'. Sed tuj kiam la procezo de pensado aŭ rezono komenciĝas, la Vera Naturo estas ŝanĝita en diversajn viĝnana-ojn. Kiam la ses ricevantaj viĝnana-oj estiĝas, ili perceptas la ses sensobjektojn tra la ses 'pordoj' de sentumo. Sekve la funkciado de la dek ok datu-oj ricevas sian kaŭzon el la Vera Naturo. Ĉu ili funkcias kun inklino malbona aŭ bona — tio dependas de la animstato, malbona aŭ bona, en kiu estas la Vera Naturo. Malbona funkciado estas tiu de ordinarulo, dum bona funkciado estas tiu de budho. Ĉiuj funkcioj propre originas el nia Vera Naturo, sendepende de la intenco.

"자성이 만법을 머금었기에 함장식(含藏識: 인간의 기본 의식)으로 부르기도 하는구나. 만약 사량(思量)을 일으키면, 이것이 전식(轉識: 식을 능동적으로 바꾸고 변화시킴)이라, 6식을 내어, 6문을 나와 6진을 보게 되니, 이같이 18계 모두가 자성으로부터 일어나는 것이므로 자성이 만약 삿되면 18개의 삿됨이 일어나고, 자성이 만약 바르면 18정(正, 바름)이 일어나는 것이니라.

§ 10-04

"La tridek ses 'paroj da kontraŭoj' estas:

"la kvin eksteraj senanimaj: la ĉielo kaj la tero, la

suno kaj la luno, la lumo kaj la mallumo, la pozitiva elemento kaj la negativa elemento, la fajro kaj la akvo.

대법(對法: 댓구법)에는 무정물의 바깥경계에 5가지 대(對)가 있으니, 하늘은 땅과 대가 되고, 해는 달, 밝음은 어둠, 음은 양, 물은 불과 대가 되니, 이것이 5가지 대(對)이니라.

"Rilate darmalakŝana-on (sanskrite: Dharmalakshana; aspektoj de objekto) kaj abidana-on (sanskrite: Abhidhana; parolo, vortoj, aŭ lingvo) estas dek du: parolo kaj darmo, havo kaj nehavo, materio kaj nematerio, formo kaj senformeco, elfluo (Asrava) kaj senelfluo (Anasrava), materio kaj malpleneco, movo kaj kvieteco, pureco kaj malpureco, ordinaruloj kaj saĝuloj, la samgo kaj la laikaro, la maljunuloj kaj la junuloj, la grandeco kaj la malgrandeco.

법의 모양에는 12개의 대가 있으니, 말이 법과 대가 되며, 유가 무와, 유색이 무색과, 유상이 무상과, 유루(有漏: 번뇌에 얽매이어 깨달음을 얻지 못한 범부의 경지)가 무루(無漏: 번뇌를 떠나거나 번뇌가 없음)와, 색이 공과, 동이 정과, 청이 탁과, 범부가 성인과, 승이 속과, 늙음이 젊음과, 큼과 작음이 서로 대가 되니, 이것이 12가지 대(對)이니라.

"La funkciado de la Vera Naturo estas karakterizata per dek naŭ diversaj paroj: longa kaj mallonga, bona kaj malbona, inteligenta kaj stulta, saĝa kaj malklera, kvieta kaj malkvieta, favorkora kaj malica, disciplinita (Sila) kaj indulga, rekta kaj malrekta, plena kaj malplena, danĝera kaj sekura, kleŝo kaj bodio, permanenta kaj efemera, kompata kaj kruela, ĝoja kaj kolera, malavara kaj avara, antaŭeniri kaj retroiri, estiĝi kaj malestiĝi, darmakaja-o (darmo-korpo) kaj rupakaja-o (fizika korpo), nirmanakaja-o (enkarniĝo-korpo) kaj sambogakaja-o (manifestiĝo-korpo) ."

자성의 작용에는 19가지 대(對)가 있으니, 장과 단이 대가 되고, 사(틀림)와 정(바름), 치(어리석음)와 혜(지혜), 우(우둔)와 지(슬기로움), 난(어지러움)과 정(다스림), 자(자비로움)와 독(악의), 계(지킴)와 비(허용), 직과 곡, 실과 허, 험난과 평탄, 번뇌와 보리, 상과 무상, 비(마음아파함, 자비)와 해(해침), 희(기쁨)와 진(성냄), 줌과 아낌, 진과 퇴, 생과 멸, 법신(法身: 법계의 이치와 일치하는, 빛깔도 형상도 없는 부처의 몸 또는 그 부처가 설한 정법)과 색신(色身: 빛깔과 형상이 있는 신상(身相)), 화신(化身: 부처가 중생을 구제하기 위하여 여러 가지로 모습을 바꾸어 이 세상에 나타남)과 보신(報身: 과거의 선행 공덕으로 얻은 부처의 몸)이 대가 되니, 이것이 19가지 대(對)이니라.

§ 10-05

La Patriarko daŭrigis: "Tiu, kiu scias uzi tiun ĉi metodon de la 'tridek ses paroj da kontraŭoj', jam havas la liberecon en la lernado de la instruo de ĉiuj sutroj kaj kapablas eviti la du ekstremojn en siaj 'eniroj' kaj 'eliroj'.

조사께서 이어 말씀하셨다. "만약 36가지 대법을 잘 알아 쓰면 곧 도가 일체 경법을 꿰뚫어 출입하매 곧 양변을 여의어 온전히 자성을 동용하리라.

"En la funkciado de la Vera Naturo kaj en la konversacio kun aliaj, ekstere ni devas liberigi nin de alkroĉiĝo al formo, kun kiu ni estas en kontakto; kaj interne ni devas liberigi nin de la ideo pri 'malpleneco' kiam ĝi estas predikata. Kiam ni estas obsedataj de la ideo pri formo, eraraj opinioj estiĝas; kiam ni estas obsedataj de la ideo pri 'malpleneco", malklero kreskas.

또한 사람과 더불어 이야기할 때는 밖으로는 상(相)에서 상(相)으로 여의며, 안으로는 공(空)에서 공(空)을 여의어라. 만약 온전히 상에 집착하면 곧 사견이 자랄 것이며, 혹 온전히 공을 여읨에 집착하면 곧 무명(無明)이 자라리라.

“Tiuj, kiuj alkroĉiĝas al la ‘Malpleneco’, kalumnias la sutrojn asertante, ke la skribaĵoj (t.e. budhismaj skriboj) estas nenecesaj por la studado de la budhismo. Se estus tiel, tiam por ni estus nenecese ankaŭ paroli, ĉar la paroloj formas la substancon de skribaĵoj. Ili ankaŭ argumentas, ke la menso estas ‘rekta vojo’, kiu estas libera de (la uzo de) ĉia teksto. Sed fakte ankaŭ tiuj ĉi du vortoj ‘libera de’ mem estas nenio alia, ol skribaĵo! Aŭdante aliajn paroli pri sutroj, tiaj homoj kritikas la parolantojn dirante, ke ili estas obsedataj de la teksto.

‘공(空)’ 에 집착하는 사람은 경을 비방하면서 곧 경을 공부함에 문자가 필요하지 않다고 말한다. 하지만 만약 이미 문자가 필요하지 않다고 한다면 우리에겐 사람의 말하는 것도 필요치 않다고 하겠다고 볼 수 있겠지만, 말 또한 문자의 형상임을 어찌하랴! 또 그들은 정신이란 모든 종류의 문자 사용에서 자유로운 ‘직접적인 길’ 이라고 주장하고서 곧장 문자를 세우지 않는다고 말하나 이 세우지 않음, 즉 불립(不立: 자유)이라는 두 글자 또한 문자인 것이니, 대개 이런 사람은 남이 경에 대해 말하는 것을 듣고는, 곧 그를 비방하면서 말하기를 ‘문자에 집착한다’ 고 하느니라.

“Vi ĉiuj devas scii ke, kiam jam estas sufiĉe malbone havi tian eraran nocion, blasfemi kontraŭ la budhismaj skriboj ja estas ofendo eĉ pli serioza, ĉar tia kalumnio altirus sur sin senlimajn krimojn!

너희들은 마땅히 알아라. 스스로 미혹한 것은 오히려 가하거니와 어찌 부처님 경전을 비방하랴! 부질없이 경을 비방하지 말아야 하니 만일 이렇게 비방하는 자는 그 죄장(罪障: 죄악이 선한 과보(果報)를 얻는 데 장애가 됨)이 헤아릴 수 없느니라.

§ 10-06

"Tiuj, kiuj kredas je la efektiveco de la eksteraj objektoj, penas serĉi formon (de ekstere) per praktikado de ia sistemo de doktrino. Ili starigis predikejojn diversloke por vaste diskutadi pri la respektivaj malavantaĝoj de bava-o (sanskrite: Bhava; ekzisto) kaj abava-o (sanskrite: Abhava; neekzisto). Tiaj homoj povos resti, eĉ dum multnombraj kalpa-oj, blindaj pri sia Vera Naturo.

만약 상에 집착하여(외부 사물의 효과를 믿고서) 밖을 향하여 작법하며(학설(공론)의 체계의 실천으로 형상을 찾으려고 하거나), 참을 구하거나, 혹은 넓은 도량을 세워, 유와 무의 각각의 허무를 널리 퍼뜨리고자 하면, 이 같은 사람은 몇 겁을 다하여도 견성하지 못할 것이니,

"Ni devas sekvi la Vojon laŭ la instruo de la Darmo,

kaj ne teni nian menson en stato de maldiligenteco, nek krei obstaklojn al la ekkono de la Vera Naturo. Se vi nur aŭskultas la Darmon sen ĝin praktiki, tio nur donos okazon por la leviĝo de herezaj opinioj. Tial ni devas sekvi la Vojon laŭ la instruo de la Darmo, kaj en la disvastigado de ĝi ni ne devas alkroĉiĝi al la formo de la objektoj.

너희들은 다만 법을 듣고 법에 의지하여 수행하라. 또 일체를 생각하지 않는 것을 수행이라 하지 말라. 도성이 막히고 장애가 되리라. 만약 법을 듣기만 할 뿐, 닦지 않으면, 이는 사람으로 하여금 도리어 삿된 생각을 나도록 하나니. 다만 법에 의지하여 수행하여 사물의 상에 머무름 없이 법을 베풀도록 하라.

"Se vi komprenas, kion mi diras, kaj uzos tion en via predikado, en via praktikado kaj en via ĉiutaga vivo, tiam vi certe ne perdos la originan instruon de nia Skolo.

너희들은 만약 깨달아 이에 의지하여 말하며, 이에 의지하여 쓰며, 이에 의지하여 행하며, 이에 의지하여 지으면, 곧 근본 종지를 잃지 않으리라.

§ 10-07

"Kiam ajn oni metos al vi demandon, respondu

negative, se la demando estas pozitiva; kaj inverse. Se oni demandis vin pri ordinarulo, diru al la demandanto ion pri saĝulo; kaj inverse. El la interdependeco de la du kontraŭoj, la signifo de madjama-o (Madyama; la mezo) povos aperi. Se ĉiuj aliaj demandoj estas responditaj en tia maniero, vi certe ne estos malproksime de la vero.

만약 어떤 사람이 너에게 법의 뜻을 묻되, 유를 물으면 무로써 대하고, 무를 물으면 유로써 대하고, 범(보통)을 물으면 성(성스러움)으로 대하며, 성을 물으면 범으로 대하여, 두 도가 서로 이로 인하여 중도의 뜻이 살아나게 하라. 너희가 이같이 하면 한 번 물음에 한 번 대답하되, 다른 물음에도 한결같이 이같이 하면 곧 법리를 잃지 않으리라.

"Se iu demandos vin, kio estas mallumo, tiam respondu al li jenmaniere: La lumo estas la hetu-o (sanskrite: Hetu; la radika kondiĉo; unua kaŭzo) kaj la mallumo estas la pratjaja-o (sanskrite: Pratyaya; kondiĉo, kiu estigas ian fenomenon; dua kaŭzo). Kiam la lumo malaperas, la mallumo estas la rezulto. La du estas en kontrasto unu kun la alia. El la interdependeco de la du, la doktrino pri la madjama-o (Madyama; la mezo) leviĝos.

혹 어떤 사람이 묻기를 '무엇이 어두운 것인가?' 한다면, 답하기를 '밝음은 바로 인(因: 결과를 만드는 직접적인 원인)이요, 어둠은 바로 연(緣:결과를 만드는 간접적인 원인)이니, 밝음이 없어진 것이 곧 어둠이다' 라고 하라. 이는 밝음으로써 어둠을 나타내며 어둠으로써 밝음을 나타내는 것이니, 오고 감이 서로 인하여 중도에 뜻을 이루나니 다른 물음에 대하여도 모두 다 이같이 하라.

"Ĉiuj demandoj devos esti respondataj en tiu ĉi maniero. Por certigi la eternigon de la celo kaj la principo de nia Skolo, de nun vi ĉiuj devos sekvi tiun ĉi metodon en la transdonado de la Darmo al viaj daŭrigantoj de generacio al generacio."

너희들이 이후에 법을 전할 때는 마땅히 이같이 서로 교수하여 종지를 잃지 않도록 하라."

§ 10-08

Je la sepa lunmonato de la jaro Ren Zi, la lasta jaro de la regperiodo Yanhe, la Patriarko sendis iujn el siaj disĉiploj al Xinzhou por konstruigi stupaon interne de la templo Guo En, kun la instrukcio, ke la laboro devos esti finita kiel eble plej baldaŭ. En la sekva jaro, kiam la somero proksimiĝis al sia fino, la stupao estis finkonstruita en la difinita tempo.

조사께서 태극 원년(713년) 임자년 7월에 문인에게 명을 내려, 신주 국은사에 탑을 세우게 하시고 또한 공사를 서둘러 다음 해 늦은 여름에 낙성하였다.

Je la unua de la sepa lunmonato la Patriarko kunigis siajn disĉiplojn kaj alparolis ilin dirante la jenon:

7월 1일 조사께서 문도 대중을 모아 말씀하셨다.

"Mi estas preta forlasi tiun ĉi mondon en la oka lunmonato. Se vi havas dubojn, volu demandi antaŭ ol estas tro malfrue, por ke mi povu fari al vi klarigojn, kiuj metos finon al viaj iluzioj. Post mia foriro vi trovos neniun, kiu povus vin instrui."

"나는 8월이 되면 세간을 뜨고자 한다. 너희들이 의심이 되는 것이 있거든, 일찍이 모두 다 물어라. 너희들의 의심을 풀어서 너희로 하여금 미혹함이 없도록 하리라. 만약 내가 떠난 뒤에는 너희들을 가르칠 사람이 없으리라."

Tiuj ĉi vortoj tuŝis Fahai kaj aliajn disĉiplojn ĝis larmoj, krom Shenhui, kiu restis trankvila kaj senlarma.

이 말씀을 듣고 법해 등 모두가 눈물을 흘리며 울었는데, 오직 신회만 마음이 동하는 기색이 없었고, 또한 울지도 않았다. 조사께서 말씀하셨다.

§ 10-09

Laŭdante lin la Patriarko diris: “La juna majstro Shenhui estas la sola, kiu atingis la mensostaton, en kiu li vidas nenian diferencon en bono aŭ malbono, konas nek malĝojon, nek ĝojon, kaj estas tute ne movita per laŭdo aŭ mallaŭdo. La ceteraj el vi ĝin ne atingis. Post praktikado dum tiom da jaroj sur tiu ĉi monto, kian progreson vi faris? Por kio vi nun ploras? Ĉu vi estas maltrankvilaj pri mi pro tio, ke mi ne scias kien mi iros? Sed mi ja tion scias; alie, mi ne antaŭdirus al vi, kio okazos al mi. Tio, kio efektive plorigas vin, devas esti, ke vi ne scias kien mi iros; alie vi havus nenian kialon por ploro. En la naturo de la Darmo origine sin trovas nek veno, nek foriro, nek estiĝo, nek malestiĝo. Vi ĉiuj do sidiĝu, kaj lasu al mi reciti gata-on pri la efektiveco kaj la iluzio kaj pri la moviĝo kaj la senmoveco. Recitu kaj enmemorigu ĝin. Se vi ĝin praktikos, via menso estos la sama, kiel la mia, kaj vi ne perdos la celon de nia Skolo.”

“신회 소사(小師)가 도리어 좋은 일 궂은일 등을 보고서 칭찬이나 비방을 하지 않고 슬픔이나 기쁨을 나타내지 않는구나! 나머지는 모두 그렇지 못하구나. 수년이나 산중에 있으면서 마침내 무슨 도를 닦았느냐! 너희들이 지금 슬퍼 우는 것은 누구를 걱정해서 그러느냐? 만약 내가 어디 갈지 가는 곳을 알지 못해 의심하는가? 나는 스스로 갈 곳을 안다. 내가 만약 갈 곳을 알지 못했다고 한다면 너희들에게 알리지도 않았을 것이다. 너희들이 슬퍼함은 대개 너희들이 내가 가는 곳을 알지 못하기 때문이리라. 만약 내가 가는 곳을 안다면 너희들이 슬퍼할 리가 없으리라. 법성(法性)이란 본래 생멸이나 오고 감이 없는 것이다. 너희들 모두 앉아라. 내가 너희들에게 한 게송을 주리라.
이름을 진가동정(眞假動靜: 실제-거짓-움직임-고요함) 게라고 하니, 너희들이 이 게송을 외우면 나의 뜻과 같아질 것이며, 이에 의지하여 수행하면 종지를 잃지 않을 것이다."

Ĉiuj disĉiploj kotois al la Patriarko kaj petis, ke li lasu al ili aŭdi la gata-on, kiu tekstis jene:

하시니, 모든 대중이 일어나 절을 하고 게송을 설하기를 청하였다.

§10-10
En ĉio sin trovas nenio efektiva,
Kaj tial ni devas liberigi nin de la koncepto pri la efektiveco de objektoj.
Tiu, kiu alkroĉiĝas al la efektiveco de la objektoj,
Estas ligita de tiu ĉi koncepto, kiu estas pure iluzia.

일체 만물에는 진이란 없으니 그러므로 진(眞: 참)이 있다고 여기지 마라. 만약 진이 있다고 보면, 이러한 견해는 모두 진이 아니다.

Tiu, kiu ekkonis la 'Efektivecon' (t.e. la Vera Naturo) interne de si mem,
Scias, ke la "Vera menso" povas esti serĉata nur for de falsaj fenomenoj.
Se la menso estas katenata de iluziaj fenomenoj,
Kie do estas trovita la Efektiveco dum ĉiuj fenomenoj estas neefektivaj?

만약 능히 스스로 참이 있다고 할 때는
거짓을 여윔이 곧 마음의 참이다.
제 마음이 거짓을 여의지 않고서는
참이란 없거니와, 어디에서 참을 찾으랴?

La sentohavaj estaĵoj estas moviĝemaj,
La senanimaj objektoj estas senmovaj.
Tiu, kiu sin trejnas per ekzerciĝo al senmoveco,
Certe faras sin tiel senmova, kiel senanima objekto.

유정은 제대로 동하거니와
무정물은 도무지 동하지 못하니,
어떤 사람이 부동행을 수행으로 삼는다면
이것을 무정물이 부동함과 같으리라.

§10-11

Se vi serĉas veran senmovecon,
Ĝi certe sin trovos en ĉiaj aktivecoj.
La senmoveco estas la senmoveco (de la senanimaj objektoj),
En kiu sin trovas nek sento, nek la semo de la budheco. (Tia semo, semita en la koro de homo, produktos la budhan frukton, t.e. la eklumiĝon.)

만약 참된 부동(不動)을 찾으려면
움직임 위에 부동이 있음을 알라.
움직이지 않음이 부동이라면
무정에는 원래 부처(불성)의 종자도 없느니라.

Tiu, kiu estas lerta en la distingo de diversa darmalakŝana-o (objektoj kaj fenomenoj),
Restas senmovebla en la "Unua principo" (Nirvano).
Se ĉio estas perceptata en tia maniero,
Tio estas la funkcio de la tatata-o.

능히 모든 상(相)을 잘 분별하는 이는
제일의 원칙(열반)엔 동함이 없으니,
다만 이 같은 견해를 가지면 이는
진여의 작용이로다.

Ĉiuj sekvantoj de la Vojo,

Faru la praktikon sincere kaj diligente per via tuta koro.
Se vi sekvas la Mahajanan Skolon,
Nepre ne alkroĉiĝu al la saĝo pri vivo kaj morto.

내 모든 학도 인에게 이르노라.
모름지기 힘써 이를 조심하라.
대승문(大乘門)에서 공부한다면 너희는 도리어 생사의 지혜를 잡지 마라.

§ 10-12
Kun tiuj, kiuj estas simpatiaj,
Ni povas havi diskuton pri la Darmo.
Koncerne tiujn, kies vidpunkto estas diferenca de la nia,
Ni devas ilin ĝojigi nur per saluto kun la manplatoj kunmetitaj sur la brusto.

만약 말이 떨어진 그때 상응했거든
그때 불법을 의논하거니와,
만약 우리와 견해가 다른 이들에겐
우리가 공손히 합장하여 그들을 기쁘게 해주라.

Disputoj origine estas fremdaj al nia Skolo,
Ĉar ili estas neakordigeblaj kun ĝia doktrino.
Obstina alkroĉiĝo al disputado blokos la pordon de la

Darmo,
Kaj submetos nian Veran Naturon al la amareco de vivo kaj morto.

이 종(宗: 종의 문 안)에 본래로 다툼이 없으니, 만약 다툰다면 도의 뜻을 잃게 되리. 잘못이다 고집이다 하며 서로 법문을 다툰다면 자성은 도리어 생사(生死)의 괴로움에 들리라.

§ 10-13
Aŭdinte tiun ĉi gata-on, ĉiuj disĉiploj respekte faris omaĝon. Konforme al la deziro de la Patriarko ili koncentris sian menson por meti la gata-on en efektivan praktikon kaj sin detenis de plua disputado.

이때, 문도 대중이 게송의 말씀하심을 듣고 모두 일어나 절하고, 함께 조사의 뜻을 받들어 각각 마음을 가다듬어 법답게 수행하고, 다시는 감히 다투지 아니하였다.

Sciante, ke la Patriarko baldaŭ forpasos, la stavira-o (sanskrite: Sthavira; pli aĝa, prezidanta aŭ ĉefa bonzo) Fahai dufoje kotois al li kaj demandis: "Post via eniro en parinirvana-on, kiu do estos la heredonto de la robo kaj la Darmo?"

그러고는 대사께서 세상에 머무심이 얼마 남지 않음을

안 법해 상좌가 앞으로 나와 재배하고는 여쭈었다. "화상께서 멸도에 드신다면 의법을 누구에게 부촉(전수)합니까?"

"Ĉiuj miaj predikoj," respondis la Patriarko, "kiujn mi faris ekde mia alveno en la templo Dafan ĝis nun, povas esti kopiitaj por cirkulado en volumon titolitan Estrado-Sutro de Darmo-Trezoro. Bone gardu ĝin kaj trandonu ĝin de generacio al generacio por la savo de ĉiuj sentohavaj estaĵoj. Se vi sekvos tiun ĉi instruon, viaj predikadoj estos konformaj al la ortodoksa Darmo. Nun mi donas al vi la tutan Darmon, sed ne la robon.

조사께서 말씀하셨다. "내가 대범사에서 설법을 시작하여 지금에 이르기까지 그동안의 설법 초록이 유행하여 『법보단경(法寶壇經)』이라 하고 있으니, 너희들은 이것을 수호하고 서로 번갈아 전수하여 널리 중생을 제도하라. 또 다만 이에 의지하여 설법하라, 그러면 정법이라 할 것이다.

§ 10-14

"Ĉar vi, kun pura kaj profunda kredo, jam estas firmaj kaj liberaj de duboj, vi ĉiuj kompetentos pri la granda misio (efektivigi la altan celon de Skolo). Krome, laŭ la gata-o de Bodidarmo la unua Patriarko, la robo ne konvenas por esti transdonata. La gata-o tekstas jene:

이제 내가 너희들을 위하여 법을 설하여도 법의는 전하지 않는 것은 너희가 이미 신근(信根)이 순박하고 무르익어 결정코 의심이 없고 큰일을 감당할만하기 때문이니라. 그리고 제1대조 달마대사께서 부촉(전수)하신 게송의 뜻에 의하여도 법의는 전하지 않음이 옳으니라."
게에 이르기를,

"La celo de mia veno al tiu ĉi lando (t.e. Ĉinio)
Estas transdoni la Darmon por la savo de tiuj, kiuj estas sub iluzioj.
Kun siaj kvin petaloj la floro estas kompleta,
Kaj sekve la frukto estos nature donata." (la floro: Ĉinio; kvin petaloj: anticipo pri la disvolviĝo de la Djan-a Skolo en la kvin ĉefajn semojn; la frukto: la prosperiĝo de la Darmo)

내가 본래 이 땅(중국)에 온 것은
법을 전하여 미혹한 중생을 건짐이라.
한 꽃에 다섯 잎이 피니
결과는 자연이 이루리라 하셨느니라.

§ 10-15
"Miaj amikoj en la boneco," daŭrigis la Patriarko, "purigu vian menson kaj aŭskultu min. Tiu, kiu

deziras atingi la ĉiosciantan 'semo-saĝon' (saĝo pri la kaŭzo de ĉiuj fenomenoj), devas koni la 'Samadi-on de Unueco (samadi-o, en kiu la menso atingis nedividitan staton esti fiksita nur al kvieteco) kaj la 'Samadi-on de Unu-Ago' (samadi-o por konstati, ke la naturo de ĉiuj budhoj estas la sama). En ĉiuj cirkonstancoj, liberigu vin de la alkroĉiĝo al la formoj (t.e. objektoj), kaj en via kondutado kontraŭ ili, detenu vin de ĉia inklino aŭ de malinklino, ne lasu estiĝi la deziron preni aŭ rifuzi. Restu indiferenta ĉe sukceso aŭ malsukceso, antaŭ profito aŭ malprofito, kaj ĉiam estu kvietaj kaj serenaj, modestaj kaj akomodiĝemaj, simplaj kaj senpasiaj. Jen kio estas nomata la 'Samadi-o de Unueco'. En ĉiuj okazoj, ĉu ni estas promenantaj, starantaj, sidantaj aŭ kuŝiĝintaj, ni devas teni nian menson en rekta stato (t.e. simpla, lojala). Tiam, restante senmove tie, kie ni faras nian praktikadon, ni efektive atingos la Puran Landon. Jen kio estas nomata la 'Samadi-o de Unu-Ago'.

대사께서 다시 말씀하셨다. "선지식아, 너희들이 만약 일체 종지를 성취하고자 할진대, 모름지기 일상 삼매(一相三昧)와 일행 삼매(一行三昧)를 통달하여야 하느니라. 만약 일체 처에서 마음이 상에 머물지 않고, 또한 저 상 가운데 있으면서 밉고 사랑하는 생각을 내지 않으며, 또한 취함과 버림도 없으며, 이익됨이나 이루어

짐이나 허물어짐 등의 일을 생각하지 아니하여 편안하고 한가롭고 평온하고 고요하며, 허공처럼 비어 있고, 통하고 또한 단박하면 이것이 일상 삼매라 하느리라. 만약 일체처 행주좌와(行住坐臥)에 마음이 순일하고 직심(直心)이면 도량을 옮기지 않고 참으로 정토를 이루리니, 이것을 일행 삼매라 하느니라.

§10-16

"Tiu, kiu jam atingis tiujn du samadi-ojn, povas esti simila al la prisemita tero. Kovritaj en fekunda grundo ili nature kreskos kaj portos fruktojn.

만약 이미 이 두 삼매(일상 삼매와 일행 삼매)에 다다른 이는 마치 종자를 뿌려놓은 땅과 같으니라. 비옥한 땅에 뿌려진 종자들은 자연히 잘 자라 그 열매를 맺으리라. 일상 일행 또한 이와 같으니라.

"Mia instruado al vi nun povas esti simila al ĝustatempa pluvo, kiu alportas humidon al la vasta tero. La budho-naturo interne de vi povas esti simila al la semo, kiu, humidigite de la pluvo, povos rapide kreski. Tiu, kiu efektivigas miajn instrukciojn, certe povos atingi la bodion. Tiu, kiu sekvas la instruon de nia Skolo, certe atingos la mirindegan frukton (t.e. la budheco). Aŭskultu do mian gata-on:

나의 이 설법은 비유하면, 비가 내려 널리 대지를 윤택함과 같고, 너희 불성은 모든 종자가 흡족히 비를 만나 모두 피어남에 비유할 수 있음이라. 그러므로 나의 뜻을 이어받는 자는 반드시 깨달음을 얻을 것이며, 나의 행에 의지하는 자는 반드시 묘한 결실을 얻으리라. 내 게송을 들어라."

Nia menso-grundo havas en si multajn semojn,
La ĉio-trapenetranta pluvo ilin ĝermigas.
Kiam la "floro" de Subita Eklumiĝo atingas la floradon,
Ni certe povos rikolti la frukton de la bodio."

마음 땅이 모든 종자를 머금었으니
널리 비가 내리니 모두가 싹이 튼다.
문득 꽃의 뜻을 깨닫고 나니,
보리의 열매는 어느덧 익었으리.

§ 10-17

Poste li aldonis: "La Darmo estas nedueca kaj tia estas ankaŭ la menso. La Vojo estas pura kaj super ĉiaj formoj. Mi avertas vin ne kontempli la kvietecon aŭ peni malplenigi vian menson. Nia menso origine estas pura kaj klara, kaj estas super avido kaj rezigno. Faru vian plejeblon, ĉiu el vi, kaj iru, kien ajn la cirkonstancoj vin kondukos, por prediki tie."

La disĉiploj do riverence salutis kaj foriris.

대사께서 계속 설하시고는 다시 말씀하셨다. "이 법은 둘이 없으니, 그 마음도 또한 그러하며, 그 도는 청정하며 또한 모든 상(相)이 없나니, 너희들은 부디 삼가 고요를 관하거나 그 마음을 비우려고 하지 마라. 이 마음은 본래 청정하여 가히 취할 수 있거나 버릴 수 있는 것이 아니니, 각각 스스로 노력하여 인연을 따라 잘 지내거라." 이에 대중이 예를 드리고 물러섰다.

§ 10-18

Je la oka de la sepa lunmonato la Patriarko donis subitan ordonon al siaj disĉiploj, ke ili pretigu ŝipon por lia reveno al Xinzhou, lia naskiĝloko. Ili ĉiuj insiste petegis lin resti.

7월 8일 대사께서 홀연히 문인에게 이르시기를 "내가 고향 신주로 돌아가고자 하니, 속히 배와 돛대를 준비하라" 하셨다. 이에 대중이 슬퍼하며 마음 깊이 만류하니 다시 말씀하셨다.

"Estas tute nature, ke mi devas iri tien," diris la Patriarko, "ĉar la morto estas la neevitebla rezulto de la naskiĝo. Ĉiuj budhoj, kiuj aperas en tiu ĉi mondo, devas sperti la surteran morton antaŭ ol eniri en la parinirvana-on. Ne sin trovas, kompreneble, escepto por mia korpo, kiu devas havi sian revenlokon.”

“내가 그곳으로 가야 함은 지극히 당연하니라. 모든 불(佛)이 세가에 출현하셨다가 열반을 보이시는 것은 대개 오는 것이 있으면 반드시 가는 것이 이치에 맞기 때문이니, 나의 이 몸도 반드시 돌아갈 곳이 있느니라.” 대중이 여쭈었다.

“Post via vizito al Xinzhou,” petegis la disĉiploj, “bonvole revenu ĉi tien kiel eble plej baldaŭ.”

“스님께서 이제 가시면 언제 다시 돌아오십니까?” .

“La velkintaj folioj de arbo ĉiam falas sur ĝiajn radikojn,” respondis la Patriarko. “Mi ne povas diri kiam mi revenos, same kiel antaŭ ol mi venis ĉi tien, mi ne faris la diron.”

“잎이 떨어져 뿌리로 돌아가니, 내가 왔을 때 말없이 왔음과 마찬가지로 내가 돌아올 때를 말하지 못하겠구나.”

§ 10-19

Poste ili demandis: “Al kiu do vi transdonos la tutan Ortodoksan Darmon (laŭvorte: la okulon de la

Ortodoksa Darmo)?”

“정법 안장(正法眼藏)은 누구에게 부치십니까?”

“Tiuj, kiuj faras la praktikon, ĝin ricevos, kaj tiuj, kiuj havas la menson libera de pensoj (t.e. libera de arbitraj konceptoj), ĝin plene komprenos.”

“도 있는 자가 얻고 마음 없는 자는 통하느리라.”

Ili ree demandis: “Ĉu okazos katastrofoj post via morto?”

“후에 난이 없겠습니까?” .

“Kvin aŭ ses jarojn post mia morto,” respondis la Patriarko, “iu venos kaj fortranĉos mian kapon. Volu aŭskulti kaj gardu en la memoro la jenan antaŭdiron:

“내가 멸한 뒤 오륙 년이 지나면 마땅히 한 사람이 와서 내 머리를 가져가리니 내 예언을 들어 기억해 두라.”

Tiu, kiu volos mian kapon por kulto,
Sendos iun, kies buŝo devos esti nutrata.
Kiam la katastrofo de “Man” okazos,

"Jang" kaj "Liu" estos registaraj oficistoj." (Li antaŭdiris, ke iu homo kun nomo enhavanta ĉinan ideografiaĵon "Man" estos dungita pro manko de vivrimedoj forŝteli lian kapon, kaj ke la katastrofo okazos tiam, kiam "Jang" kaj "Liu" estos la ĉefoj de la loka registaro.)

머리 위로 어버이를 봉양하고 입속에 밥을 구하네.
만이 어려움(조사께서 예언하시기를 "어떤 사람이 자기이름에 '만'이라는 글자가 들어 있는데, 그가 생활이 궁핍해 내 머리를 가지러 올 것이다"라고 함)을 만날 때에, '양'과 '류'가 이 지역을 관할하는 관리로 와 있을 것이다."

Poste li aldonis: "Sepdek jarojn post mia forpaso aperos du bodisatvoj el la Oriento, unu bikŝuo, unu laiko. Ili samtempe predikos pri la Darmo, plifirmigos nian Skolon, rekonstruigos niajn templojn, kaj transdonos la Darmon al multnombraj sekvantoj."

하시고 다시 말씀하셨다. "내가 간 후 70년이 지나면 두 보살이 동방에서 올 터이니, 하나는 출가인이고 다른 하나는 재가인이다. 동시에 교화하여 나의 종을 건립하고 가람을 일으키며 법사를 흥왕케 하리라."

§ 10-20

"Ĉu vi povus lasi al ni scii, dum kiom da generacioj la Darmo estis transdonata unu al la alia ekde la apero de la plej frua Budho ĝis nun?" demandis la disĉiploj.

또 여쭙기를, '우리 불조께서 세간에 응현하신 이래 전수되어 내려온 지 몇 대가 되는지 모르겠습니다. 바라옵건대 가르쳐 주십시오."

"La budhoj, kiuj aperis en tiu ĉi mondo, estas tro multaj por esti kalkulataj," respondis la Patriarko, "sed lasu al ni komenci de la lastaj sep budhoj. Ili estas:
Budho Vipassin
Budho Sikhin
Budho Vessabhu
(La ĉi-supraj tri estas la budhoj de la lasta Glora Kalpa-o, t.e. Alamkarakalpa)
Budho Kakusundha
Budho Konagamana
Budho Kassapa
Budho Gautama (Gotamo)
(La ĉi-supraj kvar estas la budhoj de la nuna Glora Kalpa-o, t.e. la Bhadrakalpa)

"옛적에 부처님께서 세간에 응하신 것은 이미 수없이

많아 가히 헤아릴 수 없거니와 이제 7불을 위시하여 말한다면, 과거 장엄겁에는 비바시불과 시기불, 비사부불이며, 지금 현겁에는 구류손불과 구나함모니불, 가섭불, 석가모니불로서 7불이 되느니라.

"Ekde la Budho Gotamo, la Darmo estas unuafoje transdonita al la unua Patriarko, Arya Mahakasyapa, kaj poste al:
la dua Patriarko Arya Ananda
la tria Patriarko Arya Sanavasa
la kvara Patriarko Arya Upagupta
la kvina Patriarko Arya Dhritaka
la sesa Patriarko Arya Michaka
la sepa Patriarko Arya Vasumitra
la oka Patriarko Arya Buddhanandi
la naŭa Patriarko Arya Buddhamitra
la deka Patriarko Arya Parsva
la dekunua Patriarko Arya Punyayasas
la dekdua Patriarko Arya Bodhisattva Asvaghosa
la dektria Patriarko Arya Kapimala
la dekkvara Patriarko Arya Bodhisattva Nagarjuna
la dekkvina Patriarko Arya Kanadeva
la deksesa Patriarko Arya Rahulata
la deksepa Patriarko Arya Sanghanandi
la dekoka Patriarko Arya Sanghayasas
la deknaŭa Patriarko Arya Kumarata

la dudeka Patriarko Arya Jayata
la dudekunua Patriarko Arya Vasubandhu
la dudekdua Patriarko Arya Manura
la dudektria Patriarko Arya Haklenayasas
la dudekkvara Patriarko Arya Sinha
la dudekkvina Patriarko Arya Vasiastia
la dudeksesa Patriarko Arya Punyamitra
la dudeksepa Patriarko Arya Prajnatara
la dudekoka Patriarko Arya Bodidarmo (la unua Patriarko en Ĉinio)
la dudeknaŭa Granda Majstro Huike
la trideka Granda Majstro Sengcan
la tridekunua Granda Majstro Daoxin
la tridekdua Granda Majstro Hongren

"Mi estas la tridektria Patriarko (la sesa Patriarko en Ĉinio). Tiele la Darmo estis transdonata de nun Patriarko al alia ekde la komenco. Estontece vi ankaŭ devos pasigi ĝin al la posteularo de generacio al generacio en ĝusta maniero, sen devio kaj interrompo."

석가모니불이 처음 마하가섭존자에게 전하니,
제2는 아난존자요,
제3은 상나화수존자요,
제4는 우바국타존자요,
제5는 제다가존자요,

제6은 마차가존자요,
제7은 바수밀타존자요,
제8은 불태난제존자요,
제9는 복태밀다존자요,
제10은 현존자요,
제11은 부나야사존자요,
제12는 마명대사요,
제13은 가비마라존자요,
제14는 용수대사요,
제15는 가나제바존자요,
제16은 라후라다존자요,
제17은 승가난제존자요,
제18은 가야사다존자요,
제19는 구마라다존자요,
제20은 시다야존자요,
제21은 바수반실존자요,
제22는 마나라존자요,
제23은 학륵나존자요,
제24는 사자존자요,
제25는 바사사다존자요,
제26은 불여밀다존자요,
제27은 반야다라존자요,
제28은 보리달마존자이시니 이 땅의 초조(初祖)가 되시며
제29는 혜가대사요,
제30은 승찬대사요,
제31은 도신대사요,

제32는 홍인대사니,
혜능은 제33조가 되느리라.
위로 모든 조사가 이같이 각각 이어받으신 바이나 너희들은 뒤에 번갈아 전하여 끊임이 없게 하고 어기거나 그르침이 없게 하라.”

§ 10-21
Je la tria de la oka lunmonato de la jaro de Gui Chou, la dua jaro de la regperiodo Xiantian, post vegetara manĝo en la Templo Guo En, la Patriarko alparolis la disĉiplojn, dirante la jenon:
“Ĉiu el vi prenu sian propran sidlokon, ĉar mi estas preta diri al vi adiaŭ.”

대사께서는 선천 2년 계축년 8월 3일 국은사에서 공양을 마치시고 문도 대중에게 말씀하셨다. “너희들은 각기 제자리에 앉아라. 내 이제 너희들과 작별하고자 한다.”

Ĉe tio Fahai demandis: “Majstro, ĉu vi povus postlasi al la posteuloj iajn instruojn, por ke la homoj iluziitaj povu atingi la budho-naturon?”

이때 법해가 말씀드렸다. “화상께서는 어떤 교법을 머물게 하시어 후대의 미혹한 사람들로 하여금 불성을 보게 하십니까?”

"Bonvolu aŭskulti atente!" respondis la Patriarko. "Kiam tiuj homoj komprenas la ordinarajn sentohavajn estaĵojn, tiam ili atingas la budho-naturon; alie ili havas nenian okazon vidi la budhon, eĉ se ili pasigus kalpa-ojn da tempo en la serĉado."

대사께서 말씀하셨다. "너희들은 자세히 듣거라. 후대의 미혹한 사람이 만약 중생을 알면 곧 이것이 불성을 본 것이거니와 중생을 알지 못하면 만겁을 두고 불을 찾아도 만나기 어려우니라.

"Lasu min montri al vi kiel koni la naturon de ordinaraj sentohavaj estaĵoj interne de via menso, kaj per tio ekkoni la budho-naturon latentan en vi. Koni budhon signifas nenion alian, ol koni sentohavajn estaĵojn; ĉar estas la lastaj, kiuj ne scias, ke ili estas budhoj en latenteco, dum la budho vidas nenian diferencon inter si kaj la aliaj estaĵoj. Kiam sentohavaj estaĵoj ekkonas sian Veran Naturon, tiam ili estas budhoj; kiam budho estas iluziita en sia Vera Naturo, li tiam estas ordinara sentohava estaĵo. La pureco kaj la rekteco de la Vera Naturo faras budhojn el ordinaraj sentohavaj estaĵoj; la malpureco kaj la malrekteco de la Vera Naturo returnas eĉ budhon en ordinaran sentohavan estaĵon.

나는 이제 너희들로 하여금 자심 중생을 알아 자심불성(自心佛性)을 보게 할 것이니, 불(佛)을 보고자 할진대 다만 중생을 알라. 다만 중생이 불을 미혹케 한 것이요, 불이 중생을 미혹하게 한 것이 아니니, 자성을 깨달으면 중생이 바로 불이요, 자성이 미혹하면 불이 중생이니라. 자성이 평등하면 중생이 바로 불이요, 자성이 삿되고 험하면 불이 바로 중생이니라.

§ 10-22

"Kiam via menso estas malrekta aŭ malica, vi estas ordinara sentohava estaĵo kun budho-naturo latenta en vi. Kaj tamen, se vi direktas vian menson al la pureco kaj la rekteco (honesteco, lojaleco) eĉ dum momento, tiam vi estas budho.

너희들 마음이 만약 험하고 굽으면 곧 불(佛)이 중생 속에 있는 것이요, 한 생각이 평등하고 곧으면 곧 중생이 성불(成佛)함이니라.

"Interne de nia menso sin trovas budho, kaj tiu ĉi budho estas la vera budho. Se budho ne ekzistas en via menso, kie do vi povos trovi la veran budhon? Ne dubu pri tio, ke la budho estas interne de via menso, ekstere de kiu nenio povas ekzisti. Ĉiuj darmoj (ekzistaĵoj kaj fenomenoj) estas la produktaĵoj de nia menso, kaj tial la sutro diras: 'Kiam la mensa aktiveco funkcias, ĉiaj darmoj aperas; kiam la mensa aktiveco ĉesas, ĉiaj darmoj malaperas'.

내 마음에 스스로 불이 있나니 이 자불(自佛)이 참부처이니라. 만약 자기에게 불심이 없다면 어디에서 참부처를 구할 것인가! 너희들의 자심이 곧 불이니, 다시는 의심하지 마라. 밖으로는 결코 한 물건도 세울 것이 없으니, 만 가지 법은 모두 다 본심이 되는 것이니라. 그러기에 경에 이르기를 '마음이 생하면 종종 법이 생기고 마음이 멸하면 종종 법이 없어진다' 고 하셨느니라.

"Nun, disiĝante de vi, mi postlasas al vi gata-on titolitan 'La Vera Naturo Estas la Vera Budho'. La estontaj generacioj, kiuj komprenos ĝian signifon, vidos sian Veran Naturon kaj sekve atingos la budhecon per si mem.

내가 지금 한 게송을 남기고 너희들과 작별하리니 이름을 '자성진불게(自性真佛偈)' 라고 하느니라. 후대의 사람이 이 게송의 뜻을 알면 곧 보리심을 보아 스스로 불도를 이루리라."

§ 10-23

"La gata-o tekstas jene:

게송에 이르되,

La Vera Naturo aŭ la tatata-o estas la vera budho,
Dum la herezaj opinioj kaj la tri venenaj elementoj estas Mara-o (sanskrite: Mara; la reĝo de la sesa ĉielo de la reziro-regno; Satano).

진여 자성이 곧 참부처요,
사견과 3독이 곧 마왕이라.

Kiam malbono kaj iluzio aperas, Mara-o vivas en via domo,
Kiam ĝusta opinio aperas, budho vivas sub via tegmento.

삿되고 미혹할 때에는 마왕이 집에 있고,
올바른 지견의 때에는 부처가 집에 있음이라.

Kiam nia naturo estas regata de la tri venenaj elementoj kiel rezulto de herezaj opinioj,
Tiam ni estas posedata de Mara-o.

성품 중 사견(邪見)이면 3독이 생기나니,
이는 마왕이 집안에 옴이로다.

Sed kiam ĝusta opinio eliminas el nia menso la tri venenajn elementojn,
Mara-o turniĝas en veran budhon.

정견(正見)을 가져 스스로 3독을 없애면
마왕이 부처가 되어 참일 뿐이로다.

La darmakaja-o, la sambogakaja-o, kaj la nirmanakaja-o,
Tiuj ĉi tri bodioj elvenas el unu sama korpo (t.e. la Vera Naturo).

법신(法身)과 보신(報身)과 화신(化身),
이 3신이 본래는 한 몸이니,

Se vi povas reveni al via Vera Naturo, tiam vi mem povos ĝin vidi, —
Jen la kaŭzo de bodio fariĝanta budho.

만약 성품 속을 향하여 스스로 보면,
이것이 성불하는 보리의 원인이로다.

§ 10-24
Origine la nirmanakaja-o naskas 'Puran Naturon' ;
Nia 'Pura Naturo' ĉiam loĝas interne de nia nirmanakaja-o.

본래 화신(化身)을 좇아 청정한 성품이 생기니,
우리의 청정 성품은 어느 때나 화신 중에 있음이라.

Gvidate de la 'Pura Naturo', la nirmanakaja-o sekvas la ĝustan Vojon,
Kaj certe iam atingos la sambogakaja-on, perfektan kaj senfinan.

성품이 화신을 시켜 정도를 행하면 당연히 원만하고 다함없음(삼신)에 다다르리.

Nia sensama naturo estas la kaŭzo de la fariĝo de nia 'Pura naturo'.
Senigante nin je nia sensama naturo, ni atingas la puran darmakaja-on.

음성(淫性: 음란한 성품)은 본래 청정 성품의 원인이니,
우리에게서 음(음란함)을 없애면 청정한 법신(法身)이 되리.

Ĉiu el ni, en nia menso, devas esti apartigita disde la kvin deziroj (t.e. la deziroj je la riĉo, la sekso, la manĝo-kaj-trinko, la famo, kaj la dormo), —
Tiumomente ni tuj vidas nian Naturon pruvita Vera.

성품 중에 스스로 5욕(五慾: 식욕, 성욕, 수면욕, 재물욕, 명예욕)을 여의었으니,
성품 보는(견성하는) 찰나가 즉시 참이니라.

Se ni estas feliĉaj fariĝi la sekvantoj de la Subita Skolo en tiu ĉi vivo,
Subite ni vidos nian Sinjoron Budhon de nia Vera Naturo.

금생에 만약 돈교 법문을 만나서,
홀연히 깨달아 자성을 보면 곧 세존을 봄이라.

§ 10-25

Tiu, kiu serĉas la budhon (de ekstere) nur per plibonigi siajn agojn,
Ne scias, kie la vera budho devas esti trovita.

만약 수행하여 바깥에서 부처를 찾으려는 자는
어느 곳에 참을 구할까 헤매다가도,

Tiu, kiu povas percepti la Veron en sia propra menso,
Jam semis la semon de la budheco.

만약 능히 마음속에서 참을 보게 되면
참이 있음이 곧 성불의 원인이 되니,

Tiu, kiu ne konas la Veran Naturon kaj serĉas la budhon de ekstere,
Estas granda stultulo instigata de malbonaj deziroj.

자성은 못 보고 밖에서 부처를 찾고자 하는 이는
나쁜 의욕으로 인해 모두가 어리석느니라.

Nun mi jam postlasis al la posteularo la instruon de la Subita Skolo,
Kiun vi mem devas bone sekvi, se vi volas savi ĉiujn sentohavajn estaĵojn.

내 이제 돈교 법문을 여기에 남기니,
세상 사람을 제도하고 힘써 닦아라.

Aŭskultu, vi kaj la estontaj disĉiploj, kaj notu en la cerbo:
Via tempo estos vane malŝparita, se vi ne metos ĉi-supran instruon en vian praktikon!"

너희와 앞으로 올 학도자에게 내 이르노라.
너희가 만일 너희 수행에 이 가르침을 두지 않는다면
너희의 시간을 헛되이 낭비하게 될 것이로다.

§ 10-26

Recitinte la gata-on, la Patriarko aldonis: "Vi ĉiuj devas bone zorgi pri vi mem. Post kiam mi forpasos, ne ploru per abundaj larmoj, kiel la mondaj vulgaruloj. Ne akceptu kondolencojn, nek portu funebrajn vestojn. Tiuj ĉi aferoj estas kontraŭ la ortodoksa instruo, kaj tiu, kiu faras ilin, ne estas mia disĉiplo.

대사께서 게송을 설하시고는 또 말씀하셨다. "너희들은 잘 있거라. 내가 멸도한 후에 세상 인정에 따르지 마라. 슬피 울거나 눈물을 흘리거나 남의 조문을 받거나 몸에 상복을 입거나 하면 이는 나의 제자가 아니며, 이 또한 정법이 아니니라.

Tio, kion vi ĉiuj devas fari, estas peni koni vian originan menson kaj klare vidi vian originan naturon, kiu nek moviĝas nek kvietas, nek estiĝas nek malestiĝas, nek aliras nek venas, nek pravas nek malpravas, nek restas nek foriras. Timante, ke via menso estas iluziita kaj ne kaptas mian mesaĝon, mi ripetas tion ĉi al vi, por ke vi povu klare vidi vian Veran Naturon. Post mia forpaso, se vi plenumos miajn instrukciojn kaj ilin praktikos, mia foresto faros nenian diferencon; sed se vi agos kontraŭ mia instruo, eĉ se mi plu vivus, via laboro servus al nenia celo."

다만 스스로 본심을 알아서 자기 본성을 보면 동함이 없고 고요도 없고, 생도 멸도 없고, 오고 감도 없고, 옳고 그름도 없으며, 머무름도 떠남도 없느리라. 너희들의 마음이 미혹하여 내 뜻을 알아듣지 못할까 걱정되어 지금 다시 부촉하여 너희로 하여금 견성토록 하고자 한다. 내가 멸도한 후에 이에 의지하여 수행하면 내가 세상에 있더라도 아무 이익이 없으리라.” 하시고 다시 게송으로 이르셨다.

Poste li eldiris alian gata-on:
Absolute senmova, nenia virto praktikata.
Senpasia kaj serena, nenia peko farita.
Komplete kvieta, for la vido, for la aŭdo,
Egalanima, al nenio la menso alkroĉita.

절대 고요하여 선을 닦음이 없고,
활활 놓아 지내 악을 짓지 않고,
적적하여 보고 들음을 끊으니,
탕탕하여 마음은 아무 집착 없으리라.

§ 10-27

Dirinte la gata-on, la Patriarko serene sidis kun dignoplena teniĝo ĝis ĉirkaŭ la noktomezo. Tiam li subite diris al siaj disĉiploj “mi nun foriras”, kaj tuj silente forpasis. Tiumomente ia eksterordinara bonodoro ekestis kaj plenigis lian ĉambron. Ekstere, aperis luna ĉielarko, kiu kunligis la teron kaj la ĉielon. Ĉiuj arboj en la arbaro turniĝis blankaj, kaj ĉiuj birdoj kaj sovaĝaj bestoj en la arbaro malgaje kriadis.

대사께서 이 게송을 설하시고, 단정하게 앉아 3경이 되니, 홀연 문인에게 이르기를 “나는 간다.” 하시고 홀

쩍 천화(遷化: 이 세상의 중생을 제도하는 일을 마치고 다른 세상의 중생을 제도하러 옮겨간다는 뜻으로, '고승이 세상을 떠남' 을 이르는 말)하셨다.
이때, 기이한 향기가 방안에 가득하고 흰 무지개가 땅에 걸치매 나무숲이 흰빛으로 변하고 새와 짐승들이 슬피 울었다.

En la dekunua lunmonato de tiu jaro, la registaraj oficistoj de Guangzhou, Shaozhou kaj Xinzhou komencis disputi pri la lasta ripozloko de la Patriarko, ĉar ĉiu partio volis, ke liaj restaĵoj estu translokitaj al ĝia propra regiono. Ankaŭ la disĉiploj de la Patriarko, kune kun aliaj bikŝuoj kaj laikoj, partoprenis en la diskutado. Ne povante veni al unuanima decido, ili bruligis incenson kaj preĝis al la Patriarko, ke li indiku per la direkto de la ŝvebanta fumo la lokon de li mem elektitan. La fumo turniĝis rekte al Caoxi, sekve la sankta kesto, en kiu estis entenitaj liaj restaĵoj, kune kun la hereditaj robo kaj bovlo, estis revenigitaj tien je la dektria de la dekunua lunmonato.

십일월에 광주, 소주, 신주의 3군의 관료와 문인과 신도들이 진신(眞身)을 모셔가려고 서로 다투어 결정을 짓지 못하고 있었다. 마침내 향을 살라 기도하기를 "조사께서 돌아가실 곳을 향의 연기로 가르쳐 주옵소서." 하였더니 그때 향의 연기가 곧 바로 조계로 뻗쳤

다. 십일월 십삼일 신감(神龕)과 전해 내려온 의발을 조계 보림으로 옮기고,

§ 10-28

En la sekva jaro, je la dudeka de la sepa lunmonato, la korpo de la Patriarko estis eligita el la sankta kesto, kaj Fangbian, unu el la disĉiploj de la Patriarko, ŝmiris ĝin per argilo miksita kun bonodora substanco.

다음 해 칠월 이십오일 출감(出龕)하여 제자 방변이 향니를 바르고,

Ekmemorinte la antaŭdiron de la Patriarko, ke iun tagon iu povos forpreni lian kapon, la disĉiploj ŝirmocele volvis ferajn lamenojn kaj laktolon ĉirkaŭ lia kolo antaŭ ol la korpo estis metita en la stupaon. Kiam ĉio ĉi tio estis plenumita, subite ekbrilo de blanka lumo aperis el la stupao, supreniris rekte al la ĉielo. La brilo daŭris la tutajn tri tagojn.

또한 문인들은 '머리를 취해 간다' 는 예언을 생각하여 철엽과 칠포로 조사의 목을 단단히 싸서 탑에 모시니, 탑 속에서 홀연 흰 광명이 곧바로 하늘로 뻗쳐 올라간지 3일 만에 비로소 흩어졌다.

La lokaj registaraj oficistoj de Shaozhou raportis la

okazaĵon al la imperiestro. Laŭ la imperiestra edikto, steleo estis starigita por registri la vivon de la Patriarko:

소주 자사가 조정에 주달하여 칙명을 받들어 비를 세워 조사의 도행을 기록하였다.

§ 10-29
"La Patriarko heredis la robon en la aĝo de dudek kvar jaroj, razis al si la harojn (t.e. fariĝi bonzo) en la aĝo de tridek naŭ jaroj kaj mortis en la aĝo de sepdek ses jaroj. Dum la tridek sep jaroj li predikadis por la bono de ĉiuj sentohavaj estaĵoj. Li persone transdonis la Darmon al la kvardek tri el liaj disĉiploj, kaj tiuj, kiuj atingis la eklumiĝon sub lia instruado kaj per tio leviĝis super la ordinaraj homoj, estas tro multnombraj por esti kalkulataj.

조사의 춘추는 76세이고, 24세에 의발을 받으셨고, 39세에 스님이 되셨고, 법을 설하여 중생에게 이익을 주심이 37년이었고, 종지를 얻어 법을 이은 제자가 43인이고. 도를 깨쳐 범부의 자리를 넘어선 자는 그 수를 알 수가 없다.

"La robo transdonita de la Patriarko Bodidarmo kiel la signo de la Patriarkeco, la robo de Mo Na kaj la kristala bovlo donacitaj de la imperiestro Zhongzong kiel imperiestra favoro, la statuo de la Patriarko farita de Fangbian, kaj aliaj objektoj sanktigitaj per la uzado de la Patriarko, estis metitaj en la stupaon kaj estas konservataj por ĉiam en la Templo Baolin kiel protektosigno kaj beno al la loko. La sutro de la Patriarko estis publikigita kaj vaste cirkuligata, por ke la principoj kaj la celoj de la Subita Skolo povu esti diskonigitaj. Ĉio ĉi tio estis farita kiel por la prospero de la 'Tri Trezoroj' (t.e. la Budho, la Darmo kaj la samgo), tiel ankaŭ por la ĝenerala bono de ĉiuj sentohavaj estaĵoj."

달마 조사가 전하신 신의와, 중종이 (황제의 호법의 상징으로) 드린 마납과 보발이며, 또 방변이 만든 조사의 소상(흙으로 빚어 만든 형상)과 그 밖의 도구들은 그 탑에 넣어 두어, 그 보호의 상징이자 그 장소를 축원하는 보림 도량에서 길이 보존해 오고 있다.

이렇게 하여 이『단경』은 돈교의 종지를 널리 알리기 위해서 간행되어 전하고자 한다.
이 모든 것은 '삼보(三寶: 불보(佛寶), 법보(法寶), 승보(僧寶)의 번영을 위해서 또 모든 중생을 이롭게 하기 위해 만들었음을 알리고자 한다.(*)

/부록 1/

『육조대사법보단경』발(跋)문[1]

고려국 보조국사 지눌(知訥) 찬

태화 7년(1207년) 십이월 어느 날, 사(寺)내 담묵 도인이 한 권의 책을 가지고 내게 와서 하는 말이 "요사이 『법보단경』을 구하였는데 장차 판각을 다시 새겨서 널리 세간에 전하려고 하니 대사께서 발문을 써 달라." 하기에 나는 기뻐서 이렇게 말하였다.

"이는 내가 평생에 종지로 받들어 닦아 배우는 귀감인데, 그대가 이를 판각하여 후세에 오래 전하려고 한다니 노승의 뜻에 아주 들어 맞는도다.

그러나 여기에 일단의 의심이 있으니.

그것은 남양 혜충 국사가 한 선객에게 말하기를 '나는 근자에 심신(心身)이 일여(一如)하여 마음밖에는 아무것도 없다. 그러므로 온전히 생멸이 없는데 너희들 남방인들은 몸은 무상(無常)하고 신령한 성품은 항상(常)한 것이라 하니 그렇다면, 반은 생하고 반은 멸하지 않는

---

1)*출처: 『육조단경강의』>, 심재열, 보연각, 1997년, pp.626-632. http://templevill.com/blog/storyjr.jsp?menu=vMenu1&bizStoryId=sunjin&menu_cd=858&cpage=5.

다 하는 것이 아니냐.' 하셨고, 또 말씀하시기를, '내가 근자에 여러 지방을 돌아보니 이런 형색이 요사이 더욱 치성함을 많이 보았도다.' 하시면서 『단경』을 들고 하시는 말씀이 '이것은 남방 종지인데 부정한 말을 써 보태고 성인의 뜻을 깎아 없애 후배들을 혼란으로 유혹하는구나!' 하신 일이로세.

그런데 그대가 얻은 이 경은 바로 정본이요. 보탠 것은 아니니, 가히 국사의 꾸지람을 면함이로다. 그러나 본문을 자세히 살펴보니 역시 「몸은 생멸이 있고 마음은 생멸이 없다」는 뜻이 들어 있다. 즉, 예컨대 「진여의 성품이 스스로 생각을 일으킨 것이요, 안, 이, 비, 설이 능히 생각하는 것이 아니다」하였으니 바로 이 점이 국사가 꾸짖은 요점이다. 마음을 닦는 자는 여기에 이르러서 불가불 의심이 없을 수 없다. 이것을 어떻게 녹여 풀어 없앰으로써 사람들로 하여금 깊이 믿게 하며, 또한 성인의 가르침을 널리 유통시킬 것인가가 문제되지 않을 수 없다" 하니,

이에 담묵이 말하기를 "그러면 조사의 뜻을 회통하는 말씀을 하여 주시오" 한다.

내가 말하기를 "노승이 저번에 이것을 마음에 두고 그 참뜻을 찾아 저버리지 않았는데 조사의 뛰어난 방편의 뜻을 얻었도다.

그것이 무엇인가? 조사께서 회양(懷讓)이나 행사(行思)를 위하여 가만히 심인(心印: 마음의 법)을 전하신 외에 위거 등 도속 천여 명을 위하여는 상 없는 마음의 게를 설명해 주셨던 것이니, 그것은 한가지 외길로 참만 말

씀하시어 속된 이들을 거스리지 못하고, 또한 한가지 외길로 속된 것만 따라서는 참을 어길 수 없으셨기 때문이니라. 그래서 반은 남의 근기를 따르면서 반은 당신이 친히 증득하신 바를 내세우시기 위해 진여가 생각을 일으킴이요, 안이(眼耳)가 능히 생각하지 못한다는 따위의 말씀을 하신 것이니라. 또 성품을 돌이켜 관하여 진여를 요달하게 한 뒤에는 저절로 조사의 몸과 마음이 일여한 비밀한 뜻을 보게 하신 것이니, 만일 이와 같은 뛰어난 방편이 없이 바로 몸과 마음이 일여한 진리만 말씀했다면 눈으로 생멸이 있는 몸뚱이만 보는 중생들이기 때문에 출가수도하는 이들도 항상 의혹할 것인데, 하물며 세속의 선비들이 어떻게 믿고 받아 지니겠는가?

이것이 조사께서 중생의 기틀을 따라 달래어 이끄시는 말씀이시니, 혜충국사께서 당시 남방 불법의 그릇 아는 병통을 꾸짖어 파하셨는바, 가히 무너진 기강을 재정돈하므로 성인의 뜻을 붙들어 일으킨 좀처럼 갚기 어려운 큰 은혜를 갚은 것이로다.

우리 후손이 아직 비밀히 전하신 뜻을 이어받지 못했다면 마땅히 이러한 현전문(顯傳門)의 성실한 말씀에 의지하여 자기의 마음이 본래 부처임을 돌이켜 비추어 없다는 생각이나, 항상하다는 생각(常)에 떨어지지(斷) 않으면 가히 허물을 여윈 것이니라. 그렇지 아니하고 만약 마음은 생멸이 없으나 몸은 생멸이 있다고 관한다면 이는 한 법 위에 두 가지 소견을 내는 것이니 성품과 현상이 서로 융회(融會)한 것이 아니니라.

그러므로 알아야 한다.

이 한 권의 신령한 글월에 의하여 뜻을 알고 자세히 탐구하면 긴 세월을 거치지 않고 속히 보리를 증득할 것이니, 가히 판을 새로 인쇄해서 세간에 유행함으로 큰 이익을 짓지 않겠느냐?"

단묵이 "옳습니다" 하기에 이에 글을 쓰노라.

해동 조계산 수선사 사문 지눌

/부록 2/

『육조단경』 주요 발간사

육조 혜능(六祖惠能: 638~713)

1. 『육조단경』 중국에서의 주요 발간사

790년 <돈황본>

967년 <혜흔본>

1056년 <설숭본>

1290년 <덕이본>

1291년 <종보본>

2. 『육조단경』 국내 판본의 주요 발간사

1207년 고려 설숭본 계통의 『법보기단경(法寶記壇經)』

보조국사 지눌(普照知訥, 1158-1210)과 담묵이 중간(重刊)

보조국사 지눌의 발문은 (1)1207년(금나라 태화 7) 조계 지눌 발(跋), (2)1257년(고종 44) 회당 안기(晦堂安其) 간행 발, (3)1316년(원 연우(延祐) 병진) 소남옹(所南翁) 발, (4)1479년(성화 15) 백운산 병풍암(屛風庵) 중간, (5)1574년(만력 2) 조계 무주행은(無住行恩) 간행 발, (6)1703년(강희 42) 중화자태헌(中華子太憲) 발, (7)1883년(광서 9) 용명 봉기(龍明鳳機) 중간기의 『육조단경』(延祐本)에 들어 있다. 구판 『한글대장경』 153책, 「한국고승」3에도 이 발문이 수록되어 있다. 1987년 보조사상연구원에서 펴낸 『보조전서』에 이 글이 수록된 이래 김달진이 『보조국사전서』를 번역하면서 이 글을 우리말로 옮겼다.

1256년 천영이 재차 중간함.

1300년 고려 충렬왕 26년 《육조대사 법보단경(六祖大師 法寶壇經)》. **대한민국 보물 제2063호로 지정된 『육조대사법보단경』**은 목판본 1책(64장)으로 1290년(충렬왕 16년) 원나라 **덕이 선사(德異 禪師)가 편찬한 책을 고려 수선사(修禪社) 제10대 조사인 혜감국사 만항(萬恒, 1249~1319)이 받아들여, 강화 선원사(禪源寺)에서 간행한 판본**이다. 2020년 4월 23일 국가 지정 보물로 지정되다.

(경남 사천 백천사 소장본: 대한민국 국가지정문화재 보물 제2063호, 경상남도 유형문화재 제561호)(경남 사천 백천사 소장본, 동국대도서관 소장본)

*선원사에서 간행, 보급된 이후에는 **이 판본만이 계속 간행, 유통되는 현상이 나타났음***

1316년 고려 혜감국사 만항이 목판 인쇄본으로 펴냄. (국립중앙도서관 소장본). 보조지눌국사의 발문을 붙여 출간한 덕이본. 이 **덕이본**은 고려, 조선의 선림에 널리 유통되어, 한국 선림과 가장 관계 깊은 판본임.

1370년 고려 공민왕 19년 남원 귀정사(歸正寺) 간행 (연세대 도서관 소장본) ≪육조대사법보단경≫ 필사본(프랑스국립도서관 필사본 소장)

1479년 ≪육조대사법보단경≫

병풍암(屛風庵)본 (연세대 도서관 소장본)

경상남도 유형문화재 제597호(김해 여여정사 소장본)

경상남도 유형문화재 제597호(양산 원각사 소장본)

충청남도 유형문화재 제242호(공주 학림사 소장본)

1494년 조선 성종 25년 ≪육조대사법보단경≫(서울특별시 유형문화재 제374호) (국립고궁박물관 소장본)

1496년 조선 연산군 《육조대사 법보단경언해(六祖大師 法寶壇經諺解)》 (권상, 국립고궁박물관 소장.) 옥천사(玉泉寺) 간행본 (국립중앙도서관 소장본)

중종(1506년~1544년) 충청북도 유형문화재 제319호

중종 연간(1506~1544) 후쇄(後刷) 《육조대사법보단경 권중(六祖大師法寶壇經 卷中)》 언해본(대한불교천태종 구인사 소장본)

1569년 조선 선조 2년 해탈사 간행 《육조단경(六祖壇經)》 목판본 1책 간행.

부산시 유형문화재 제37호, 제261호(부산 범어사 소장)

경상북도 유형문화재 제354호(구미 금강사 소장 전적)

1574년 광제원(廣濟院) 간행(국립중앙도서관, 고려대 도서관 소장본) 전라북도 유형문화재 제227호(남원 백련사 소장본)

1844년 조선 헌종 10년 필사본 ≪언히뉵조대ᄉᆞ법보단경≫

1859년 문림당(文林堂)본(동국대 도서관소장본)

1883년 (동국대 도서관 소장본)

3. 기타 국어 및 외국어 번역 등

돈황본

[돈황본육조단경] 퇴옹 성철, 장경각(1987)

[돈황본육조단경] 정성본, 한국선문화연구원(2003)

[돈황본육조단경] 증보판, 정성본, 한국선문화연구원(2020)

[육조단경연구] 얌폴스키, 연암 종서 역, 경서원

홍성사본

[육조단경] 나카가와 다카, 양기봉 역, 김영사(1992)

덕이본

[육조단경] 탄허, 교림(1960)

[육조단경] 광덕, 불광출판사

[조계육조법보단경] 인종, 현문출판사

[육조단경] 현담, 수선출판사

[육조단경] 정병조, 한국불교연구원

[육조단경강의] 심재열, 보련각

종보본

[육조단경] 한길로, 홍법원

[육조법보단경해의] 학담, 큰수레(1995)

《The Platform Sutra of the Sixth Patriarch: the tex of Tun-Huang manuscript, translated with notes by Philip B. Yampolsky》,

《The Sixth Patriarch's Dharma Jewel Platform Sutra: with the Commentary of Venerable Master Hsasan Hua》.

《육조단경 에스페란토판》(에스페란토번역본- 중국어 원문) 왕숭방 에스페란토 옮김(2017년)

《알기쉽도록 <육조단경> 에스페란토 -한글풀이로 읽다》, 왕숭방 에스페란토 옮김, 장정렬 에스페란토에서 옮김. 2021년판, 진달래출판사)

에스페란토 옮긴이 왕숭방(王崇芳) 소개

왕숭방(王崇芳(WANG Chongfang): 1936~)

"...*Mi hazarde ekkonis Esperanton. Ĝi tuj altiris min per sia "interna ideo". Zamenhof estis judo ordinara, sed li havis koron plenan de homamo, kiu instigis lin krei Esperanton kaj dediĉi sian tutan vivon al la disvastigo kaj aplikado de ĝi, kio akirigis al li universalan respekton de la esperantistaro...*"

"...바로 그때 나는 우연히 에스페란토를 만나게 되었습니다. 곧장 에스페란토의 "내적 사상"에 정말 심취하게 되었습니다. 자멘호프는 평범한 유대인이었으나, 그분은 온 인류를 사랑하는 마음으로 에스페란토라는 언어를 창안하고, 이 언어 보급과 활용에 전 생애를 보냈습니다. 그분의 삶은 전 세계 에스페란티스토들의 큰 존경을 이끌어 냈습니다..."

–왕숭방의 "21세기의 나의 꿈" 중에서

S-ano Wang Chongfang naskiĝis la 30an de junio 1936 en Zhenjiang, Ĉinio. Emerita mezlerneja instruisto. Ekkonis Esperanton en 1953 kaj esperantistiĝis en 1957. Esperantigis *Kamelon Ŝjangzi, Analektojn de Konfuceo, Profilon de Zhou Enlai, Ĉinan Ceramikon, Da De Jing de Laŭzi* kaj aliajn librojn. Kompilinto de *Granda Vortaro Ĉina-Esperanta* kaj *Granda Vortaro Esperanto-Ĉina.*

중국 강소(江苏)성 진강(镇江) 출신으로 중학 고급교사(中学高级教师)로 봉직했다. 1953년 국제어 에스페란토를 독습하고, 1957년 에스페란티스토가 되었다. 1959년 하얼빈사범대학 중문(中文)과를 졸업, 중학교 영어 교사로 부임했다. 나중에 강소성 에스페란토협회 이사, 부회장을 역임했다. 1991년 중국에스페란토협회 이사로 당선되었다. «중국보도(中国报道)» 잡지사, <외문출판사> 에스페란토부에서 278건의 원고를 번역하고, «모택동시사(毛泽东诗词)»를 에스페란토 번역했다.

사전 편찬에도 괄목할만한 성과를 이뤄냈다. «에스페란토-중국어 사전(世界语汉语词典)»(1987년 출판)에 편찬자의 일원으로 참여했다。«중국어-에스페란토 대사전(汉语世界语大词典)»(2007년 출간)과 «에스페란토-중국어 대사전(世界语汉语大词典)»(2015년 출판)의 편저자였다。 특히 «에스페란토-중국어 대사전(世界语汉语大词典)»는 세계에스페란토 사용자들로부터 호평을 받았다.

주요 번역 작품은 중국 4대 고전(«대학(大学)», «중용(中庸)», «논어(论语)», «맹자(孟子») 은 물론이고, «장자(庄子)», «손자병법(孙子兵法)», «채근담(菜根谭)», «도덕경(道德經)», «육조단경(六祖坛经)», «역경(易经)» 등이 있다. 그밖에도 번역작품으로 «낙타 상자(骆驼祥子)», «주은래 전략(周恩来传略)», «중국도자사화(中国陶瓷史话)», «에스페란토 실용 중급 교재(世界语实用中级课本)» 등이 있다.

2021년 올해에는 «금병매(金瓶梅)»를 에스페란토로 번역 작업을 수행하고 있다.

에스페란토에서 한글로 옮긴 소회

이 책은 어떤 경로로 옮겨적기를 했는가?

이 『육조단경』은 **육조 혜능 선사**(638~713)께서 여러 법문을 통해 대중들을 가르친 말씀을 기록한 혜능 선사의 어록입니다. 이 책은 불교 경전을 이해하고, 불교 사상과 중국 선불교를 이해하고, 우리나라에 들어온 선불교를 이해하는 지침서입니다.

저는 10여 년 전에 부산 동래 〈정토회〉 정토법당에서 '즉문즉답' 으로 유명하신 법륜스님의 **『육조단경』** 해설 강의를 여러 차례 들었습니다.

당시 교재는 **'밝음과 어둠, 번뇌와 보리가 둘이 아님을, 언제나 맑고 고요한 본래 청정심 나툼을 역설한 육조혜능대사!'** 라는 글이 도입부에 있는『알기 쉬운 경전강좌 육조단경』(한글판) 경전이었습니다.

그 뒤로 이 책에 대해 까맣게 잊고 있다가, 중국 진강시(鎮江)의 에스페란티스토 사설근(史雪芹)씨로부터 그의 스승인 왕숭방(王崇芳) 선생님이 『육조단경(六祖壇經)』을 에스페란토로 번역하셨다는 소식을 듣고, 그 텍스트를 얼른 보고 싶은 마음에 그 친구에게 부탁해, 그 선생님의 귀한 번역 텍스트(에스페란토 옮김- 중국어 원문)를 받았습니다.

그 뒤 <에스페란토 번역본-중국어 원문>을 우리말과 대조, 검토해 볼 시도는 해 보지 못했습니다. 그런데 지난해 겨울 방학 때 제겐 뭔가 할 수 있는 시간이 생겼습니다. 왕숭방 선생님의 『육조단경』의 에스페란토 번역본을 다시 펼쳐보기 시작했습니다.

그 에스페란토 번역본은 '에스페란토번역-중국어 원문' 순서로 구성되어 있어, 그중 중국어 원문은 제가 이해하기 매우 어려웠습니다. 그래서 저 번역의 방향을 왕 선생님의 <에스페란토 번역본-중국어 원문>을 살펴보면서, 전에 읽었던 『육조단경』(한글본) -다행히도 이 책은 제 서가의 한 편에 보관되어 있었기에 -과 대조하면서, 이 한글본을 에스페란토 번역본에 순차로 배치해 볼 생각이 들었습니다.

마침 왕 선생님의 에스페란토번역본 체제가 제가 읽고 배운 바 있는 덕이본의『육조단경』한글 번역본과 얼개에 있어 비슷함을 발견하고는, 이를 컴퓨터에 입력하면서 『육조단경』을 다시 읽을 수 있었습니다.

그 뒤, 시내 중고서점에 들러 『육조단경』의 다른 간행물도 구할 수 있었습니다. 풀빛출판사에서 간행한 **『육조단경-사람의 본성이 곧 부처라는 새로운 선언』**(정은주 풀어씀)(초판 2010, 초판 2쇄, 2012년)은 정토회 정토법당 간행본에서 제가 이해하기 어려웠던 **불교 용어가 잘 정리되어 있어**, 한결 읽기가 편했습니다.

"혜능의 선(禪) 사상은 시대를 넘어 오늘날까지 동서양 중생들의 어리석은 무명을 벗기며 평등하고 자비로운 가르침으로 세계 곳곳에 전파되고 있다" 라고 정은주 선생님은 자신의 저서 '한글풀이 본' 서문에서 언급하였습니다. 제게는 '불교는 지혜롭고 자비롭다'는 말과, '모든 생명을 끝없는 따뜻하고 자비로운 마음으로 대하면, 내 안의 불성(佛性)을 보게 된다'는 정은주 선생님의 말씀에 공감합니다.

그래서 깊은 철학적 또 불교 지식이 부족한 저는 이 에스페란토번역본 - 한글풀이 본에 제가 이해하기 어려웠던 불교 용어를 한글로 쉽게 풀어 놓은 풀이를 함께 달면, 『육조단경』을 처음 대하는 이도 쉽게 이해할 수 있지 않을까 하는 생각이 함께 일었습니다.

불민한 제가 한글풀이 본에 주요 인물 이름이나 불교 용어에 한자를 함께 싣거나, 용어풀이를 넣은 것은, 혹시 한글풀이 본을 읽는 이가 그 뜻을 오해할 소지가 있을지 모른다는 생각과 함께, 역자인 저도 그 뜻을 명확히 이해하고자 하는 생각 때문이었습니다.

이 『육조단경』을 '에스페란토본-한글풀이본'으로 정리할 기회를 가진 것은 제게는 위대한 혜능 선사의 사상의 숲에 나무 한 그루라도 만진 행운을 누린 것 아닌가 하고 여기고 있습니다. 아울러, 국제어 에스페란토에 대한 단서도 발견해, 불교사상과 에스페란토를 함께 연구하는 독자도 나오기를 기대합니다.

독자 여러분이 이 책의 **'에스페란토본-한글풀이본' 을 읽어**, 제6조 혜능 선사께서 우리에게 제시하신 **'불교는 깨달음의 종교이고, 그 깨달음이란 내 안에 깃든 청정한 마음을 문득 돌이켜 보면 거기가 바로 깨달음의 자리'** 임을 파악하는 기회가 되기를 기원합니다.

한편, 저의 불교 인연을 잠시 밝혀 둘까 합니다. 할머니는 고향 창원 북면에 사시면서, 절에 정기적으로 다니셨고, 저희 부모님 또한 자비로운 부처님에 기대어 부산 마하사, 범어사와 창녕 법성사에 자주 다니십니다. 제가 운전하는 승용차에 어머니께서 타시면, 늘 "반야심경" 법문을 외우십니다. 어머니는 청정법신불, 자비로운 부처님을 평생토록 굳게 믿고 사시기 때문입니다. 어머님이 암송하는 불경에서 "청정법신불, 비로자나불, 색즉시공, 공즉시생..." 이라는 낱말을 들을 때마다 저는 불교의 철학적 깊이를 생각해 봅니다.

할머니, 어머니(광명화), 또 빙모(만성화)님이 걸어오신 불교, 또 아내의 불심의 발걸음. 또 여동생들의 열렬한 불심. -우리 가족의 불심은 제게 힘이 되어 왔습니다. 오로지 번역의 즐거움을 누릴 수 있었던 것도 이분들이 만들어 주신 번역의 시공간 덕분입니다. 이 번역의 성과물은 이분들의 크나큰 불심에 대한 저 나름의 고마움의 표현일 따름입니다.

그밖에도 '에스페란토번역본- 한글풀이 본' 이 나오게 된 것에는 여러분의 애씀이 함께 있습니다.

에스페란토번역본의 국내 출판을 허락해 주신 왕숭방선생님과 이 번역본의 출판 허락 요청을 중개해준 사설근님, 이 번역본에 〈추천사〉를 써 주신 한국외국어대학교 이영구 명예교수님, 또 이 자료를 책으로 출간하여 주신 진달래 출판사 오태영 대표님께 진심으로 감사의 말씀을 전합니다.

이제, 제 번역 이야기는 마칩니다.
두루 성불하십시오.

2021년 11월 1일.
부산 금정산 자락에서

부처님의 자비로움으로 생활하는 장정렬 삼가 씀.

옮긴이 소개
- 장정렬 (Ombro, 1961~)

경남 창원 출생. 부산대학교 공과대학 기계공학과와 한국외국어대학교 경영대학원 통상학과를 졸업했다. 한국에스페란토협회 교육이사, 에스페란토 잡지 La Espero el Koreujo, TERanO, TERanidO 편집위원, 한국에스페란토청년회 회장 등을 역임했고 에스페란토어 작가협회 회원으로 초대되었다. 현재 한국에스페란토협회 부산지부 회보 TERanidO의 편집장이며 거제대학교 초빙교수를 거쳐 동부산대학교 외래 교수다. 국제어 에스페란토 전문번역가로 활동 중이다. 역서로 『봄 속의 가을』, 『산촌』, 『꼬마 구두장이 흘라피치』, 『마르타』 등이 있다. suflora@hanmail.net

-역자의 번역 작품 목록

-한국어로 번역한 도서

『초급에스페란토』(티보르 세켈리 등 공저, 한국에스페란토청년회, 도서출판 지평),
『가을 속의 봄』(율리오 바기 지음, 갈무리출판사),
『봄 속의 가을』(바진 지음, 갈무리출판사),
『산촌』(예쥔젠 지음, 갈무리출판사),
『초록의 마음』(율리오 바기 지음, 갈무리출판사),
『정글의 아들 쿠메와와』(티보르 세켈리 지음, 실천문학사)

『세계민족시집』 (티보르 세켈리 등 공저, 실천문학사),
『꼬마 구두장이 흘라피치』 (이봐나 브를리치 마주라니치 지음, 산지니출판사)
『마르타』 (엘리자 오제슈코바 지음, 산지니출판사)
『국제어 에스페란토』 (D-ro Esperanto 지음, 이영구/장정렬 옮김, 진달래 출판사)
『사랑이 흐르는 곳, 그곳이 나의 조국』 (정사섭 지음, 문민)(공역)
『바벨탑에 도전한 사나이』 (르네 쌍타씨, 앙리 마쏭 공저, 한국외국어대학교 출판부) (공역)
『에로센코 전집(1-3)』 (부산에스페란토문화원 발간)
『에스페란토 고전단편 소설선(1-2)』 (부산에스페란토문화원 발간)

-에스페란토로 번역한 도서

『비밀의 화원』 (고은주 지음, 한국에스페란토협회 기관지)
『벌판 위의 빈집』 (신경숙 지음, 한국에스페란토협회)
『님의 침묵』 (한용운 지음, 부산에스페란토문화원)
『하늘과 바람과 별과 시』 (윤동주 지음, 도서출판 삼아)
『언니의 폐경』 (김훈 지음, 한국에스페란토협회)
『미래를 여는 역사』 (한중일 공동 역사교과서, 한중일 에스페란토협회 공동발간) (공역)
www.lernu.net의 한국어 번역
www.cursodeesperanto.com,br의 한국어 번역
Pasporto al la Tuta Mondo(학습교재 CD 번역)
https://youtu.be/rOfbbEax5cA (25편의 세계 에스페란토 고전단편소설 소개 강연 : 2021.9.29. 한국에스페란토협회 초청 특강)

-진달래 출판사 간행 역자 번역 목록-

『파드마, 갠지스 강가의 어린 무용수』(Tibor Sekelj 지음, 장정렬 옮김, 진달래 출판사, 2021)

『테무친 대초원의 아들』(Tibor Sekelj 지음, 장정렬 옮김, 진달래 출판사, 2021)

<세계에스페란토협회 선정 '올해의 아동도서' > 작품 『욤보르와 미키의 모험』(Julian Modest 지음, 장정렬 옮김, 진달래 출판사, 2021년)

아동 도서 『대통령의 방문』(Jerzy Zawieyski 지음, 장정렬 옮김, 진달래 출판사, 2021년)

『국제어 에스페란토』(D-ro Esperanto 지음, 이영구/장정렬 공역, 진달래 출판사, 2021년)

『크로아티아 전쟁체험기』(Spomenka Stimec 지음, 장정렬 옮김, 진달래 출판사, 2021년)

『헝가리 동화 황금 화살』(Elek Benedek 지음, 장정렬 옮김, 진달래 출판사, 2021년)

『상징주의 화가 호들러의 삶을 뒤쫓아』(Spomenka Stimec 지음, 장정렬 옮김, 진달래 출판사, 2021년)

『사랑과 죽음의 마지막 다리, 틸라를 찾아서』(Spomenka Stimec 지음, 장정렬 옮김, 진달래 출판사, 2021년)